EUROPE'S FUTURE IN FIGURES

ASEPELT

ASSOCIATION SCIENTIFIQUE EUROPÉENNE

POUR LA PRÉVISION ÉCONOMIQUE

À MOYEN ET À LONG TERME

VOLUME I

EUROPE'S FUTURE IN FIGURES

CONTRIBUTORS

J. BENARD	F. KNESCHAUREK
V. CAO-PINNA	R. KRENGEL
B. M. DEAKIN	J. SANDEE
R. FRISCH	C. T. SAUNDERS
R. C. GEARY	J. R. N. STONE and
GROUPE D'ÉTUDES BELGES	J. A. C. BROWN

Edited by

R. C. GEARY

Director
The Economic Research Institute, Dublin

1962

NORTH-HOLLAND PUBLISHING COMPANY – AMSTERDAM

Printed in the Netherlands by N.V. Drukkerij D. Reidel, Dordrecht

FOREWORD

While the title of this work is ambitious (a not uncommon feature in titles) it may only be fair to the contributors and to readers to explain that it is an *œuvre d'école*, and therefore is limited in scope of subject matter. At the first meeting of ASEPELT, a newly-formed organisation of workers active in middle and long term forecasting, the principal decision was to inaugurate a series of publications, the first to deal with forecasts of GNP or analogous macro-aggregates for 1970 or 1975, with comparative figures for 1959/60, for each of the small number of European countries represented except one, whose citizen was asked to write a chapter of comments. Later the promoters were fortunate in securing the cooperation of Professors R. Frisch and J. R. N. Stone (with Mr J. A. C. Brown) who contributed papers of a more theoretical character. The present volume is the result. Its origins explain the circumscription of its subject matter and in the number of papers. There are evidently other European experts whose names, one feels, should appear on the title page but it seemed to the promoters that the over-riding consideration was that a volume of reasonable dimensions should be published with the least delay.

It has been decided that in this series the languages should be English and French. In this volume of eleven contributions eight are in English and three are in French, with summaries in English.

EDITOR

v

The European Scientific Association for Medium and Long Term Forecasting (ASEPELT), which is publishing the present symposium, was founded on March 21, 1961.

The present symposium is the first of a series of books on medium and long term economic forecasting. A second symposium, which is being prepared, will contain forecasts of private consumption.

An English translation of the statutes, together with a list of members of the Association and members of the Bureau, are annexed to the book.

CONTENTS

CHAPTER 1

L'ECONOMIE BELGE D'ICI A 1975

PAR

LE GROUPE D'ETUDES DE LA COMPTABILITE NATIONALE *)
Bruxelles, Belgique

Introduction

Dans un article paru au début de 1960 sous le titre de « Perspectives de l'économie belge » [1]), nous avons donné nos vues sur le sujet traité ici. Si nous avons été amenés à modifier celles-ci en moins de deux ans, c'est que la prévision à long terme évolue très rapidement, tant du point de vue de la théorie que de celui d'une meilleure connaissance des faits présents et passés.

En ce qui concerne la théorie, nous avons tenu compte de la parution d'une longue étude méthodologique émanant d'un groupe d'experts de la Communauté Européenne du Charbon et de l'Acier [2]) ainsi que de l'ouvrage rédigé par J. W. Knowles [3]) à l'intention du Congrès des Etats-Unis. Les caractères que nous croyons originaux dans la présente étude sont les suivants:

a) la présentation d'un modèle complet expliquant l'évolution du capital et des principales composantes de la demande (Sections III et IV).

b) la mise au point de prévisions d'ensemble aux prix courants de l'année étudiée (Sections II à IV).

Parmi les sources de renseignements nouvellement disponibles, citons

---

*) Les membres du Groupe d'Etudes de la Comptabilité nationale qui ont pris part à cette étude sont: M. E. S. Kirschen, Président; M. L. Morissens, secrétaire; M. C. Carbonnelle; Mme G. Chaput-Auquier; Mme Duprez-Reichert; MM. R. de Falleur; L. Derwa; Melle M. Duby; MM. R. Eglem, M. Frank, H. Glejser, B. Kahn, G. Labeau, E. Maréchal; Mme J. Poelmans; M. J. Waelbroeck, membres.

Le Groupe d'Etudes tient, d'autre part, à remercier M. A. Adam pour ses calculs de résolution du modèle central et sa participation aux discussions générales et MM. J. Guyot et J. P. Jansens pour leurs calculs relatifs à la consommation privée.

[1]) Cahiers Economiques de Bruxelles, n° 6 (Février 1960).
[2]) Bulletin Statistique des Communautés (novembre–décembre 1960).
[3]) 'The Potential Economic Growth in the United States', 86th Congress, 2nd Session (30 janvier 1960).

1

tout d'abord les travaux du Vème Congrès Economique Flamand, sur l'économie belge en 1970 [4]) qui ont permis, sous la présidence de M. M. Naessens, de recueillir les avis d'un très grand nombre de spécialistes. Parmi les publications officielles, il faut citer celles du Bureau de Programmation Economique [5]) et de l'Institut National de Statistique [6]). Enfin, certains travaux ont été publiés par le Département d'Economie Appliquée de l'Université Libre de Bruxelles, sous la signature de MM. H. Glejser [7]), Ch. van Herbruggen [8]) et Y. Langaskens [9]).

Notre période de base est 1960 pour les données les plus générales (P.N.B. et composantes de la demande) et la moyenne des années 1953 à 1957 pour les données détaillées de la consommation privée et de la production. Dans ce dernier cas, il importait, en effet d'éviter que les prévisions ne soient troublées par des variations accidentelles. Les années terminales 1965, 1970 et 1975 ont été retenues ici parce qu'elles sont utilisées dans un certain nombre d'études auxquelles procèdent des organismes nationaux et internationaux. Des données relatives à ces trois années ont été établies pour l'analyse globale, pour celle de la demande intérieure et pour le commerce extérieur (chapitres I à IV); les prévisions, plus hasardeuses et plus difficiles de la production par branche n'ont été opérées que pour 1970. Chacune de ces années est censée se situer à une période de conjoncture moyenne – non au sommet d'un cycle économique.

Les hypothèses générales de la prévision sont celles que l'on utilise généralement dans ce cas: absence de guerre mondiale, de dépression économique grave, réalisation du Marché Commun à un rythme un peu plus rapide que celui prévu par le Traité de Rome, approvisionnement normal en matières premières et produits alimentaires. Dans le cas particulier de la Belgique, nous avons tenu compte de l'indépendance de son ex-colonie, et supposé que l'aide qu'elle recevra du contribuable belge

---

[4]) «De Belgische economie in 1970», par le Vijfde Vlaams Wetenschappelijk Economisch Congres (Gand 1961).

[5]) «Communication au Parlement concernant le programme quinquennal d'expansion économique», Chambre des Représentants, 687, n° 1 (1960–1961).

[6]) Institut National de Statistique: «Etudes statistiques et économétriques», n° 1 et 2 (1961).

[7]) «Perspectives de l'agriculture belge», Cahiers Economiques de Bruxelles, n° 7 (juillet 1960).

[8]) «Het tabakverbruik in België – Evolutie in het verleden en vooruitzichten tot 1975», Cahiers Economiques de Bruxelles, n° 8 (octobre 1960), 527.

[9]) «Prévision d'expansion de la sidérurgie belge», Cahiers Economiques de Bruxelles, n° 10 (avril 1961), 247.

équivaudra plus ou moins aux revenus du portefeuille que les actionnaires des sociétés belges continueront à en retirer. Une réduction de l'un de ces deux flux entraînerait vraisemblablement une réduction correspondante de l'autre.

La réduction de la construction de logements, malgré l'opposition des milieux intéressés, jouera un rôle particulièrement important de 1965 à 1975. En effet, le rythme de cette construction a sensiblement dépassé depuis quelques années ce qu'expliquent la démographie, la diminution de la dimension des ménages et les retards dûs à la guerre. Une part des ressources consacrées aux investissements en logements sera déviée vers des modernisations accélérées de logements anciens, vers des travaux publics et vers des achats de consommation privée.

Enfin, il a été supposé que les gouvernements, bien que plus soucieux que naguère de la nécessité de l'expansion économique (notre taux de croissance du P.N.B., soit 3,4% par an, tient compte de ce facteur) ne s'affranchiraient cependant pas pour autant de certains tabous en matière financière et feraient de la défense du pouvoir d'achat de la monnaie un des objectifs principaux de leur politique économique.

SECTION I

Prévision de la population et de l'offre de travail

Nous nous proposons d'étudier dans cette section l'évolution probable de l'offre de travail, dans notre pays [10]), en procédant dans l'ordre suivant:

1. Prévision de la population et de la population active totale non compris le solde migratoire.

2. Prévision de la population et de la population active, y compris le solde migratoire.

3. Ventilation de la population active en chômeurs, travailleurs frontaliers, agriculteurs, fonctionnaires de l'Etat, domestiques et un groupe résiduel. Ce dernier groupe constitue la main-d'œuvre des branches endogènes du modèle; les branches exogènes sont l'agriculture,

---

[10]) Pour une analyse des liaisons fonctionnelles entre les variables explicatives de l'offre de travail, on se référera à l'article de L. DERWA: «Essai de prévision de la quantité de travail en Belgique en 1960, 1965, 1970 et 1975», Cahiers Economiques de Bruxelles, n° 4 (juillet 1959) 511–527.

l'Etat, les domestiques et le logement (qui n'occupe pas de main-d'œuvre); elles représentaient, en 1960, 22% du produit national [11]).

4. Prévision de la quantité de travail (définie comme le produit du nombre de personnes actives par la durée annuelle du travail) dans l'ensemble des branches endogènes.

Signalons ici quelques traits originaux de cette prévision de l'offre de travail par rapport à la précédente: l'hypothèse d'un renversement de la tendance séculaire à la baisse du taux d'activité féminine, la prise en considération de l'évolution du travail frontalier, des évaluations de la répartition de la durée annuelle du travail des ouvriers et employés.

1. LA POPULATION ET LA POPULATION ACTIVE, SOLDE MIGRATOIRE NON COMPRIS

Le tableau 1 ci-dessous reproduit les prévisions de la population totale (solde migratoire non compris) qu'a faites le Centre de Calcul Mécanique [12]) sur la base des hypothèses suivantes:

— des taux de mortalité décroissants (par paliers de 5 ans) obtenus en extrapolant, par âge et par sexe, une fonction exponentielle;
— des taux de fécondité par année d'âge identiques à ceux de 1957;
— pour les naissances un taux de masculinité, égal au taux moyen de la période 1948–1957.

TABLEAU 1 – La population (en milliers de personnes)
TABLE 1   – Population (in thousand persons)

Hommes – Men	1960	1965	1970	1975
Moins de 15 ans Less than 15 years	1.089,7	1.086,3	1.087,6	1.825,9
15–24 ans	565,8	636,3	713,2	
25–44 ans	1.229,9	1.259,2	1.183,2	1.208,4
45–64 ans	1.141,2	1.080,8	1.103,7	1.108,9
65 ans et plus 65 years and more	472,8	520,1	575,9	615,8
Total	4.499,4	4.582,7	4.663,6	4.759,0

[11]) La distinction entre branches endogènes et exogènes est expliquée en détail, à la section II, 2.

[12]) «Prévisions de population pour l'O.E.C.E. – Perspectives du 31.12.1957 au 31.12.1975», document stencilé.

Femmes – Women	1960	1965	1970	1975
Moins de 15 ans Less than 15 years	1.044,0	1.037,5	1.036,3	1.743,5
15–24 ans	554,1	615,9	687,4	
25–44 ans	1.203,0	1.239,0	1.172,1	1.192,0
45–59 ans	929,7	836,7	846,3	863,4
60 ans et plus 60 years and more	921,8	1.010,3	1.075,8	1.106,2
Total	4.652,6	4.739,4	4.817,9	4.905,1
Total général Overall total	9.152,0	9.322,1	9.481,5	9.664,1
Indice (1960=100) Index	100	101,75	103,6	105,6

Les taux annuels de croissance sont les suivants:

de 1960 à 1965: 0,35 %

de 1965 à 1970: 0,36 %

de 1970 à 1975: 0,38 %

de 1960 à 1975: 0,37 %

Il nous faut, à présent, prévoir les taux d'activité masculine et féminine par classe d'âge.

Il nous paraît utile de rappeler ici que le taux d'activité global d'une nation est fonction non seulement des différents taux d'activité, mais aussi de la distribution de la population par âge.

Dans le tableau 2 ci-dessous, on trouvera les prévisions du taux d'activité masculine pour les grandes classes d'âge ainsi que du taux global que nous avons empruntées à une étude de F. Rogiers [13]) pour les années 1965 et 1970. Ces chiffres tiennent compte de l'accroissement de la scolarité (notamment à partir de 1965 d'une instruction obligatoire jusqu'à 15 ans) et de la généralisation de la pension des travailleurs indépendants. Aucun changement n'est prévu pour les hommes âgés de 25 à 64 ans dont le taux d'activité, dans le passé, a toujours sensiblement été constant.

---

[13]) «Vooruitzichten inzake actieve bevolking in België voor 1960, 1965 en 1970» dans De Belgische Economie in 1970, p. 150. En fait, des classes d'âge plus étroites (5 ans généralement) que celles qui figurent au tableau 2 ont été prises en considération. Ceci explique certaines anomalies apparentes dans l'évolution des taux de ce tableau dues à des modifications démographiques à l'intérieur de ces grandes classes.

TABLEAU 2 – Les taux d'activité masculine (en ⁰/₀₀)
TABLE 2   – Activity rates of men (in ⁰/₀₀)

Age	1960	1965	1970	1975
Moins de 25 ans Less than 25 years	245	247	260	248
25–44 ans	936	937	934	931
45–64 ans	840	840	845	845
65 ans et plus 65 years and more	195	190	180	175
Taux global Overall rate	581	570	560	551

En ce qui concerne les taux d'activité féminine, depuis la fin de la seconde guerre mondiale, un renversement de la tendance séculaire à la baisse semble se dessiner en Belgique. Les taux des recensements, sont en effet, les suivants (en ⁰/₀₀)[14]:

$$
\begin{array}{ll}
\text{En 1910} & : 292 \\
1920 & : 214 \\
1930 & : 243 \\
1947 & : 196 \\
1960 \text{ (estimation)} & : 219
\end{array}
$$

Il faut cependant faire preuve de prudence: d'une part, le taux de 1960 n'est pas tout à fait comparable à celui des recensements et, d'autre part, on a assisté déjà de 1920 à 1930 à une hausse du taux d'activité féminine suivie d'une chute importante de 1930 à 1947. On peut hasarder l'hypothèse que le taux d'activité féminine est fonction directe du taux de croissance: ce dernier a, en effet, été rapide durant les périodes 1920–1930 et 1947–1960, lent, voire négatif de 1910 à 1920 et de 1930 à 1947[15].

Comme nous supposons que les quinze années à venir seront des années de croissance assez rapide (notamment du fait de la création du Marché Commun et d'une plus grande capacité des gouvernements à combattre les récessions que durant l'avant-guerre) nous pronostiquons

---

[14] Recensement Général de 1947, tome VIII, p. 15.
[15] Cfr. C. CARBONNELLE: «Recherches sur l'évolution de la production en Belgique de 1900 à 1957», Cahiers Economiques de Bruxelles, n° 3 (avril 1959) 358.

une augmentation du taux d'activité féminine pour la plupart de classes d'âge, et plus précisément (tableau 3):
— une hausse assez rapide pour les femmes de moins de 25 ans, malgré les progrès de la scolarisation féminine: le pourcentage de jeunes femmes inactives ou se livrant à des travaux domestiques est appelé à diminuer sensiblement [16]);
— une augmentation lente pour les femmes de 25 à 59 ans après la croissance rapide des treize dernières années (de 260 $^o/oo$ à 337 $^o/oo$ pour la catégorie de 25 à 44 ans et de 199 $^o/oo$ à 262$^o/oo$ pour la catégorie de 45 à 59 ans);
— une diminution lente mais progressive pour les femmes de 60 ans et plus, due à la généralisation de la pension des travailleurs indépendants.

On remarquera qu'en dépit de l'augmentation prévue du taux d'activité dans trois classes d'âge sur quatre, le taux global restera sensiblement constant du fait de modifications dans la structure de la population.

TABLEAU 3 – Les taux d'activité féminine (en $^o/oo$)
TABLE 3   – Activity rates of women (in $^o/oo$)

Age	1960	1965	1970	1975
Moins de 25 ans Less than 25 years	188	190	200	210
25–44 ans	337	342	344	346
45–59 ans	262	266	269	272
60 ans et plus 60 years and more	71	68	65	62
Taux global Overall rate	219	217	217	220

En appliquant aux classes d'âge de la population (tableau 1) les taux d'activité masculine et féminine correspondants (tableaux 2 et 3), on obtient les chiffres de population active reproduits au tableau 4 (soldes migratoires non encore compris).

---

[16]) Cfr. F. Rogiers: «Vooruitzichten inzake actieve bevolking in België voor 1960, 1965 en 1970» dans De Belgische Economie in 1970, p. 148, note (2).

TABLEAU 4 – La population active (en milliers de personnes)
TABLE 4   – Active population (thousand persons)

Hommes – Men	1960	1965	1970	1975
Moins de 25 ans Less than 25 years	405,2	426,1	468,5	452,1
25–44 ans 45–65 ans	1.150,8 966,6	1.179,4 908,4	1.105,5 932,4	1.125,4 937,0
65 ans et plus 65 years and more	91,7	98,8	103,7	107,8
Total	2.614,3	2.612,7	2.610,1	2.622,3
Femmes – Women				
Moins de 25 ans Less than 25 years	298,8	314,1	344,7	366,1
25–44 ans 45–59 ans	405,4 243,6	423,7 222,5	403,2 227,6	412,4 234,8
60 ans et plus 60 years and more	65,4	68,7	69,9	68,6
Total	1.013,2	1.029,0	1.045,4	1.081,9
Total général Overall total	3.627,5	3.641,7	3.655,5	3.704,2
Indice Index (1960 = 100)	100,0	100,4	100,8	102,2

Les taux annuels de croissance de la population active sont donc (en $^0/_{00}$):

de 1960 à 1965: 0,08
de 1965 à 1970: 0,08
de 1970 à 1975: 0,26
de 1960 à 1975: 0,14

On remarquera que la population active augmente bien plus lentement que la population totale (0,14% l'an contre 0,37% de 1960 à 1975).

2. LA POPULATION ET LA POPULATION ACTIVE (SOLDE MIGRATOIRE COMPRIS)

En ce qui concerne l'effet des migrations sur la population active, on peut émettre les considérations suivantes: durant les douze dernières années, l'immigration nette de travailleurs s'est élevée en moyenne à quelque 9.000 personnes par an [17]). Quels sont, à l'avenir, les facteurs susceptibles d'influencer les migrations?

a) Tendent à augmenter la population active:

la libre-circulation des personnes prescrite par le Traité de Rome; cette clause deviendra effective entre 1965 et 1970;

l'arrivée éventuelle de travailleurs de l'ex-Congo belge en vertu de l'Accord d'Amitié et d'Assistance signé en 1960;

la réduction, sinon l'arrêt, de l'émigration de Belges vers le Congo.

b) Tendent à diminuer la population active:

le départ de mineurs étrangers travaillant en Belgique. Il semble bien que ce facteur ait, dès à présent, cessé de faire sentir ses effets. Néanmoins, on ne doit plus s'attendre comme dans le passé à l'embauchage de mineurs étrangers par l'industrie charbonnière;

l'émigration des Belges, revenus du Congo en 1960 (et compris dans la population active de cette année).

Nous estimons que les facteurs positifs l'emporteront nettement sur les facteurs négatifs et pronostiquons:

— de 1960 à 1965, une immigration nette annuelle de 5.000 personnes actives, nous ralliant ainsi à un chiffre avancé par le Bureau de Programmation Economique [18]);

— de 1965 à 1975, une immigration nette annuelle de 10.000 personnes actives, quand l'obligation du permis de travail aura été levée. Cette augmentation sera due principalement à l'afflux de travailleurs italiens attirés par les salaires sensiblement plus élevés, payés en Belgique.

Compte tenu de l'immigration nette, la population active évoluerait donc comme indiqué au tableau 5.

TABLEAU 5 – Prévision de la population active (solde migratoire inclus)
TABLE 5   – Forecast of the active population (net migration included)

| Années | Nombre (en milliers) | Indice | Taux d'accroissement annuel (en %) |
Years	Number (thousands)	Index	Annual rate of increase (in %)
1960	3.627	100,0	
1965	3.667	101,1	0,22
1970	3.730	102,9	0,34 0,36
1975	3.829	105,6	0,54

[17]) L. DERWA: art. cit. p. 516.
[18]) Document stencilé.

Il apparaît donc que l'immigration entraînera plus qu'un doublement du taux d'accroissement de la population active de 1960 à 1975 (0,36 % l'an au lieu de 0,14 %). On peut donc y voir un remède au vieillissement démographique.

L'effet des migrations sur la population totale peut être calculé avec une certaine approximation de la manière suivante: les étrangers inactifs (personnes âgées, de moins de quinze ans) entrant en Belgique ou nés en Belgique d'immigrants de la période 1960–1975 sont supposés représenter par rapport au contingent annuel d'immigrants actifs une proportion égale à celle qui est constatée dans le recensement des étrangers installés dans notre pays, soit $\frac{1}{3}$ environ [19]). Le solde migratoire annuel s'élèverait ainsi à 6.700 personnes de 1960 à 1965 et à 13.300 de 1965 à 1975. L'évolution de la population totale figure au tableau 6.

TABLEAU 6 – Prévision de la population totale (solde migratoire inclus)
TABLE 6   – Forecast of total population (net migration included)

Années	Nombre (en milliers)	Indice	Taux d'accroissement annuel (en %)		
Years	Number (thousands)	Index	Annual rate of increase (in %)		
1960	9.152	100,0			
1965	9.355	102,2	0,44		
1970	9.581	104,7	0,47	0,47	
1975	9.831	107,4	0,51		

Grâce à l'immigration, la population augmentera de 0,47 % l'an au lieu de 0,37 % de 1960 à 1975.

Nous avons essayé aussi de projeter le nombre de ménages [20]) (cfr. tableau 7) en extrapolant une droite exprimant dans le temps, le rapport entre le nombre de ménages et la population âgée de 20 ans et plus [21]): ce rapport suit un trend ascendant, c'est-à-dire que la dimension moyenne des ménages se réduit, les générations différentes d'une même famille cohabitant de moins en moins [22]).

---

[19]) Cfr. L. DERWA, *art. cit.* p. 517.

[20]) On entend par ménage, «une unité simple ou collective constituée soit par une personne vivant seule, soit par la réunion de deux ou plusieurs personnes, qui unies ou non par les liens de famille résident habituellement dans une même habitation et y ont une vie commune».

[21]) Voir l'étude de C. DUPREZ-REICHERT et B. KAHN: Les comptes de la branche logement, p. 5 et suivantes, ronéotypée.

[22]) Comme le dernier recensement date de 1947 et que d'ailleurs certaines raisons

TABLEAU 7 – Prévision du nombre de ménages (solde migratoire inclus)
TABLE 7   – Forecast of the number of households (net migration included)

Années	Nombre (en milliers)	Indice	Taux d'accroissement annuel (en %)	
Years	Number (thousands)	Index	Annual rate of increase (in %)	
1960	2.980	100,0	0,48	
1965	3.052	102,4	0,91	0,75
1970	3.192	107,1	0,86	
1975	3.330	111,7		

On constate que le nombre de ménages augmente plus rapidement que la population (0,75 % l'an contre 0,47 % de 1960 à 1975), pour la raison exposée ci-dessus. Mais le taux d'accroissement de la première période est beaucoup plus faible que celui des deux suivantes, du fait des classes creuses des années de guerre: ce sont, en effet, les enfants nés entre 1940 et 1945 qui atteignent leur vingtième année entre 1960 et 1965.

3. LA VENTILATION DE LA POPULATION ACTIVE

Le tableau 7 donne la ventilation de la population active nécessaire pour l'application de notre modèle. Nous isolons, en premier lieu, les chômeurs complets et partiels en faisant l'hypothèse que pour les années de la prévision, le chômage touchera un pourcentage de travailleurs identique à celui de 1960: $4^1/_3$ %. Ce pourcentage élevé est l'indice d'une politique économique qui, dans notre pays a trop tendance à sacrifier le plein-emploi à d'autres objectifs.

Les travailleurs frontaliers représentaient, en 1960, 1,3 % de la population active belge. Or, dans nombre de branches, les salaires payés en Allemagne dépassent aujourd'hui déjà les salaires belges.

Il faut s'attendre à une accentuation de cet état et à une évolution semblable des salaires français, par rapport aux nôtres, du fait de la croissance économique plus rapide de ces deux pays voisins. Cette circonstance, jointe à la persistance d'un chômage relativement important en Belgique amène à prévoir une augmentation de la proportion des

font penser que le relevé du nombre de ménages y a été faussé par une erreur systématique, le nombre de ménages ne doit être considéré comme exact qu'à 1 % près.

travailleurs frontaliers qui passera à 1,5% de la population active belge en 1965, à 1,75% en 1970 et 1975.

En ce qui concerne la prévision de l'emploi dans les trois branches exogènes du modèle, qui y font appel, l'agriculture, l'Etat et les gens de maison, nous renvoyons le lecteur à l'article «Perspectives de l'Economie Belge» [23]).

TABLEAU 8 – Ventilation de la population active (en milliers de personnes)
TABLE 8   – Subdivision of the active population (thousand persons)

	1960	1965	1970	1975
1. Population active totale Total active population	3.639	3.667	3.730	3.829
2. Chômeurs complets et partiels Fully or partially unemployed	158	159	161	164
3. Travailleurs frontaliers Workers employed abroad	46	55	65	67
4. Branches exogènes Exogenous branches	896	861	834	808
Agriculture Agriculture	(289)	(247)	(210)	(181)
Etat Government	(453)	(472)	(493)	(507)
Gens de maison Servants	(154)	(142)	(131)	(120)
5. Branches endogènes Endogenous branches	2.530	2.592	2.670	2.790
Indice Index	100,0	102,4	105,5	110,3

Il ressort du tableau 8 que la croissance de l'emploi est sensiblement plus rapide pour les branches endogènes que pour l'ensemble de l'économie.

Les taux annuels s'élèvent à:

0,49% de 1960 à 1965
0,60% de 1965 à 1970
0,89% de 1970 à 1975
et 0,65% de 1960 à 1975

[23]) Cahiers Economiques de Bruxelles, n° 6 (février 1960) 308 à 310.

4. LA PRÉVISION DE LA QUANTITÉ DE TRAVAIL DANS LES BRANCHES
ENDOGÈNES

Notre analyse sur la durée de travail s'inspire des travaux de la sous-commission «Arbeidsduur» du Vème Congrès Economique Flamand [24]). Pour les ouvriers, nous admettons que d'ici à 1975, la semaine du travail sera ramenée de 45 heures à 42 heures $\frac{1}{2}$, qu'une troisième semaine de vacances sera accordée et qu'un jour férié tombant le samedi donnera lieu à un congé compensatoire. La durée annuelle du travail passerait alors de 2140 heures à 1964 heures en 1975, ce qui correspond à une diminution annuelle de 0,57 % en moyenne.

Pour les employés, nous supposons que d'ici à 1975, la semaine de travail sera ramenée de 42 heures $\frac{1}{2}$ à 41 heures $\frac{1}{4}$, qu'une troisième semaine de vacances sera accordée et qu'un jour férié tombant le samedi donnerait lieu à un congé compensatoire. La durée annuelle du travail des employés tomberait ainsi de 1940 heures en 1960 à 1838 heures en 1975, ce qui signifie une réduction annuelle moyenne de 0,38 %.

Pour les travailleurs indépendants, nous supposons de 1953–1957 à 1975, un taux de diminution de la durée de travail équivalent à la moitié de celui des ouvriers, soit 0,3 % l'an.

En retenant la pondération 0,6 pour les ouvriers, 0,25 pour les employés et 0,15 pour les travailleurs indépendants, la durée annuelle du travail diminuera en moyenne de 0,48 % l'an dans les branches endogènes de 1960 à 1975.

Si l'on suppose que la réduction de la durée du travail se produira régulièrement au cours des 15 années à venir, on obtient l'évolution reproduite dans le tableau 9 (branches endogènes seulement).

TABLEAU 9 – Taux d'évolution de l'emploi, de la durée du travail et de la quantité de
travail (en %)

TABLE 9 – Rate of change of employment, worktime and quantity of labour (in %)

Période Period	Emploi Employment (1)	Durée annuelle du travail Annual worktime (2)	Quantité de travail Quantity of labour (3) = (1) + (2)
1960–1965	0,49	− 0,48	0,01
1965–1970	0,60	− 0,48	0,12
1970–1975	0,89	− 0,48	0,41

[24]) Note rédigée par K. RAES: De Belgische Economie in 1970, p. 121–143.

On constate que la quantité de travail restera pratiquement constante de 1960 à 1965, augmentera de quelque 0,1 % l'an de 1965 à 1970 et de 0,4 % de 1970 à 1975. Sur l'ensemble de la période la croissance annuelle s'élèvera à 0,17 % [25]).

SECTION II

Le taux de croissance

1. L'EXPÉRIENCE HISTORIQUE

Le rythme de croissance de l'économie belge a été extrêmement irrégulier depuis le début du siècle [26]). Dans le tableau 10 ci-dessous, on observera que si le produit national brut a doublé de 1910 à 1960, il a augmenté proportionnellement autant de 1948 à 1960 qu'au cours des quarante années antérieures.

TABLEAU 10 – Croissance du PNB depuis 1910
TABLE 10   – Growth of GNP since 1910

Période Period	Augmentation totale Overall increase	Moyenne annuelle Yearly average
1910–1960	101 %	1,4 %
1910–1930	28 %	1,2 %
1930–1948	8 %	0,4 %
1948–1955	28 %	3,6 %
1955–1960	13 %	2,5 %

Le taux annuel moyen de croissance des cinquante dernières années, 1,4 %, a été défavorablement affecté par les deux guerres mondiales et la grande crise survenues au cours des deux premières périodes distinguées

---

[25]) Dans notre prévision précédente, nous supposions de 1955 à 1975:
— une hausse de l'emploi de   0,05 % l'an
— une diminution de la durée du travail de   − 0,46 % l'an
— d'où une diminution de la quantité de travail de − 0,41 % l'an
(art. cit. p. 332).

[26]) C. CARBONNELLE: «Recherches sur l'évolution de la production en Belgique de 1900 à 1957», Cahiers Economiques de Bruxelles, n° 3 (avril 1959) 353.

au tableau 10. Comme notre étude suppose que de pareilles catastrophes ne se produiront pas d'ici à 1975, on peut considérer qu'un rythme aussi bas est exclu.

La baisse du taux de croissance de 1948–1955 (3,6%) à 1955–1960 (2,5%) annonce-t-elle un ralentissement durable de l'expansion après l'essor de la période de reconstruction? Nous pensons que non. En premier lieu, la reconstruction physique était terminée en Belgique dès 1949. Tout au plus peut-on invoquer une réserve de procédés techniques nouveaux dont la crise des années 1930 puis la guerre avaient empêché l'application. Mais ce qui nous semble l'élément d'explication essentiel, c'est la baisse de la quantité de travail, due à la réduction de la semaine du travail de 48 heures à 45, entre 1955 et 1960: en effet, de 1948 à 1955, le nombre total d'heures prestées dans les branches endogènes est resté pratiquement constant; de 1955 à 1960, il a baissé en moyenne de 0,9% l'an. L'hypothèse d'un essoufflement marqué du progrès technique semble ainsi infirmée. Comme à l'avenir, la quantité de travail est appelée à augmenter (voir section I), le taux de croissance sera sans doute bien plus proche du 3,6% de 1948–1955 que du 2,5% de 1955–1960.

2. LE CHOIX D'UN TAUX DE CROISSANCE POUR LES 15 ANNÉES À VENIR

a) *Les branches exogènes*

Comme on l'a signalé plus haut déjà, des prévisions distinctes ont été faites pour la valeur ajoutée des quatre branches exogènes qui sont: l'agriculture, le logement, l'Etat et les domestiques.

Cette classification est fondée sur l'idée que la production, l'emploi et les besoins en capital de ces quatre branches d'industrie évoluent de façon relativement autonome, et qu'il est donc souhaitable d'établir à leur sujet des prévisions distinctes. Dans ces branches, d'autre part, l'idée de substituabilité entre le facteur travail et le facteur capital a peu de sens. Le *logement* n'emploie que du capital, la branche *domestique* que de la main-d'œuvre; quant à *l'Etat,* sa production est estimée de façon trop conventionnelle pour que l'idée d'une liaison entre cette production, d'une part, et le capital et la main-d'œuvre employés ait un sens quelconque. Pour *l'agriculture,* enfin, il serait sans doute possible de tenter de définir une fonction de production de type spécial, qui refléterait les conditions de production particulière de ce secteur. Vu l'importance réduite de l'agriculture dans la vie économique belge, il a toutefois semblé préférable de lui appliquer une méthode de prévision plus simple. Les *autres branches d'activité*, par contre, (industrie, transports, commerce) sont plus homogènes. Les conditions technologiques dans ces branches laissent d'assez larges possibilités de substitution du capital à la main-d'œuvre.

Pour l'agriculture, la prévision se fonde sur une extrapolation raisonnée de la tendance à long terme; le détail de l'analyse fait l'objet d'un article qui a paru dans le n° 7 des Cahiers Economiques de Bruxelles [27].

Pour le logement, les chiffres se fondent principalement sur l'évolution supposée du nombre de ménages. Il semble que celui-ci soit appelé à augmenter à une allure sensiblement plus rapide que la population; alors que le rythme d'accroissement de la population serait de 0,47% par an de 1960 à 1975, le taux correspondant serait de 0,75% pour le nombre de ménages (section I). L'écart s'explique surtout par une modification des habitudes sociales constatée depuis plusieurs dizaines d'années et qui se traduit par une réduction de la dimension des ménages. La valeur ajoutée par la branche logement est influencée, outre le nombre de ménages, par l'amélioration qualitative des habitations. En définitive, cette valeur ajoutée augmenterait de 1,0% l'an de 1960 à 1975 contre 0,75% pour le nombre de ménages.

Pour l'Etat, des prévisions distinctes ont été faites pour les branches: administration civile, défense nationale et enseignement. Les chiffres admis sont basés avant tout sur des facteurs non économiques.

Pour l'enseignement, une croissance rapide est probable jusqu'en 1970, à la suite des accords conclus entre les partisans de l'enseignement officiel et de l'enseignement libre (surtout catholique), qui prévoient l'accroissement des crédits consentis aux deux types d'écoles. Après cette date, un certain ralentissement est probable (1,5% de 1970 à 1975 contre 2,3% de 1965 à 1970).

Pour la défense nationale, au contraire, la modernisation de l'armée, de même que le manque général d'enthousiasme pour la chose militaire, laissent entrevoir une légère réduction des effectifs (— 1% l'an).

Dans l'administration, enfin, rien ne permet d'espérer un répit dans l'inexorable fonctionnement de la loi de Parkinson, il est donc prévu que le trend exponentiel du passé (2,0% l'an), se poursuivra sans relâchement.

---

[27] H. GLEJSER: «Perspectives de l'agriculture belge», Cahiers Economiques de Bruxelles, n° 7, p. 378 à 388.

Pour les domestiques, enfin, les prévisions reflètent la tendance à long terme en Belgique et dans certains pays étrangers.

Les calculs donnent les résultats présentés au tableau 11:

TABLEAU 11– –Valeur ajoutée des branches exogènes (en milliards de francs)
TABLE 11   – Value added by the exogenous branches (in billion fr.)

	Valeur ajoutée en 1960 Value added in 1960	Valeur ajoutée en Value added in			Taux annuel de croissance (en %) Annual rate of increase (in %)			
		1965	1970	1975	1960–1975	1960–1965	1965–1970	1970–1975
ulture culture	33,9	38,2	40,6	43,2	1,25	1,25	1,25	1,25
ment ing	33,9	35,2	37,1	39,2	1,0	0,8	1,1	1,1
rnment	56,5	61,2	66,2	70,5	1,5	1,7	1,7	1,3
seignement ucation	(20,8)	(23,5)	(26,1)	(28,1)	(2,1)	(2,1)	(2,3)	(1,5)
fense fence	(11,3)	(10,8)	(10,5)	(9,9)	(– 1,0)	(– 1,0)	(– 1,0)	(– 1,0)
ministration ministration	(24,4)	(26,9)	(29,6)	(32,5)	(2,0)	(2,0)	(2,0)	(2,0)
estiques ants	4,0	3,6	3,3	3,1	– 0.9	– 0,9	– 0,9	– 0,9
	130,3	138,2	147,2	156,0	1,2	1,2	1,3	1,1

Le taux de croissance d'ensemble des branches exogènes est le plus élevé entre 1965 et 1970 à cause de la croissance plus rapide du logement et de l'enseignement. Le logement augmente moins vite de 1960 à 1965 et l'enseignement de 1970 à 1975.

b) *Les branches endogènes*

Pour projeter la valeur ajoutée des branches endogènes, nous utilisons la fonction du type Cobb-Douglas proposée par les experts de la C.E. C.A. [28]) et vérifiée par l'évolution séculaire au Canada, aux Etats-Unis, en Italie, en Norvège et au Royaume-Uni:

$$O_{end} = aL^{\frac{2}{3}}_{end} K^{\frac{1}{3}}_{end} e^{vt}$$

---

[28]) «Les méthodes de prévision du développement économique à long terme», *Informations statistiques* (novembre–décembre 1960) 577.

Dans cette formule L_{end} et K_{end} représentent respectivement la quantité de travail et le capital endogènes, v, le progrès technique (incluant celui des méthodes d'organisation) qui comprend deux termes: le trend historique 1,5% l'an, et l'accélération due à la création du Marché Commun (amélioration de la division internationale du travail, élimination des monopoles) et à l'éventuelle action volontariste des gouvernements.

Nous avons vu à la section I, que la quantité de travail augmentera de 0,17% l'an. L'effet sur la valeur ajoutée sera donc de 0,17% × $\frac{2}{3}$ = 0,12% l'an.

Grâce au modèle décrit à la section III ci-après et en supposant un taux de croissance du PNB égal à celui de la période 1948–1955 (3,6%), nous obtenons un taux de croissance du capital endogène de 4,7% [29]. L'effet sur la valeur ajoutée en sera donc de 4,7% × $\frac{1}{3}$ = 1,57% l'an.

Enfin, nous avons décidé d'ajouter un trend historique de 0,75% pour tenir compte des effets du Marché Commun et de l'intervention des pouvoirs publics dont la nécessité a été exprimée dans les programmes des partis actuellement au pouvoir et qui s'est manifestée dans le passé déjà par la création de la Commission Nationale de la Politique Scientifique et du Bureau de Programmation. Le progrès technique entraînera ainsi une augmentation annuelle de 2,25% du PNB.

Nous avons donc en définitive:

$$0,12\% + 1,57\% + 2,25\% = 3,94\%.$$

Le tableau 12 combine les résultats obtenus pour les branches exogènes et endogènes.

TABLEAU 12 – Croissance des branches exogènes et endogènes (en milliards de francs)
TABLE 12   – Growth of the exogenous and endogenous branches (in billion franks)

	Valeur ajoutée en 1960 Value added in 1960	Valeur ajoutée en 1975 Value added in 1975	Taux annuel de croissance (en %) Annual rate of increase (in %)
Branches exogènes Exogenous branches	130,3	156,0	1,21
Branches endogènes Endogenous branches	477,7	853,4	3,94
PNB GNP	608,0	1.009,4	3,43

[29] Il faudra évidemment refaire le calcul si l'on trouve finalement que le taux de croissance futur du PNB est très différent de 3,6%. Ce ne sera pas le cas ici.

Nous avons obtenu ainsi un taux de croissance du PNB de 3,4%.

Nous avons des raisons de croire que ce taux de croissance ne sera pas uniforme au cours des trois périodes étudiées. En effet, d'une part, la quantité de travail des branches endogènes augmente à un rythme toujours plus élevé (0,01% de 1960 à 1965, 0,12% de 1965 à 1970 et 0,31% de 1970 à 1975), d'autre part, une intervention gouvernementale visant à accélérer la croissance ne produira ses pleins effets qu'après un certain délai. Ceci nous porte à admettre un accroissement du taux de croissance de 0,1% par période de 5 ans, ce qui donne:

$$3,3\% \text{ de } 1960 \text{ à } 1965$$
$$3,4\% \text{ de } 1965 \text{ à } 1970$$
$$\text{et } 3,5\% \text{ de } 1970 \text{ à } 1975$$

3. L'ÉVOLUTION DU NIVEAU DES PRIX

Nous avons raisonné, jusqu'à présent, aux prix constants de 1960. De 1948 à 1960, l'indice de prix du PNB a haussé, en moyenne de 1,7% l'an. Si l'on fait abstraction de l'inflation causée par la guerre de Corée, l'augmentation annuelle fut de 1,25% (soit sensiblement moins que dans la plupart des autres pays d'Europe).

Nous avons admis que ce taux persisterait dans l'avenir. Plus que toute autre variable introduite jusqu'ici, celle-ci est fonction aussi de l'évolution économique dans le reste du monde. Cette considération, à elle seule, indique le caractère précaire de cette prévision.

Néanmoins, il semble qu'un taux de cet ordre est proche de l'optimum (tant du point de vue de la croissance que de ceux de la répartition des revenus et du plein emploi): il implique à la fois, l'absence d'une inflation galopante et d'un restrictionnisme basé sur la «prudence», l'un et l'autre nuisibles aux véritables objectifs de la politique économique.

A prix courants, le PNB augmenterait ainsi de 4,7% l'an (dont 3,4% en quantité et 1,25% en prix). De 1960 à 1975, nous serons amenés à faire usage de ces pourcentages, lorsque, aux sections III et IV, nous supputerons les modifications dans les prix relatifs de certaines composantes du produit national.

Le tableau 13 donne l'évolution prévue du PNB en quantité et en valeur. Le niveau de 1000 milliards de francs serait atteint vers 1971.

TABLEAU 13 – Projection du PNB
TABLE 13   – Projection of GNP

Année Year	Aux prix constants de 1960 At constant prices of 1960			Aux prix courants At current prices		
	Milliards de frs Billion fr.	Indice Index	Taux annuel de croissance (en %) Annual rate of increase (in %)	Milliards de frs Billion fr.	Indice Index	Taux annuel de croissance (en %) Annual rate of increase (in %)
1960	608,0	100,0		608,0	100,0	
1965	715,1	117,6	3,3	761,3	125,2	4,6
1970	845,2	139,0	3,4	957,9	157,5	4,7
1975	1003,8	165,1	3,5	1211,0	199,2	4,8

SECTION III

Le modèle central

La cohérence des prévisions est assurée par un modèle économétrique assez simple de forme récursive qui permet d'aboutir, étape par étape, à des projections de plus en plus détaillées. Ce modèle n'a pas la prétention de décrire fidèlement le structure de l'économie belge; il constitue un simple cadre de calcul où les éléments d'information les plus importants peuvent prendre place et où le danger d'incompatibilité entre les prévisions est réduit.

A ce modèle central qui permet de projeter les principales grandeurs macro-économiques, toutes exprimées aux prix constants de 1960, se rattachent des prévisions à prix courants (voir fin de cette section) et des prévisions plus détaillées concernant la demande et l'offre, traitées aux sections IV et V.

La philosophie générale de ce modèle est très proche de celui que J. Waelbroeck a présenté à la Société belge de Statistiques [30]).

1. LES SIX ÉQUATIONS DU MODÈLE CENTRAL

La première équation de la chaîne récursive [31]) décrit la croissance du produit national:

$$O_t = rO_{t-1} \tag{1}$$

---

[30]) «Aspects économétriques des prévisions à long terme du Groupe d'études de la Comptabilité Nationale», Revue belge de statistique et de recherche opérationnelle (janvier 1961) 8–17.

[31]) Par convention, nous plaçons toujours à gauche du signe d'égalité la nouvelle

où O_t est le produit national brut de l'année t et r, l'indice par rapport à l'année précédente.

L'équation (2) lie la consommation de capital (amortissement) au stock de capital fixe de l'année précédente. On distingue le capital des branches exogènes (à longue durée de vie car le capital de ces branches est composé presque exclusivement de constructions) et celui des branches endogènes (à durée de vie plus courte):

$$A_t = aK_{ex,t-1} + b(K_{t-1} - K_{ex,t-1}) \qquad (2)$$

où A_t représente l'amortissement et K_{t-1} le stock de capital fixe en valeur actuelle (c'est-à-dire amortissements déduits) à la fin de l'année t—1, a et b sont respectivement les fractions de capital fixe des branches exogènes et des branches endogènes consommées annuellement. Nous avons été contraints d'utiliser des chiffres de valeurs actuelles du capital au lieu de valeurs de remplacement, faute de données statistiques sur les mises hors service.

Pour passer du PNB au revenu disponible des particuliers on commence par soustraire la consommation de capital et la consommation publique. On peut démontrer grâce aux identités de la comptabilité nationale [32]), qu'on obtient le revenu disponible en retranchant encore trois grandeurs d'importance plus réduite représentées dans notre équation par une seule variable, F_{ex}, qui sont: l'épargne nette de l'Etat, l'épargne nette des sociétés et les transferts nets de l'Etat au reste du monde.

On a:

$$Y_t = O_t - A_t - G_{ex,t} - F_{ex,t} \qquad (3)$$

où Y_t représente le revenu disponible des particuliers, $G_{ex,\,t}$ la consommation publique et $F_{ex,\,t}$ les trois grandeurs citées ci-dessus, regroupées en un terme pour la facilité de la présentation mais évaluées séparément.

La relation (4) correspond à la fonction de consommation keynésienne:

$$C_t = cY_t \qquad (4)$$

où C_t représente la consommation privée.

---

variable endogène introduite par l'équation en question. Les variables exogènes (toutes marquées de l'indice ex) ainsi que les variables endogènes dont la valeur a été déterminée par les équations précédentes figurent à droite. Les lettres minuscules représentent les paramètres. L'indice t représente l'année en cours, t–1 l'année précédente.

[32]) On trouvera la démonstration dans l'article «Perspectives de l'Economie belge», Cahiers Economiques de Bruxelles, n° 6 (février 1960) annexe II, 336 à 339.

La relation (5) se fonde sur l'identité comptable classique entre ressources disponibles et ressources utilisées:

$$I_t = O_t - G_{ex,\,t} - (X-M)_{ex,\,t} \tag{5}$$

où I_t est l'investissement brut et $(X-M)_{ex,\,t}$ l'exportation nette. Cette dernière grandeur est, en effet, considérée comme un effet de la politique gouvernementale.

Enfin, l'équation (6) exprime que le stock de capital fixe (valeur actuelle) de l'année t est égal à celui de l'année précédente augmenté du montant de l'investissement brut de l'année et diminué de la consommation de capital et de l'accroissement de stock du capital circulant en t [33]). Cette dernière grandeur est considérée comme fonction du niveau du produit national. On a:

$$K_t = K_{t-1} + I_t - A_t - h\,(r-1)\,O_t \tag{6}$$

où h représente le rapport de l'accroissement des stocks à celui du PNB et $r-1$, le taux de croissance de ce dernier (cfr. équation 1).

Le modèle central contient ainsi 6 équations, 6 variables endogènes, 4 variables exogènes et 5 paramètres. Parmi les équations on compte:

3 relations de définition: (3), (5) et (6)
2 relations techniques: (1) et (2)
1 relation de comportement: (4).

Le lecteur trouvera ci-dessous un tableau décrivant la filière récursive du modèle central ainsi que les variables exogènes introduites à chaque équation:

TABLEAU 14 – Structure du modèle central
TABLE 14   – Structure of the central model

Equation	Paramètres introduits Parameters introduced	Variables exogènes introduites Exogenous variables introduced	Variables endogènes introduites Endogenous variables introduced
1	r	—	O
2	a, b	K_{ex}	A
3	—	G_{ex} et F_{ex}	Y
4	c	—	C
5	—	$(X-M)_{ex}$	I
6	h	—	K

[33]) L'accroissement de stocks ne comprend pas ceux qui sont constitués dans le commerce de détail. Faute de renseignements, ceux-ci sont compris dans la consommation privée.

2. LA RÉSOLUTION DU SYSTÈME CONSTITUANT LE MODÈLE CENTRAL

Le lecteur trouvera, en annexe un tableau donnant les valeurs des variables exogènes et endogènes pour toutes les années de 1960 à 1975. Nous ne soumettrons ici au lecteur que les principaux résultats après avoir justifié les valeurs données aux quatre paramètres.

a) *Les paramètres*

Dans l'équation (1) r vaut 1,033 de 1960 à 1965, 1,034 de 1965 à 1970 et 1,035 de 1970 à 1975 ainsi qu'il a été expliqué à la Section II.

Les valeurs de a et b dans l'équation (2) sont fixées grâce à l'expérience du passé, respectivement à 0,008 et 0,075.

Dans l'équation (4), la propension à consommer, c, a été maintenue à son niveau moyen des cinq dernières années (0,87) durant la première période de la prévision. Elle a été portée à 0,875 durant la seconde et la troisième période pour une raison qui sera expliquée au paragraphe suivant.

Enfin, dans l'équation (6), h est fixé à 0,20 comme dans le passé.

b) *Les variables exogènes*

La valeur du capital de logements s'accroît surtout par l'augmentation du nombre de logements et accessoirement par le rajeunissement et l'amélioration qualitative des habitations résultant:
— des constructions nouvelles,
— des démolitions de vieux immeubles,
— des transformations et modernisations d'habitations anciennes.

De 1948 à 1960, la construction et la démolition de logements ont évolué comme l'indique le tableau 15:

TABLEAU 15 – La construction et la démolition de logements de 1948 à 1960
(moyennes annuelles, en milliers de logements)
TABLE 15   – Construction and demolition of dwellings from 1948 to 1960
(yearly averages, in thousand dwellings)

	1948	1949–1953	1954–1960	1960
Construction (c)	26.7	40.4	47.6	50.6
Démolition (d)	0.3	1.1	3.3	4.6
Accroissement du nombre de logements (c) – (d) Increase in the number of dwellings (c) – (d)	26.4	39.3	44.3	46.0

La construction a connu un essor considérable de 1948 à 1953; de 1954 à 1960, l'activité s'est maintenue assez stable. Quant à la démolition, presque nulle au moment de la pénurie de logements en 1948, elle n'a cessé d'augmenter. Pendant la période de 1948 à 1960, l'accroissement du nombre de logements (500.000) a été fort supérieure à celui du nombre de ménages (225.000). Ceci s'explique par le retard de construction accumulé durant les années de guerre et par les destructions dues à celle-ci. La construction de logements a aussi été encouragée par une politique de subventions.

Pour la période 1960–1965, nous avons admis que la construction, faisant preuve d'une inertie considérable, se maintiendra à son niveau de 1954–1960 et que la démolition, poursuivant son trend ascendant, s'élèvera, en moyenne, à 6.000 unités par an. Compte tenu de la faible augmentation du nombre de ménages durant cette période (0,48 % l'an)[34], le taux d'occupation des logements (rapport du nombre de ménages à celui des logements) sera alors inférieur de 4% environ, en 1965, à sa valeur de 1960 (voir tableau 16).

Cette augmentation spectaculaire du nombre de logements vides, provoquera une baisse des loyers entraînant à partir de 1965, un ralentissement marqué de la construction (37.000 logements par an de 1965 à 1970 contre 47.000 durant la période précédente) et une accélération des démolitions (9.000 unités contre 6.000). Ceci, joint à un accroissement sensiblement plus rapide du nombre de ménages (0,9 % l'an), élève légèrement le taux d'occupation en 1970 (de 0,3%). Une évolution semblable se produira de 1970 à 1975, avec une nouvelle mais légère réduction de la construction, un accroissement des démolitions et une augmentation de 1 % du taux d'occupation (voir tableau 16).

La dernière colonne du tableau 16 donne enfin les valeurs actuelles du capital de logements: pour les déterminer on a utilisé le nombre de logements (colonne 3) et on a aussi tenu compte des améliorations qualitatives dues à la substitution de bâtisses nouvelles à des immeubles détruits ainsi qu'à des transformations et modernisations qui gagneront en importance lors du fléchissement de la construction à partir de 1965.

Nous estimons que la baisse de l'investissement annuel en construction de logements après 1965 aura, entre autres, pour effet d'abaisser la propension moyenne à épargner des particuliers: en effet, on peut s'attendre à une chute des remboursements d'hypothèques, contractées pour

---

[34] Cfr. section I.

TABLEAU 16 – Prévision du capital de logement
TABLE 16 – Forecast of capital in housing

Année Year	Nombre de ménages [a] Number of households [a]		Nombre de logements (milliers) Number of dwellings (thousands)	Coefficient d'occupation [a] Occupation ratio [a]	Durant cinq années During five years			Valeur actuelle du capital de logements (milliards de francs) Net value of capital in housing (billion fr.)
	Milliers Thousands	Taux annuel de croissance Yearly rate of growth			Construction (milliers de logements) Construction (thousands of dwellings)	Démolition (milliers de logements) Demolition (thousands of dwellings)	Accroissement du nombre de logements (milliers) Increase in the number of dwellings (thousands)	
	(1)	(2)	(3)	(4) = (1) : (3)	(5)	(6)	(7) = (5) − (6)	(8)
1960	2.980	0,48 %	3.092	0,964	235	30	205	936
1965	3.052	0,91 %	3.297	0,926	185	45	140	1.025
1970	3.192	0,86 %	3.437	0,929	170	60	110	1.089
1975	3.330		3.547	0,939				1.147

[a] Le nombre de ménages n'est connu qu'avec une approximation de ± 1 % de même que, par conséquent, le coefficient d'occupation.
[a] The number of households is known with an approximation of ± 1 % and consequently this is also the case for the occupation ratio.

la construction d'un immeuble d'habitation. D'autre part, ceux qui financent la construction de leur propre logement sans recourir à l'emprunt, considèrent probablement, en partie, cette dépense comme un achat courant et non comme un investissement. C'est la raison pour laquelle, à partir de 1965, nous avons porté la propension à consommer de 0,87 à 0,875.

L'évaluation du capital de l'Etat s'inspire du programme à long terme de travaux publics (routes, canaux, bâtiments administratifs, écoles) actuellement en cours de préparation. Ce dernier prévoit une augmentation de la part des investissements de l'Etat dans le PNB qui, de 2,0 % au cours des dix dernières années passera à 2,3 % dans l'avenir. Nous prévoyons que les investissements publics augmenteront surtout au cours des deux dernières périodes, au moment du fléchissement de la construction de logements; à ce moment, la Caisse d'Epargne et d'autres organismes de placement pourront investir en fonds d'Etat une partie de leurs capitaux frais consacrés dans le passé à des prêts hypothécaires aux particuliers désireux de construire des logements.

Le capital de l'agriculture a été projeté en tenant compte de la substitution de machines à la main-d'œuvre et des véhicules à moteurs au bétail et, d'autre part, d'une construction de bâtiments agricoles très faible du fait de la chute de la population active dans cette branche.

En ce qui concerne la consommation publique, nous renvoyons le lecteur à ce qui a été dit à la section II, à propos de la valeur ajoutée de l'Etat qui constitue près de 75 % de cette grandeur: les achats de l'administration et de l'enseignement augmenteront au même rythme que la valeur ajoutée de ces services, ceux de la défense croîtront de 0,75 % l'an ce qui compensera la baisse de 1,0 % des effectifs, maintenant ainsi les dépenses militaires à un niveau constant.

Quant à la variable F_{ex}, nous avons supposé:
— que la désépargne de l'Etat se maintiendra à son niveau des trois dernières années (9 milliards de francs environ);
— que l'épargne nette des sociétés augmenterait proportionnellement au produit national et atteindrait ainsi 3 milliards de francs en 1975;
— que les transferts au Reste du Monde augmenteraient dès 1960 (2,5 milliards de frs en 1975) car l'Etat belge sera amené à participer davantage que par le passé à l'aide aux pays sous-développés.
Enfin, nous estimons que, comme cela a été le cas huit années sur neuf

depuis 1951 [35]), le niveau des exportations dépassera, à l'avenir, celui des importations. Au besoin, l'instrument du taux de change sera employé par les pouvoirs publics afin de maintenir un solde positif de 13 milliards de francs en 1975, soit 1,3% du PNB qui seront affectés comme suit:
1) Aide aux pays sous-développés: 5 milliards de francs (0,5% du PNB) dont une moitié de dons et une moitié de prêts.
2) Placements privés nets à l'étranger: 5 milliards de francs.
3) Accroissement des réserves de change: 3 milliards de francs.

c) Les variables endogènes: les dépenses

Le tableau 17 donne un aperçu des prévisions concernant l'évolution des composantes de la demande à prix constants.

On remarquera que de 1960 à 1975 la consommation privée augmente annuellement de 3,6%, c'est-à-dire plus rapidement que le PNB, la consommation publique de 1,7% seulement et la formation de capital de 3,6%.

On arrive à une image sensiblement différente, lorsqu'on se risque à prévoir l'évolution des composantes de la demande à prix courants. De 1948 à 1960, en Belgique, comme dans presque tous les pays occidentaux [36]), l'indice des prix de la consommation privée a augmenté plus lentement que celui du PNB (1,5% l'an contre 1,8%), celui de la consommation publique a augmenté sensiblement plus vite (3,8%) et celui de l'investissement [37]) un peu plus rapidement seulement (2,1%) (voir tableau 18, colonne (1)). La colonne (2) du tableau retrace l'évolution relative des prix des composantes de la demande par rapport à celui du PNB.

Cette évolution divergente peut s'expliquer par l'augmentation quasi nulle de la productivité du travail dans la branche Etat (due, en partie, aux conventions de la comptabilité nationale) et dans la branche construction qui constituent les fournisseurs les plus importants respectivement de la consommation publique et de l'investissement. D'autre part,

---

[35]) La différence s'est élevée, en moyenne, à quelque 8 Milliards par an, soit 1,5% du PNB. Cfr., à ce sujet l'article de W. VAN RIJCKEGHEM: «Het verband tussen groei en betalingsbalans», Cahiers Economiques de Bruxelles, n° 10 (avril 1961), en particulier p. 239 et suivantes.
[36]) On s'en convaincra en consultant le Bulletin Statistique de l'O.E.C.E. (janvier 1961) p.v.
[37]) Y compris l'accroissement des stocks.

TABLEAU 17 – Les composantes de la demande (aux prix de 1960)
TABLE 17   – The components of demand (at 1960 prices)

	Valeur en 1960 / Value in 1960	Taux annuels d'accroissement / Yearly rates of increase				Valeur en / Value in		
		1960–1975	1960–1965	1965–1970	1970–1975	1965	1970	1975
1) Consommation privée / Private consumption	417	3,6	3,6	3,65	3,65	498,3	596,2	713,0
2) Consommation publique / Public consumption	73	1,7	2,1	1,6	1,5	82,0	89,0	96,0
Total de la consommation / Total consumption	490	3,4	3,5	3,4	3,4	580,3	685,2	809,0
3) Accroissement des stocks / Increase in stocks	4	3,3	3,3	3,3	3,3	4,7	5,7	7,0
4) Formation intérieure brute de capital fixe / Gross domestic fixed capital formation	103	3,6	3,3	3,5	4,1	121,1	143,3	174,8
Total de la formation intérieure brute de capital / Total of gross domestic capital formation	107	3,6	3,3	3,5	4,1	125,8	140,0	181,8
5) Importation nette [a] / Net import [a]	8	—	—	—	—	9,0	11,0	13,0
Produit National Brut [b] / Gross National Product [b] ((1) + (2) + (3) + (4) + (5))	608	3,4	3,3	3,4	3,5	715,1	845,2	1003,8

[a] Comme pour cette composante, les valeurs sont relativement faibles et arrondies à l'unité, la calcul d'un taux d'accroissement n'a guère de sens.

[a] As, for this component, figures are relatively small and rounded up to unity, computation of a rate of increase has not much sense.

[b] Ce total diffère légèrement de la somme des composantes en 1960 par suite d'arrondissements.

[b] This total differs slightly from the sum of its components in 1960 because of roundings.

TABLEAU 18 – Evolution des prix des composantes de la demande de 1948 à 1960
TABLE 18   – Price changes of the components of demand from 1948 to 1960

	Indice annuel moyen de prix (année précédente = 100) Average price change (previous year = 100)	Rapport de l'indice annuel moyen de prix à celui du PNB Ratio of the yearly average price index to the price index of GNP (2) = (1) : 101,8
a. Consommation privée Private consumption	101,5	0,997
b. Consommation publique Public consumption	103,8	1,028
c. Formation intérieure brute de capital Gross domestic capital formation	102,1	1,003
Produit National Brut Gross National Product	101,8	1,000

il semble que le prix du matériel soit plus bas en Belgique qu'à l'étranger [38]) ce qui provoque une pression à la hausse due à la demande extérieure.

Nous estimons, qu'à l'avenir, de tels écarts entre les diverses composantes s'accentueront encore car, le prix des loyers, qui représentent 11 % du total de la consommation privée, a augmenté plus rapidement que celui du PNB de 1948 à 1960. Or, pour les raisons exposées précédemment, nous nous attendons à une chute du prix relatif des loyers de 1960 à 1975.

Ceci aura pour effet que le rapport de l'indice de prix de la consommation privée à celui du PNB sera d'environ 0,996 à l'avenir contre 0,997 de 1948 à 1960 (voir tableau 19). De la sorte, le rapport de l'indice de la consommation publique prendra une valeur plus élevée que par le passé (1,022 contre 1,020) tandis que celui de l'investissement sera plus bas (1,002 contre 1,003) du fait de la demande réduite de constructions de logements.

Rappelons que nous avons admis à la section II, une hausse de prix moyenne du PNB de 1,25 %.

Ainsi qu'il ressort de la colonne (2) du tableau 19, l'indice de prix de

---

[38]) M. GILBERT and associates: Comparative national products and price levels, O.E.C.E. (1958) p. 36 et suivantes.

TABLEAU 19 – Prévision de l'évolution des prix des composantes de la demande
TABLE 19   – Price forecast of the components of demand

	Rapport de l'indice annuel moyen de prix à celui du PNB Ratio of the average annual price change to the price change of GNP (1)	Indice moyen de prix (année précédente = 100) Average price index (previous year = 100) (2) = (1) × 101,25
a. Consommation privée Private consumption	0,996	100,85
b. Consommation publique Public consumption	1,022	103,45
c. Formation intérieure brute de capital Gross domestic capital formation	1,002	101,45
Produit National Brut Gross National Product	1,000	101,25

TABLEAU 20 – Les composantes de la demande à prix courants
TABLE 20   – The components of demand at current prices

	Valeur en 1960 Value in 1960	Taux annuel d'accroissement de 1960 à 1975 (en %) Annual rate of increase from 1960 to 1975 (in %)	Valeur en 1975 Value in 1975	En % du PNB In % of GNP	
				1960	1975
1. Consommation privée Private consumption	417	4,45	801	68,4	66,2
2. Consommation publique Public consumption	73	5,2	157	12,0	13,0
Total de la consommation Total consumption (1 + 2)	(490)	4,7	(958)	(80,4)	(79,2)
3. Formation intérieure brute de capital Gross capital formation	111	5,1	237	18,3	19,5
4. Exportation nette Net export	8	4,7	16	1,3	1,3
Produit National Brut Gross National Product (1 + 2 + 3 + 4)	608	4,7	1211	100	100

la consommation privée augmenterait de 0,85 % l'an, celui de la consommation publique de 3,45 % et celui de l'investissement de 1,45 %.

Le tableau 20 reproduit l'évolution des composantes de la demande cette fois à prix courants. Nous avons supposé que l'indice de prix de l'exportation nette variait comme celui du PNB (hausse de 1,25 % l'an).

On constate donc une diminution de 2,2 % de la part de la consommation privée dans le PNB, une augmentation de 1,0 % de celle de la consommation publique et de 1,2 % de celle de la formation intérieure brute de capital.

d) Les variables endogènes: Le stock de capital fixe, la productivité du capital et du travail

Le tableau 21 donne l'évolution du capital des branches exogènes (ligne 1) et de l'ensemble des branches endogènes (ligne 2) du coefficient de capital dans l'ensemble de l'économie (ligne 4) et dans les branches endogènes (ligne 5) et enfin de la valeur ajoutée par heure de travail dans les branches endogènes (ligne 6).

On constate une hausse assez lente du capital de logements qui tombe de 52,0 % à 42,0 % du capital total. Le capital des branches endogènes augmente sensiblement plus rapidement que l'ensemble (4,4 % l'an contre 2,8 %) et passe de 34,5 % à 43,3 % du total.

Le coefficient de capital de l'ensemble de l'économie baisse régulièrement du fait de la diminution de la part des logements à faible valeur ajoutée par unité de capital. Le coefficient de capital des branches endogènes hausse légèrement.

Quant à la valeur ajoutée par heure de travail dans les branches endogènes, elle augmente très rapidement et dépassera, en 1975, de près des trois quarts son niveau de 1960.

TABLEAU 21 – L'évolution du stock de capital fixe (Valeur actuelle aux prix de 1960), de la productivité du capital et du travail
TABLE 21 – The development of the capital stock (net value at 1960 prices), of capital and labour productivity

	Valeur en 1960 — Value in 1960	Taux annuel d'accroissement de 1960 à 1975 (en %) — Yearly rate of growth from 1960 to 1975 (in %)	Valeur en — Value in			En % du total — In % of the total	
			1965	1970	1975	1960	1975
1. Capital exogène — Exogenous capital	1.178	1,8	1.313	1.426	1.546	65,5	56,7
a. Logements – Dwellings	(936)	1,4	(1.025)	(1.089)	(1.147)	(52,0)	(42,0)
b. Etat – Government	(204)	3,6	(246)	(292)	(348)	(11,4)	(12,1)
c. Agriculture – Agriculture	(38)	2,0	(42)	(46)	(51)	(2,1)	(1,9)
2. Capital endogène — Endogenous capital	622	4,4	755	942	1.183	34,5	43,3
3. Capital total (1 + 2) — Total capital (1 + 2)	1.800	2,8	2.068	2.368	2.729	100,0	100,0
4. Coefficient de capital de l'ensemble de l'économie — Capital-output ratio of the whole economy	2,96	—	2,89	2,80	2,72		
5. Coefficient de capital des branches endogènes — Capital-output ratio of the endogenous branches	1,30	—	1,31	1,35	1,39		
6. Indice de la valeur ajoutée par heure de travail dans les branches endogènes (1960 = 100) — Index of value added per workhour in the endogenous branches (1960 = 100)	100	3,8	120,1	144,6	174,7		

SECTION IV

Le détail de la demande

Au modèle central décrit à la section III, viennent se greffer deux prévisions détaillées:
1. La projection du volume du commerce extérieur.
2. La ventilation de la consommation privée par catégorie de besoins.

1. LE COMMERCE EXTÉRIEUR

Au cours des dernières années, le rapport entre le taux d'accroissement de l'importation et celui du produit national a été élevé. De 1948 à 1960, l'importation a augmenté à un rythme 1,6 fois plus élevé que le PNB. Loin de s'atténuer, ce rapport s'est même accru au fil des années, reflétant les mesures de libération des échanges prises dans le cadre d'accords de coopération européenne: il a atteint 2,2 de 1953 à 1960.

Dans les premières années à venir, la substitution de charbon et surtout de pétrole importés au charbon belge sera plus importante que par le passé. Dans le cadre du Marché Commun, on peut s'attendre, dans l'immédiat, à un grand développement tant des importations que des exportations, de biens de consommation finis tels que les textiles pour lesquels les droits de douane sont à présent particulièrement élevés. Dans les industries mécaniques, et dans l'industrie automobile, en particulier, les accords de spécialisation et de coopération entre entreprises conduiront à un relèvement très marqué des courants d'échange d'articles en métal.

Mais à partir des dernières années de cette décennie l'effet du Marché Commun, qui a pris le relais de Benelux, de l'O.E.C.E. et de la C.E.C.A. en tant que stimulant aux échanges internationaux, s'atténuera. Ceci laisse supposer une baisse de l'élasticité de l'importation par rapport au PNB de 1960 à 1975. Nous avons choisi, en définitive, la valeur 1,5 pour celle-ci:

$$\frac{M_t}{M_0} = \left(\frac{O_t}{O_0}\right)^{1,5}$$

De 28,3 % du PNB en 1953–1957 et de 34,2 % en 1960, l'importation atteindra ainsi 43,8 % en 1975.

Comme l'exportation nette $(S = X - M)$ a été déterminée comme variable exogène (voir section III), on obtient, en y ajoutant l'importation, le niveau de l'exportation nécessaire à la couverture des besoins du pays:

$$X_t = S_{\text{ex}, t} + M_t$$

Le tableau 22 donne une vue générale de l'évolution du commerce extérieur.

TABLEAU 22 – Projection du commerce extérieur (aux prix de 1960)
TABLE 22   – Projection of foreign trade (at 1960 prices)

Années Years	Importations (M) Import (M)		Exportation nette (S) (en milliards de frs) Net export (S) (in billion fr.)	Exportation (X) Export (X)	
	Valeur (milliards de frs) Value (billion fr.)	Taux annuel d'accroissement (en %) Annual rate of increase (in %)		Valeur (milliards de frs) Value (billion fr.)	Taux annuel d'accroissement (en %) Annual rate of increase (in %)
1960	208,5		8	216,5	
		4,95			4,9
1965	265,4		9	274,4	
		5,10			5,1
1970	340,2		11	351,2	
		5,25			5,25
1975	439,4		13	452,4	

2. LA CONSOMMATION PRIVÉE PAR CATÉGORIE DE PRODUIT

Nos prévisions relatives à la consommation privée (C_t) ont porté sur 80 postes de biens et services, obtenus par regroupement des 161 rubriques de nos évaluations concernant l'évolution passée [39]). Cette consolidation résulte soit de la qualité médiocre des données de base détaillées soit de la difficulté de procéder à des prévisions pour des postes trop minimes.

Dans tous les cas il a été tenu compte pour la prévision, de l'évolution de 1948 à 1960; celles-ci n'ont cependant été extrapolées purement et simplement que dans un nombre fort réduit de cas.

Notons cependant qu'en raison du nombre réduit d'observations dis-

---

[39]) Pour les données statistiques de consommation privée relatives à la période de 1948–1959, voir J. POELMANS et J. GUYOT: Cahiers Economiques de Bruxelles, n° 9 (janvier 1961).

ponibles pour le passé (rarement plus de 10 à 12) il n'a été fait usage de régressions multiples que dans des cas exceptionnels.

Les méthodes utilisées sont:

A) l'utilisation d'un coefficient d'élasticité par rapport aux dépenses de consommation [40])

    a) constant pour les 3 périodes [41]) (14 cas)

    b) variable d'une période à l'autre (8 cas)

B) la projection d'un trend chronologique

    a) constant pour les 3 périodes (21 cas)

    b) variable d'une période à l'autre (11 cas)

    c) le nombre de ménages, corrigé par un coefficient de qualité (1 cas: les loyers)

    d) des facteurs particuliers relatifs à la rubrique considérée (25 cas).

Le plus souvent il a été tenu compte implicitement des variations prévues pour les prix relatifs des diverses rubriques de biens et de services. A notre avis, cependant, l'évolution des dépenses de consommation n'est pas fortement influencée par l'évolution du niveau des prix relatifs, quand il s'agit de postes regroupés par catégories de besoins. L'effet des prix se manifeste surtout entre des biens ou des services d'une même catégorie, pouvant se substituer les uns aux autres.

Sauf en ce qui concerne les articles ménagers durables, les élasticités-dépenses s'entendent par tête, sans qu'il ait été tenu compte de la variation de structure de la population par classe d'âge. Pour l'équipement ménager, nous nous sommes basés sur des élasticités du parc par ménage.

Rappelons que nous avons prévu les taux annuels de croissance suivants pour l'ensemble de la consommation privée:

$$3,6 \ \% \text{ de 1960 à 1975}$$
$$3,6 \ \% \text{ de 1960 à 1965}$$
$$3,65\% \text{ de 1965 à 1970}$$
$$3,65\% \text{ de 1970 à 1975}$$

Comme de 1953–1957 à 1960, la croissance annuelle ne fut que de 2,8%, le rythme de la période de 1953–1957 à 1965 s'élèvera à 3,15% et celui de la période 1953–1957 à 1975 à 3,4%.

La ventilation de la consommation privée figure au tableau 23, où les

---

[40]) Pour les élasticités de la période 1948–1958, voir J. POELMANS: Cahiers Economiques de Bruxelles, n° 7 (juillet 1960).

[41]) Ces périodes sont ici: 1953–1957 à 1965; 1965 à 1970 et 1970 à 1975.

TABLEAU 23 – Projection des dépenses de consommation privée (en milliards de francs de 1958)
TABLE 23   – Projection of private consumption expenditures (billion 1958 francs)

Besoins / Needs	Rubriques correspondantes des Cahiers Economiques de Bruxelles n° 9 / Corresponding items in Cahiers Economiques de Bruxelles n° 9	Nombre de postes ayant fait l'objet de prévisions séparées / Number of items for which a separate forecast has been made	Valeur en 1953–1957 (aux prix de 1958) / Value in 1953–1957 (at 1958 prices)	Valeur en / Value in			Taux d'accroissement annuel / Yearly rates of increase			
				1965	1970	1975	1955–1965	1965–1970	1970–1975	1955–1975
1. Alimentation, boissons Food, beverages	1 à 39, 40 à 47, 140/141c	27	136,5	172,9	198,0	225,4	2,4	2,75	2,65	2,55
2. Tabac Tobacco	48 à 51	3	7,3	8,9	10,0	11,0	2,1	2,2	1,95	2,1
3. Habillement Clothing	52, 71, 53 à 56	2	42,0	62,1	75,8	92,2	4,0	4,1	4,0	4,0
4. Habitation Housing										
a) Loyer – rent	62	(1)	41,7	45,3	47,8	50,4	0,8	1,1	1,1	0,95
Chauffage, éclairage Fuel, light	65 à 70	(6)	19,7	26,1	31,4	38,0	2,85	3,7	3,9	3,5
Entretien de la maison Household maintenance	92 à 99	(5)	13,5	16,4	18,9	22,1	2,0	2,8	3,2	2,5
Total a)		(12)	74,9	87,8	98,1	110,5	1,6	2,2	2,4	2,0

TABLEAU 23 *(suite)* - TABLE 23 *(continued)*

Besoins / Needs	Rubriques correspondantes des Cahiers Economiques de Bruxelles n° 9 / Corresponding items in Cahiers Economiques de Bruxelles n° 9	Nombre de postes ayant fait l'objet de prévisions séparées / Number of items for which a separate forecast has been made	Valeur en 1953–1957 (aux prix de 1958) / Value in 1953–1957 (at 1958 prices)	Valeur en / Value in			Taux d'accroissement annuel / Yearly rates of increase			
				1965	1970	1975	1955–1965	1965–1970	1970–1975	1955–1975
b) Equipement de la maison / Household equipment	72 à 74, 82 à 91	(10)	14,9	21,0	25,3	31,0	3,5	3,8	4,1	3,7
Total 4		22	89,8	108,8	123,4	141,5	1,95	2,5	2,8	2,3
5. Transport / Transportation	109 à 127	7	22,6	35,7	44,9	55,8	4,7	4,7	4,45	4,6
6. Hygiène et soins médicaux / Personal care and health	102 à 105, 107, 108	2	20,6	32,4	42,2	55,0	4,6	5,4	5,4	5,0
7. Loisirs / Recreation and entertainment	78 à 81, 132 à 140 141b, 142 à 149, 160	11	23,5	41,4	55,3	72,0	5,85	5,9	5,45	5,8
8. Divers / Miscellaneous	57 à 61, 63, 64, 75 à 77, 100, 101, 106, 128 à 131, 150, 151 à 157, 159, 161 + ajustement statistique (errors and omissions)	6	21,8	34,1	44,0	57,6	4,6	5,2	5,5	5,25
Total general / Overall total		80	364,1	496,6	594,1	710,5	3,15	3,65	3,65	3,4

quatre-vingts postes de dépense ont été regroupés, d'après la nature du besoin à satisfaire, en onze rubriques dont un poste «divers», calculé par résidu et comprenant, de ce fait, l'ajustement statistique.

On constate une augmentation pour chacune des onze rubriques. Les taux les plus élevés apparaissent pour:

a) les loisirs (5,8 % l'an de 1953–1957 à 1975):

effet de revenu considérable surtout pour le tourisme et la photographie aux dépens des distractions (cinéma, concert) et de la consommation courante de boissons dans les cafés.

b) l'hygiène et les soins médicaux (5,0 % l'an):

effet de revenu pour la part de la population qui ne bénéficie pas de la sécurité sociale et effet de la diffusion croissante de l'assurance contre la maladie et l'invalidité à cause de l'augmentation de la part des salariés dans la population active. Il n'a pas été prévu de changement fondamental dans le régime de financement des frais médicaux.

c) les transports (4,6 % l'an):

effet de revenu positif très important pour les transports particuliers avec comme corollaire un taux d'accroissement faible pour les transports en commun.

d) l'habillement (4,0 % l'an):

effet de revenu et surtout diffusion rapide du «prêt à porter» favorisé par une baisse de son prix relatif due aux avantages de la production à grande échelle dans le Marché commun.

e) l'équipement de la maison (3,7 % l'an):

effet de revenu considérable se manifestant d'autant plus:
— que le personnel domestique ira en se raréfiant;
— que le pourcentage de femmes qui travaillent ira en croissant [42];
— que les constructions de logements diminueront et libéreront des sommes importantes qui seront utilisées pour l'amélioration de l'intérieur.

f) le chauffage et l'éclairage (3,5 % l'an):

effet de revenu, baisse des prix du gaz (importé du Sahara) et de l'électricité, extension des réseaux, accroissement de l'équipement ménager se conjuguent pour provoquer une hausse rapide.

---

[42] Voir section I.

Par contre, des taux d'accroissement relativement faibles ont été prévus pour:

a) l'alimentation (2,55 %):

malgré l'accroissement important prévu pour certaines rubriques (viande et certains produits des industries alimentaires), l'alimentation se comportera dans l'ensemble, suivant la loi d'Engel; ici aussi on constate plutôt une amélioration des qualités qu'un accroissement des quantités;

b) le tabac (2,1 %):

il s'agit de la projection d'une tendance constatée dans le passé – l'effet de revenu ne joue pas ici sur les quantités mais plutôt sur l'amélioration des qualités consommées (meilleurs tabacs, cigarettes étrangères, généralisation du bout-filtre);

c) l'entretien de la maison (2,0 %):

deux facteurs sont à noter:
— la disparition progressive du personnel domestique;
— la simplification progressive de l'entretien des maisons;

d) les loyers (0,95 %):

le ralentissement du taux d'accroissement des dépenses des loyers est lié au fléchissement de la construction.

Quant à la rubrique des divers, qui comprend l'ajustement statistique, son évolution paraît assez satisfaisante. Son rythme de croissance élevé (5,25 % l'an) s'explique par la présence de nombreux services à développement rapide – notamment les services financiers – et de produits résultant d'innovations.

Ainsi qu'on l'a vu à la section III, nous avons supposé que l'indice de prix de l'ensemble de la consommation privée augmentera au rythme de 0,85 % l'an. Le tableau 24 reproduit l'évolution des prix relatifs des différentes catégories d'achats dans le passé et nos prévisions pour l'avenir: pour ces dernières, les rapports de l'indice de prix d'un achat à celui du total de la consommation privée ont toujours été évalués en multiples de 0,05, étant donné l'imprécision des projections qui peuvent être faites dans se domaine [43]).

---

[43]) Nous rappellerons – car cette considération joue un certain rôle dans certains raisonnements qui vont suivre – que les indices de prix de comptabilité nationale sont calculés par la formule de Paasche.

TABLEAU 24 – Evolution des prix relatifs dans le passé et à l'avenir
TABLE 24 – Evolution of relative prices in the past and in the future

Besoins / Needs	Indices de prix en 1959 (1948 = 100) / Price indices in 1959 (1948 = 100) (1)	Rapport des indices de prix de 1959 à celui du total de la consommation privée / Ratio of the price indices of 1959 to that of total private consumption (2) = (1) : 120	Rapport des indices de prix de 1975 à celui du total de la consommation privée / Ratio of the price indices of 1975 to that of total private consumption (3)	Indices de prix en 1975 / Price indices in 1975 (1958 = 100) [a] (4)
1. Alimentation, boissons – Food, beverages	110	0,92	0,95	108,4
2. Tabac – Tobacco	112	0,93	1,00	114,1
3. Habillement – Clothing	118	0,98	0,90	102,7
4. Habitation – Housing:				
a) Loyers – Rent	160	1,33	0,95	108,4
Chauffage, éclairage – Fuel and light	127	1,06	1,05	119,8
Entretien de la maison – Household maintenance	117	0,97	1,10	125,5
b) Equipement de la maison – Household equipment	118	0,98	0,95	108,4
5. Transport – Transportation	131	1,09	1,15	131,2
6. Hygiène et soins médicaux – Personal care and health	131	1,09	1,05	119,8
7. Loisirs – Recreation and entertainment	107	0,89	1,10	125,5
8. Divers – Miscellaneous	150	1,25	1,15	131,2
Totaux et moyenne – Totals and average	120	1,00	1,00	114,1

[a] La précision des chiffres de cette colonne n'est qu'apparente puisque ceux de la colonne (3) ayant servi à leur calcul sont arrondis à 0,05 près. Elle est nécessaire pour que les totaux se fassent exactement.

[a] The accuracy of the figures of this column is misleading as those of column (3) which were used for their computation have been rounded up to 0,05. It is however necessary in order to obtain exact totals.

Une baisse des prix relatifs a été prévue pour:

a) l'habillement:

due, avant tout, aux avantages considérables de production à grande échelle dans la branche de la confection et du «prêt à porter»; une baisse du prix des matières premières paraît aussi vraisemblable;

b) l'alimentation (et les boissons):

dans les pays occidentaux, l'augmentation rapide de la productivité agricole, allant de pair avec une croissance démographique modérée et une élasticité de la demande assez faible pour les produits alimentaires, ont abouti à une surproduction qui pèsera sur le niveau des prix agricoles. La réalisation du Marché Commun (à fortiori si la Grande-Bretagne s'y joint) réduira les prix des produits alimentaires en Belgique;

c) les loyers:

alors que parmi les onze catégories de besoins, ce sont les prix des loyers qui ont augmenté le plus depuis 1948 du fait de la levée de la réglementation, nous prévoyons que la pléthore de constructions de 1955 à 1965 produira une pression à la baisse;

d) l'équipement de la maison:

la baisse est due ici, à la concurrence agressive et à la rapidité du progrès technique dans ce secteur.

Une hausse de prix relative est prévue pour:

a) le chauffage et l'éclairage:

elle résultera d'une augmentation du prix relatif du charbon compensé, en partie seulement, par une réduction de celui de l'électricité, du gaz et du fuel-oil;

b) l'hygiène et les soins médicaux:

— le prix des services médicaux montera parallèlement à l'indice général;
— celui des produits pharmaceutiques baissera sous l'effet du Marché Commun;
— le prix des services d'hospitalisation augmentera plus vite que l'indice général et faisant plus que compenser l'évolution des produits pharmaceutiques, entraînera une hausse de l'ensemble;

c) l'entretien de la maison:

alors que dans le passé, cette rubrique a connu une baisse de son prix relatif, du fait de la mise sur le marché et de la diffusion extrêmement rapide des détergents accompagnée d'une chute sensible du coût de production unitaire, nous pensons qu'à l'avenir ce phénomène ne jouera plus qu'un rôle secondaire et que les services, (ceux des domestiques, des cordonniers, des teinturiers) qui constituent la plus grosse partie de cette catégorie de dépenses, entraîneront l'ensemble à la hausse;

d) les loisirs:

ici aussi, nous croyons à un renversement de la tendance des douze dernières années: sans doute, le prix des appareils de radio, de télévision, de photographie, diminueront, comme par le passé, mais on peut s'attendre à une hausse importante du prix du tourisme (à l'étranger surtout) due, à la fois, à la pression de la demande, à la hausse insignifiante de la productivité dans l'hôtellerie et à l'augmentation générale des prix, probablement plus forte à l'étranger. Comme (à prix constants) le tourisme est destiné à se développer sensiblement plus vite que l'ensemble des loisirs et que nos indices de prix sont calculés par la formule de Paasche, une hausse relative apparaîtra pour cette rubrique;

e) le transport:

plusieurs facteurs concourent:
— l'augmentation du prix des transports en commun, due à la stagnation de la productivité et à la réduction du nombre de voyageurs par voiture (à cause du développement du parc automobile privé);
— l'augmentation insignifiante de la productivité dans les garages;
— l'application de taxes de plus en plus lourdes sur l'achat de véhicules et surtout sur l'essence;

f) les divers:

dans cette rubrique résiduelle, les services prédominent largement.

Pour le tabac, une hausse égale à celle de l'indice général a été prévue: la réduction du coût de production y sera compensée par l'accroissement des taxes.

En combinant les mouvements de quantité et de prix, on obtient la consommation privée de 1975 à prix courants (tableau 25) où l'on peut constater des modifications de structure sensibles, notamment:

TABLEAU 25 – Projection de la consommation privée à prix courants
TABLE 25   – Projection of private consumption at current prices

Besoins / Needs	Rubriques correspondantes des Cahiers économiques de Bruxelles n° 9 / Corresponding items in Cahiers économiques de Bruxelles n° 9	Valeur en 1959 / Value in 1959	Valeur en 1975 / Value in 1975	Structure des dépenses en % du total / Structure of expenditures in % of the total	
				en 1959 / in 1959	en 1975 / in 1975
1. Alimentation, boissons – Food, beverages	1 à 39, 40 à 47, 140/141c	152,1	241,4	38,0	30,1
2. Tabac – Tobacco	48 à 51	8,2	12,5	2,0	1,5
3. Habillement – Clothing	52, 71, 53 à 56	42,0	92,6	10,5	11,6
4. Habitation – Housing:					
a) Loyers – Rent	62	46,3	54,6	11,6	6,8
Chauffage, éclairage – Fuel and light	65 à 70	17,8	45,6	4,4	5,6
Entretien de la maison – Household maintenance	92 à 99	14,2	27,7	3,6	3,4
Total a)		78,3	127,9	19,6	15,9
b) Equipement de la maison – Household equipment	72 à 74, 82 à 91	16,9	33,6	4,2	4,2
Total 4		95,3	161,5	23,8	20,1
5. Transport – Transportation	109 à 127	26,7	72,3	6,7	9,0
6. Hygiène et soins médicaux – Personal care and health	102 à 105, 107, 108	25,3	65,9	6,3	8,3
7. Loisirs – Recreation and entertainment	141b, 142 à 149, 160	27,0	90,4	6,8	11,3
8. Divers – Miscellaneous	57 à 61, 63, 64, 75 à 77, 100, 101, 106, 128 à 131, 150, 151 à 157, 159, 161 + ajustement statistique (errors and omissions)	23,6	64,6	5,9	8,1
Total général – Overall total		400,4	801,2	100,–	100,–

— une chute considérable des dépenses destinées à satisfaire les besoins primaires: alimentation (30,1 % au lieu de 38 %), loyers (6,8 % au lieu de 11,6 %);

— l'augmentation de la part des loisirs (11,3 % au lieu de 6,8 %), du transport (9,0 % au lieu de 6,7 %) et des dépenses d'hygiène (8,3 % au lieu de 6,3 %).

SECTION V

Le détail de la production

1. LA MÉTHODE

La prévision de la valeur ajoutée des branches de production est une entreprise complexe et de longue haleine. Nous n'avons fait ici qu'effleurer le problème. La méthode idéale consisterait à estimer la demande finale par branche et à l'appliquer à une matrice inversée d'un tableau d'input output dont on aurait projeté l'évolution des coefficients techniques. Une des principales difficultés est la prévision de l'importation par branche.

Utilisant une méthode beaucoup plus sommaire, nous avons prévu les outputs des branches en nous servant des projections de la demande soit:

a) la consommation privée, pour laquelle nous disposons des projections de 80 postes (voir section précédente) regroupés ensuite par branche d'activité;

b) la consommation publique, dont près des trois-quarts sont représentés par des achats à la branche Etat;

c) la formation brute de capital fixe dont les achats intérieurs proviennent quasi uniquement des branches «construction» et «fabrications métalliques»;

d) l'exportation où les projections par branche ont été faites en s'inspirant de deux sources principales:

— les données établies par W. Tims [44] sur les importations mondiales par région et par groupe de produits pour la période 1925 à 1957. Ces données ont été complétées pour les années 1958 et 1959 par le Département d'Economie Appliquée. Le Département a, d'autre part, établi les

---

[44] W. TIMS: World Import Trade 1925–1957, The Manchester School 28, n° 3 (septembre 1960).

chiffres des exportations belges avant et après la guerre sur une base comparable à celle de Tims.
— une étude de E. Rosselle et J. Waelbroeck sur la position concurrentielle de la Belgique dans le Marché Commun [45];
e) un solde, constitué par la somme de l'accroissement des stocks et de la demande intermédiaire.

Des prévisions d'output nous sommes passés alors à celle de la valeur ajoutée en supputant l'évolution probable du rapport de ces deux grandeurs pour chacune des branches. Le nombre de ces branches s'élève ici à 37 contre 50 dans l'«Analyse input-output de l'économie belge en 1953» [46]). C'est la difficulté de prévoir l'évolution de certaines branches concurrentes qui nous a amenés à effectuer certains regroupements.

2. LES RÉSULTATS

La projection des valeurs ajoutées par branche de 1953–1957 à 1970 apparaît au tableau 26 où les 37 branches sont classées dans sept grandes catégories.

Nous commenterons ici les éléments saillants de ce tableau :
a) la justification du rythme de croissance des branches exogènes (l'agriculture, le logement, l'Etat, les domestiques) se trouve à la section II;
b) la production d'énergie dans son ensemble augmente lentement (0,7 % l'an). Mais l'évolution est très différente selon les branches :
— l'industrie charbonnière connaîtra un déclin, du fait de la substitution de charbon et surtout de pétrole étrangers moins chers;
— la croissance modérée des cokeries s'explique par les économies d'input de la sidérurgie (diminution de la mise au mille); par contre, la consommation de gaz par les particuliers est appelée à augmenter sensiblement;
— la croissance très rapide des branches de l'électricité et du pétrole est une des caractéristiques marquantes de l'évolution de l'industrie moderne: tant la demande finale que la demande intermédiaire augmenteront rapidement. Sans doute, malgré le développement considérable du parc automobile dans les quinze ans à venir, la branche pétrole ne réalisera pas des taux aussi élevés que de 1948 à 1958: en effet c'est seulement

---

[45]) La position concurrentielle de la Belgique au sein du Marché Commun, par E. ROSSELLE et J. WAELBROECK, Cahiers Economiques de Bruxelles, n° 8 (octobre 1960).
[46]) par R. de FALLEUR et E. S. KIRSCHEN (Bruxelles 1958).

TABLEAU 26 – Prévision des taux de croissance par branche (Période 1953–1957 à 1970 aux prix de 1958)
TABLE 26 – Forecast of rates of growth per branch (Period 1953–1957 to 1970 at 1958 prices)

Ordre dans le tableau d'input-output / Number in the input-output table	Branches	Valeurs ajoutées (moyenne 1953–1957 en milliards de francs) / Values added (average 1953–1957 in billion fr.)	Taux annuels de croissance 1948–1958 (en %) / Annual rates of growth (1948–1958) (in %)	Taux annuels prévus pour la période 1953–1957 à 1970 (en %) / Annual rates forecast for the period 1953–1957 to 1970 (in %)
(1)	(2)	(3)	(4)	(5)
	a) Agriculture, sylviculture et pêche / Agriculture, forestry and fishery	32,7		1,2
1 à 3	Produits végétaux – elevage – sylviculture (ex) / Agriculture, stockbreeding, forestry (ex)	32,2	2,8 *	1,25
4	Pêche – Fishery	0,5	1,3 *	0.
	b) Energie – Energy	34,3		0,7
9	Charbon – Coal	24,4	0,7 *	–3,8
10	Coke et gaz – Coke and gas	1,3	3,8 **	2,7
11	Electricité – Electric power	6,9	5,7 **	6,3
	Pétrole – Oil a) raffinage – distribution / refining – distribution b) refining – distribution	0,9 / 0,8	38,5 ** / 14,3 **	7,7 / 7,8

(ex): Branches exogènes – Exogenous branches.
(*): Taux calculés sur la base de relations linéaires – Rates computed by a linear relationship.
(**): Taux calculés sur la base de relations logarithmiques – Rates computed by a logarithmic relationship.

TABLEAU 26 (suite) – TABLE 26 (continued)

Ordre dans le tableau d'input-output / Number in the input-output table (1)	Branches (2)	Valeurs ajoutées (moyenne 1953–1957 en milliards de francs) / Values added (average 1953–1957 in billion fr.) (3)	Taux annuels de croissance 1948–1958 (en %) / Annual rates of growth (1948–1958) (in %) (4)	Taux annuels prévus pour la période 1953–1957 à 1970 (en %) / Annual rates forecast for the period 1953–1957 to 1970 (in %) (5)
	c) Métallurgie – Metals	61,9		4,7
27	Sidérurgie – Iron and steel industry	15,6	4,8 – *	4,7
28	Non ferreux – Non ferrous metals	3,3	4,1 – *	3,7
29	Garages – Garages	8,1	8,2 + **	6,1
30	Fabrications métalliques – Metal products	34,9	4,0 – *	4,5
	d) Construction et matériaux de construction / Construction and building materials	46,4		2,2
22 à 26	Pierre et chaux – Ciment – Autres matériaux de construction – Verre – Poterie / Stone and limestone – Cement – Other building materials – Glass – Pottery	13,2	3,8 – *	2,5
34	Construction – Construction	33,2	3,3 – *	2,0
	e) Autres industries – Other industries	87,9		3,8
5 et 6	Brasseries – Industries alimentaires / Breweries – Food industries	36,5	3,7 – *	2,5
7	Eau – Water	2,4	2,8 – *	2,8
8	Tabac – Tobacco	1,0	3,3 – *	2,6

(ex): Branches exogènes – Exogenous branches.
(*) : Taux calculés sur la base de relations linéaires – Rates computed by a linear relationship.
(**): Taux calculés sur la base de relations logarithmiques – Rates computed by a logarithmic relationship.

TABLEAU 26 *(suite)* – TABLE 26 *(continued)*

Ordre dans le tableau d'input-output / Number in the input-output table (1)	Branches (2)	Valeurs ajoutées (moyenne 1953–1957 en milliards de francs) / Values added (average 1953–1957 in billion fr.) (3)	Taux annuels de croissance 1948–1958 (en %) / Annual rates of growth (1948–1958) (in %) (4)	Taux annuels prévus pour la période 1953–1957 à 1970 (en %) / Annual rates forecast for the period 1953–1957 to 1970 (in %) (5)
13 et 14	Chimie – Caoutchouc – Chemicals – Rubber	9,8	6,3 + **	7,0
15 et 16	Scierie – Menuiserie – Sawmills – Joinery	5,4	5,8 + **	5,2
17 à 19	Production et transformation du papier, impression – Paper and printing	7,9	4,7 – *	5,0
20	Cuir, chaussure, fourrure – Leather, shoes, fur	2,8	3,3 – *	3,0
21	Textile et vêtements: a) Textile – Textile	12,0	2,3 – *	3,2
	Textile and clothing: b) Vêtements – Clothing	5,6	1,4 – *	3,2
31 à 33	Diamant – Récupération – Autres industries / Diamond – Recuperation – Other industries	4,5	4,9 – *	4,0
	f) Transports – Transportation	28,7		4,5
35	par fer – Railways	13,7	1,5 – *	0,9
36	fluviaux – River	1,8	5,3 + **	5,0
37	routiers – Road	5,0	6,8 + **	7,0
38	maritimes – Sea	2,2	7,6 + **	3,5
39	aériens – Airways	1,2	19,2 + **	15,0
40	ports – Harbours	4,8	6,3 + **	4,3

(ex): Branches exogènes – Exogenous branches.

(*): Taux calculés sur la base de relations linéaires – Rates computed by a linear relationship.

(**): Taux calculés sur la base de relations logarithmiques – Rates computed by a logarithmic relationship.

TABLEAU 26 (suite) – TABLE 26 (continued)

Ordre dans le tableau d'input-output / Number in the input-output table (1)	Branches (2)	Valeurs ajoutées (moyenne 1953–1957 en milliards de francs) / Values added (average 1953–1957 in billion fr.) (3)	Taux annuels de croissance 1948–1958 (en %) / Annual rates of growth (1948–1958) (in %) (4)	Taux annuels prévus pour la période 1953–1957 à 1970 (en %) / Annual rates forecast for the period 1953–1957 to 1970 (in %) (5)
42	g) Autres services – Other services	178,0		2,7
43	Commerce – Distribution	31,6	2,3 *	3,3
44	Services financiers – Financial services	7,2	3,5 **	4,5
45	Assurances – Insurances	4,2	9,6 ***	9,0
46	Professions médicales – Medical professions	8,1	4,5 **	4,2
47	Logement (ex) – Housing (ex)	31,8	1,5 **	0,85
48	Etat (ex) – Government (ex)	46,5	3,6 *	1,7
49	Communications – Communications	5,6	3,3 *	3,3
50	Domestiques (ex) – Domestic services (ex)	4,0	– 1,6 *	– 1,1
51	Services pour particuliers – Services for private consumption	32,6	2,3 **	3,6
	Services pour entreprises – Services for enterprises	6,4	2,3 **	2,1
	Total	469,9	3,25 **	3,1
	b + c + d + e Ensemble de l'industrie – The whole of industry	230,5	3,8	3,4
	f + g Ensemble des services – The whole of services	206,7	2,9	3,0

(ex): Branches exogènes – Exogenous branches.
(*): Taux calculés sur la base de relations linéaires – Rates computed by a linear relationship.
(**): Taux calculés sur la base de relations logarithmiques – Rates computed by a logarithmic relationship.

après la seconde guerre mondiale que les premières grandes raffineries se sont développées dans notre pays; on partait à peu près de zéro en 1948. Ceci est vrai, dans une mesure moindre, pour le réseau de distribution;

c) La métallurgie, dans son ensemble, croîtra plus vite que le PNB et que chacune des sept grandes catégories du tableau (4,7 % l'an).

On notera le rythme de la sidérurgie sensiblement plus élevé que celui des métaux non ferreux (4,7 % contre 3,7 %). Dans la première de ces branches, on s'attend à une hausse importante de l'exportation et de la demande intermédiaire [47]. Dans la seconde, s'il est vrai que l'aluminium, le cobalt et des métaux nouveaux, tels le cadmium, le germanium, le silicium et l'uranium connaîtront un développement rapide, il n'en sera pas de même pour le cuivre, le zinc dont la croissance sera lente et pour le plomb et l'étain, qui déclineront même, sous l'effet de la concurrence d'autres métaux et de produits de l'industrie chimique.

L'expansion de l'activité des garages sera parallèle à celle du parc automobile, qui se poursuivra à un rythme très rapide, quoique inférieur à celui du passé.

En ce qui concerne les fabrications métalliques, nous escomptons que l'instauration du Marché Commun apportera un remède à la grande faiblesse de cette branche: la pléthore de petites entreprises. Des progrès substantiels sont attendus dans la fabrication de biens ménagers durables et d'équipement, ces derniers en liaison avec l'augmentation rapide de l'investissement, en particulier dans les branches endogènes (voir section III).

d) La construction et les matériaux de construction connaîtront une croissance plutôt lente (2,2 %), surtout en comparaison des années d'après-guerre. Ce phénomène sera dû au fléchissement de la construction de logements, dont il a souvent été question dans cette étude, compensée, en partie seulement, par l'augmentation rapide des investissements dans les branches endogènes.

e) Dans la catégorie des autres industries (3,8 %) voisinent des branches
— à croissance lente: les brasseries, les industries alimentaires et le tabac influencés par l'augmentation modérée des dépenses d'alimentation et la hausse probable des importations de ces produits;
— à croissance moyenne: l'eau, où l'on s'attend à une prolongation des tendances du passé, l'industrie du cuir, du textile et de l'habillement où

---

[47] Voir Y. LANGASKENS: «Prévision d'expansion de la sidérurgie belge», Cahiers Economiques de Bruxelles, n° 10 (avril 1961) 247.

l'ont prévoit un essor des exportations (conjointement d'ailleurs avec un certain développement des importations);

— à croissance rapide: la production et la transformation de papier, où les perspectives à l'exportation sont favorables, la scierie et menuiserie et surtout la chimie, pour lesquelles les ventes à l'étranger, la consommation privée et surtout la demande intermédiaire augmenteront rapidement.

f) Les transports, dans leur ensemble, feront des progrès importants (4,5 %). Cependant, les chemins de fer ne croîtront que lentement à cause de la concurrence de la route (surtout en ce qui concerne le trafic des voyageurs); les transports maritimes et l'activité des ports subiront les conséquences de l'indépendance du Congo belge, tandis que du fait de la création d'un réseau d'autoroutes, les transports routiers connaîtront un essor au moins aussi important que par le passé; les transports aériens conserveront le taux le plus élevé des 37 branches, à cause, notamment, du développement du tourisme;

g) Quant aux autres services, (2,7 %) la réduction du nombre de sièges des sociétés coloniales réduira quelque peu le rythme d'expansion des services pour entreprises; les communications connaîtront le même taux que durant les dix dernières années, tandis que le commerce, lié à l'accroissement de la consommation de produits sujets à distribution, augmentera davantage que par le passé.

La hausse sensible de la valeur ajoutée des services pour particuliers (notamment, les loisirs), des professions médicales, des services financiers et surtout des assurances ira de pair avec l'augmentation de la consommation privée de ces services.

Enfin, le tableau 27 compare nos prévisions à celles du Bureau de

TABLEAU 27 – Taux de croissance du PNB, de l'agriculture, de l'industrie et des services
TABLE 27   – Rates of growth of GNP, agriculture, industry and services

	Taux de croissance annuels (en %) Annual rates of growth (in %)	
	Bureau de Programmation (1959–1965)	Groupe d'Etudes (1953–57 à 1970)
PNB – GNP	3,8	3,1
Agriculture – Agriculture	3,4	1,25
Industrie – Industry	5,2	3,4
Services – Services	2,8	3,0

ANNEXE – La résolution du modèle — The solution of the model

t	O_{t-1}	O_t	$K_{ex,\,t-1}$	K_{t-1}	A_t	$G_{ex,\,t}$	$F_{ex,\,t}$	Y_t	C_t	$(X-M)_{ex,\,t}$	I_t	$rh.\,O_t$	K_t	$\dfrac{K_t}{O_t}$	$O_{end,\,t}$	$K_{end,\,t}$	$\dfrac{K\ \text{end}\ t}{O\ \text{end}\ t}$
1960	—	608,0	1150	1750,0	53,0	73,0	4	486,0	417,0	8,0	107,0	4,0	1800,0	2,96	477,7	622	1,30
1961	608,0	628,1	1178	1800,0	56,1	75,5	4	500,5	435,4	8,2	109,0	4,1	1852,9	2,95			
1962	628,1	648,8	1206	1852,9	58,1	77,5	4	517,2	450,0	8,4	112,9	4,2	1903,5	2,93			
1963	648,8	670,2	1234	1903,5	60,0	79,0	4	535,2	465,6	8,6	117,0	4,4	1956,1	2,92			
1964	670,2	692,3	1262	1956,1	62,2	80,5	4	553,6	481,6	8,8	121,4	4,5	2010,8	2,90			
1965	692,3	715,1	1291	2010,8	64,3	82,0	4	572,8	498,3	9,0	125,8	4,7	2067,6	2,89	576,9	754,6	1,31
1966	715,1	739,4	1313	2067,6	67,1	83,4	4	592,9	518,8	9,4	127,8	5,0	2123,3	2,87			
1967	739,4	764,5	1335	2123,3	69,8	84,8	4	613,9	537,2	9,8	132,7	5,1	2181,1	2,85			
1968	764,5	790,5	1357	2181,1	73,5	86,2	4	634,8	555,5	10,2	138,6	5,3	2240,9	2,83			
1969	790,5	817,4	1379	2240,9	75,6	87,6	4	658,2	575,9	10,6	143,3	5,5	2303,1	2,82			
1970	817,4	845,2	1402	2303,1	78,8	89,0	4	681,4	596,2	11,0	149,0	5,7	2367,6	2,80	698,0	941,6	1,35
1971	845,2	874,8	1426	2367,6	82,0	90,4	4	706,4	618,1	11,4	154,9	6,1	2434,4	2,78			
1972	874,8	905,4	1450	2434,4	85,4	91,8	4	732,2	640,7	11,8	161,1	6,3	2503,8	2,77			
1973	905,4	937,1	1474	2503,8	89,0	93,2	4	758,9	664,0	12,2	167,7	6,5	2576,0	2,75			
1974	937,1	969,9	1498	2576,0	92,9	94,6	4	786,4	688,1	12,6	174,6	6,7	2651,0	2,73			
1975	969,9	1003,8	1522	2651,0	96,9	96,0	4	814,9	713,0	13,0	181,8	7,0-	2728,9	2,72	847,8	1182,9	1,39
1976	1003,8	—	1546	2728,9	—	—	—	—									

Programmation économique [48]) qui n'a publié ses résultats que pour trois grands secteurs: l'agriculture, l'industrie et les services.

Dans les deux projections, l'agriculture et les services croissent plus lentement que le PNB, mais la différence des taux est faible pour l'agriculture, dans la prévision du Bureau de Programmation, et pour les services, dans la nôtre. La production de l'industrie augmente un peu plus vite que le produit national, dans notre prévision, et beaucoup plus vite dans celle du Bureau de Programmation économique.

SUMMARY

The forecast starts with total population and extends to working population which is expected to grow at a slower rate than the former (0.37% compared with 0,47% a year from 1960 to 1975). The main factors in the increase of working population are net immigration and the increase in the activity rates of women.

In the rest of the paper, production and manpower are split into two parts: exogenous branches, which comprise agriculture, housing, government and household services, and endogenous branches which represent the remaining productive activities (about 80% of GNP). In this more important group, a yearly increase of 0.65% is foreseen in working population combined with an annual 0.48% decrease in the average workyear: the quantity of labour, as a difference, will thus rise there by 0.17% a year.

From 1910 to 1960, GNP grew by 1.4% a year, from 1948 to 1955 by 3.6%. For reasons explained in the paper, these rates can be considered respectively as lower and upper limits for the future. By applying a Cobb-Douglas function to the endogenous branches and predicting the value added of each of the four exogenous branches by a particular method, a 3.4% annual rate of growth of GNP is forecast from 1960 to 1975. However, growth is expected to accelerate somewhat in the different sub-periods: 3.3% from 1960 to 1965, 3.4% from 1965 to 1970 and 3.5% from 1970 to 1975.

The hypothesis of a yearly increase of 1.25% in the price-index of GNP is hazarded. Thus, at current prices, GNP would rise by 4.7% a year from 1960 to 1975.

---

[48]) Document parlementaire n° 687 (1960–1961) n° 1, Chambre des Représentants, tableaux 1 et 2.

The components of overall demand and capital are then forecast by recourse to a central model comprising 6 endogenous variables, 4 exogenous variables and 5 parameters. Among the 6 equations:

3 are identities (disposable income identity, investment identity and capital identity).

2 are technical relations (production function, capital consumption function).

1 is a behaviour relation (consumption function).

The model is solved by a year to year recurrence.

An important role is played by the predicted decline of investment in housing after 1965. Construction of dwellings cannot possibly go on at its present rate, as the backlog due to the war is now over. Thus funds will be liberated for the improvement of existing dwellings, for private consumption and, provided that an adequate policy is followed, for investment by the government and in the endogenous branches.

The following annual rates of growth are obtained for the whole of the period:

3.6% for private consumption
1.7% for public consumption
3.6% for gross domestic capital formation } main components of overall demand
2.8% for the total capital (net value)
4.4% for the capital in the endogenous branches.

We also ventured to compute rates of growth at current prices. This allowed us to compare the structure of overall demand in 1975 and 1960: the part of private consumption will drop by 2.2%, those of public consumption and capital formation will rise by respectively 1.0% and 1.2%.

Import is projected as a function of GNP with a constant elasticity of 1.5. It will thus increase by 5.1% from 1960 to 1975; as net export is forecast as an exogenous variable, export is computed as the sum of both. Its rate of increase also amounts to 5.1%.

Finally, private consumption, classified by needs, is valued at constant prices (see Table 23 of the text) and at current prices (Table 25). Production is classified by branche in Table 26.

CHAPTER 2

ATTEMPT AT A PROGNOSIS OF
OUTPUT AND FACTORS OF PRODUCTION OF INDUSTRY
IN THE
FEDERAL REPUBLIC OF GERMANY 1965 AND 1970

BY

ROLF KRENGEL

Deutsches Institut für Wirtschaftsforschung, Berlin, Germany

SUMMARY OF FINDINGS

Development of Output

1. Total net-output [1]) of West-German industries [2]) rose from 45,400 million DM in 1950 to 113,700 million DM in 1960 (at prices of 1950).
2. It may be assumed that net-output will have increased to 164,000 million DM by 1965 and to 224,000 million DM by 1970.
3. The average rate of growth will be 7,5 per cent between 1960 and 1965, and 6,4 per cent between 1965 and 1970.
4. The moderate shift in structure of industry measured by the individual shares in net-output – which became noticeable between 1950 and 1960 – will in all likelihood continue up to 1965 and 1970:
a) In 1950, the share of mining in net-output was 8,3 per cent of the total. In 1960, this share had dropped to 4,8 per cent and it will probably take a further dip to 3,8 per cent in 1970.
b) Likewise, the share of consumer goods industries and food, drink and tobacco manufacturing which in 1950 constituted 41,4 per cent of total net-output and which in 1959 had fallen to 35,2 per cent will in all probability decline slightly to 34,7 per cent in 1970.
c) The share of industries manufacturing goods for further industrial processing which for years oscillated around 25–26 per cent will in all likelihood remain virtually undisturbed until 1970.

---

[1]) Total output less consumption of material; includes depreciation and taxes.
[2]) All extracting and manufacturing industry except the building trades and energy supply.

d) The share of investment goods industries in total industrial net-output which showed a rising trend during the past twelve years will probably increase also during the ten years to come. This share rose from 24,9 per cent in 1950 to 33,7 per cent in 1960 and should increase – provided there are no major disturbances in export demand – to more than 37 per cent in 1970.

Main Factors of Production

This study is based on an analysis of the foreseeable development of the main factors of production. These are: fixed capital stock, energy supply and employment. The most important limiting factor in growth of production is capital stock. Contrary to a widely held belief employment takes only second place [3]).

For this reason the growth potential of fixed capital will be given highest emphasis here.

1. FACTOR OF PRODUCTION CAPITAL

a) The value of gross fixed capital in West-German industry – at prices of 1950 – rose from 61,000 million DM in 1950 to 115,200 million DM in 1959, i.e. it rose by 89 per cent respectively by 7,3 per cent in the yearly average.

b) In 1960 the value of gross fixed capital can be estimated at 123,000 million DM. In this study it is estimated that the value will be 169,000 million DM in 1965 (at prices of 1950), i.e. it will grow by a yearly average of 6,5 per cent between 1960 and 1965 and by nearly 6 per cent between 1965 and 1970.

c) Realized growth of net-output will be somewhat higher than the expected rate of growth of fixed capital, as happened during the past twelve years. This will be due not so much because of a change in utilization of plant – as experienced between 1948 and 1955 – but because of the afore mentioned, continual shift in the structure of industry caused by a further setback of extracting industries which have a high ratio of capital to labour and by a further advance of investment goods industries which are below average in the application of capital per worker.

---

[3]) While to a certain extent an increase in employment is indispensible for growth of production this does not hold in general. It should be noted that in a quantitative analysis (of the factor employment) the qualitative properties are not dealt with, they are assumed to be sufficient throughout.

TABLE 1 – Prognosis of Industrial Production in the Federal Republic of Germany a)

Industry	Net-Production-Value in mill. 1950 DM					Rates of Growth in %			
	1950	1955	1960	1965	1970	1950-1955	1955-1960	1960-1965	1965-1970
Mining	3 756	5 059	5 424	6 407	8 422	+ 34,7	+ 7,2	+ 18,1	+ 31,4
Manufacturing	41 632	76 011	108 248	157 632	215 168	+ 82,6	+ 42,4	+ 45,6	+ 36,5
Basic industries	11 519	20 080	29 910	39 905	54 350	+ 74,3	+ 49,0	+ 33,4	+ 36,2
Investment goods industries	11 313	25 214	38 332	59 117	83 198	+122,9	+ 52,0	+ 54,2	+ 40,7
Consumption goods industries	10 712	17 380	22 673	33 064	44 096	+ 62,2	+ 30,5	+ 45,8	+ 33,4
Food and tobacco industries	8 088	13 337	17 333	25 546	33 524	+ 64,9	+ 30,0	+ 47,4	+ 31,2
Industry, total	45 388	81 070	113 672	164 039	223 590	+ 78,6	+ 40,2	+ 44,3	+ 36,3

a) Without West-Berlin and without Saarland.

TABLE 2 – Prognosis of Industrial Gross Fixed Capital in the Federal Republic of Germany [a])

Industry	Gross Fixed Capital in mill. 1950 DM					Rates of Growth in %			
	1950	1955	1960	1965	1970	1950–1955	1955–1960	1960–1965	1965–1970
Mining	9 662	13 265	16 536	19 803	23 633	+ 37,3	+ 24,7	+ 19,8	+ 19,3
Manufacturing	51 355	72 202	106 469	148 753	200 597	+ 40,6	+ 47,5	+ 39,7	+ 34,9
Basic industries	22 818	32 008	46 139	63 621	85 304	+ 40,3	+ 44,1	+ 37,9	+ 34,1
Investment goods industries	12 682	18 794	30 792	45 002	62 845	+ 48,2	+ 63,8	+ 46,1	+ 39,6
Consumption goods industries	9 509	12 977	17 863	24 094	31 538	+ 36,5	+ 37,7	+ 34,9	+ 30,9
Food and tobacco industries	6 347	8 422	11 675	16 036	20 910	+ 32,7	+ 38,6	+ 37,4	+ 30,4
Industry, total	61 017	85 467	123 005	168 556	224 230	+ 40,1	+ 43,9	+ 37,0	+ 33,0

[a]) Without West-Berlin and without Saarland.

TABLE 3 – Prognosis of Industrial Consumption of Electricity in the Federal Republic of Germany ᵃ)

Industry	Consumption of Electricity in mill. kWh					Rates of Growth in %			
	1950	1955	1960	1965	1970	1950–1955	1955–1960	1960–1965	1965–1970
Mining	5 570,4	8 400,9	10 840,8	12 171	14 253	+ 50,8	+ 29,0	+ 12,3	+ 17,1
Manufacturing	23 275,2	42 997,1	64 018,4	92 221	126 962	+ 84,7	+ 48,9	+ 44,1	+ 37,7
Basic industries	17 199,6	31 902,6	47 245,3	68 192	94 520	+ 85,5	+ 48,1	+ 44,3	+ 38,6
Investment goods industries	2 681,8	5 426,5	8 654,1	13 088	18 256	+102,3	+ 59,5	+ 51,2	+ 39,5
Consumption goods industries	2 263,6	3 929,1	5 700,9	7 563	9 850	+ 73,6	+ 45,1	+ 32,7	+ 30,2
Food and tobacco industries	1 130,2	1 738,9	2 418,1	3 378	4 336	+ 53,9	+ 39,1	+ 39,7	+ 28,4
Industry, total	28 845,6	51 398,0	74 859,0	104 392	141 215	+ 78,2	+ 45,6	+ 39,5	+ 35,3

ᵃ) Without West-Berlin and without Saarland.

d) The continuous and quick growth of fixed capital can be mainly explained by the fact that present and future investment in nearly all branches of West-German industry is well above present and future scrappings of obsolete equipment, as will be explained fully in the second part of this study.

2. FACTOR OF PRODUCTION ENERGY

a) In the past, net-output and fixed capital of West-German industry continuously increased faster than coal input. By relating net-output and coal input a time series can be derived which will indicate the change in 'coal productivity'.

For the estimation of coal input between 1965 and 1970 the probable development of coal productivity has been determined by graphical extrapolation. This revealed that coal productivity will rise in all probability until 1965 at an unchecked speed and afterwards somewhat more slowly due to substitution and technical improvement of furnaces.

Everything taken into consideration, industrial coal input cannot be expected to rise by 1965 inspite of increased production. Coal input will probably amount, to 72,8 million tons HCE [4]), i.e. it will be more than 2 million tons less than previous – 1956 – maximum input. However from 1965 to 1970 it may be expected that coal input will increase faster than between 1960 and 1965 as coal will have been pushed back to markets where substitution does not constitute a threat and technical improvements will continue at a slower rate.

b) Electricity: The productivity of electricity (net-output per kWh electricity input) in West-German industry for years has been nearly constant and fluctuates only for structural reasons. Productivity of electricity at an industrial average but for minor fluctuations remained practically constant. Average net-output per 1,000 kWh was 1,573 DM in 1950, falling to 1,522 in 1952 (because of a rapid increase of electricity intensive aluminium production) and it approached 1,518 DM in 1960.

The persistent constancy of productivity of electric power – or, in other words the almost complete identity of the growth rates of net-output on the one hand and of electricity input on the other hand – is not due to chance but the result of a technical relationship: up to now electric power virtually could not be substituted by any other source of power;

---

[4]) Hard coal equivalent.

competition among different forms of energy is carried out on a lower plane.

Allowing for this empirically tested constancy [5]) for 1965 electricity input can be estimated at 104,400 million kWh and for 1970 at 141,200 million kWh, as against 74,860 million kWh in 1960. The yearly average rate of growth between 1960 and 1970 would be 6,5 per cent.

c) Total energy input: The likely development of total energy input is more difficult to predict than that of coal or electric power alone, because the many complex relationships which arise cannot easily be expressed in one figure. It is a known fact that during the last decade the share of coal in total industrial energy consumption fell continuously. It receded from 81 per cent of the total in 1950 to 68 per cent in 1958 and approximately to 65 per cent in 1960. If it is assumed that it will drop further to 53 per cent in 1965 total energy consumption in that year will probably be around 137 million tons HCE. In 1970, by graphical analysis, a share of coal of 47 per cent would reveal a total energy input of 178 million tons HCE, i.e. approximately 73 per cent above the 1959 level while output will have risen by 120 per cent. The figures 137 respectively 178 million tons HCE quoted above should be taken as very rough estimates only.

d) Fuel oil: Future fuel oil consumption is the great unknown in the prognosis of total energy consumption. The rapid rise in oil consumption experienced in the past few years is a relatively crude guide in making predictions. The rapid expansion of oil consumption reflects a relative backwardness of German industry which is still quite noticeable, i.e. a backwardness as regards the composition of power sources. The speed with which a change could be effected depends on many imponderables such as price fixing for coal and oil, government protective measures for the mining industry and – last but not least on consumers' preferences. It is certain that while the high growth rates of fuel oil consumption will not be sustained they will still surpass noticeably the rates of growth of output in the years to come. It is feasible that in ten years industrial fuel oil input will be three or four times as high as it is to-day while output will have increased by nearly 100 per cent. A more accurate prediction could be achieved only by way of a penetrating special study of the subject.

---

[5]) Cf. 'Zur Entwicklung des Elektrizitätsverbrauchs der westdeutschen Industrie von 1950 bis 1959', Wochenbericht des Deutschen Instituts für Wirtschaftsforschung, *28*, Nr. 38 (16. September 1961) 195f.

3. FACTOR OF PRODUCTION LABOUR

a) While it is perhaps possible to predict the development of the factor capital stock with high accuracy relative to other elements this can hardly be said of the factor input labour. For the purpose of predicting economic growth such a prognosis is relatively unimportant. It is not a question of principle but of the cost structure – precisely speaking, of the relation of labour cost to capital cost – whether production will be achieved with a small increase in labour and a high increase in capital per worker or with a high increase in labour and a small increase in capital per worker.

b) With little imagination it can be predicted that the present shortage of labour [6]) will continue or become even more acute. No doubt, this shortage will facilitate fluctuation and should lead to further structural adjustments within the labour potential.

c) These changes will widely coincide with those mentioned when speaking of output. For example, the share of mining, consumer goods industries and food, drink and tobacco manufacturing in total industrial employment has become smaller since 1950 and the share of investment goods industries has risen markedly. All these changes correlate with simultaneous changes in the structure of net-output and also in capital stock. There is one exception to this rule. The share of producer goods industries in output receded slightly between 1948 and 1952 and practically stagnated since. The share in capital stock rose somewhat while the share in employment declined.

d) The labour structure in 1970 will certainly differ from that of to-day as the tendencies which revealed themselves in past years will continue for some time to come. If it is assumed that the labour force will increase from 1959 by an average 1 per cent per annum, in 1970 the factor labour will represent 8.15 million people and if the increase is 2 per cent per annum the number will be 9.25 million people.

Taking structural changes into account the breakdown of employment by branches will be as follows:

---

[6]) Occasional business fluctuations are, of course, excluded.

TABLE 4 – Factor of Production Labour in the Industry of the Federal Republic of Germany (Numbers in 1000)

Branches	1959	1970	
		1 per cent increase per annum [b])	2 per cent increase per annum [b])
Extracting industry	613	500	550
Manufacturing industry	6,688	7,650	8,700
Basic materials and production goods	1,564	1,630	1,850
Investment goods	2,793	3,470	3,850
Consumer goods	2,331	2,550	3,000
Total Industry [a])	7,301	8,150	9,250

[a]) Without Saarland and West-Berlin
[b]) Of total employment

e) According to this labour productivity – expressed as net-output per worker – would increase between 1959 and 1970 by yearly averages as follows.

Extracting Industry	5.5–6.5 per cent
Manufacturing Industry	5–6 per cent
Basic Materials and Production Goods	5.5–6.5 per cent
Investment Goods	5.7–6.7 per cent
Consumption Goods	4.5–6.0 per cent

i.e. it will probably rise altogether by 5 or 6 per cent per annum.

The differences of labour productivity between the single groups of industry may be higher than expected, if the different groups are able to get more labour force than assumed here (or lower, if they are unable to get as much). Due to the methods employed in this study, the forecast of labour productivity is only a by-product of the study, because capital is considered as the limiting factor of production.

f) The increase of labour productivity is being accompanied by an increase in capital intensity (fixed capital stock per worker) and electricity intensity (electric power input per worker).

On the average, capital intensity in industry will rise – depending on whether employment will increase by 1 or by 2 per cent per annum between 1959 and 1970 – by 4 or by 5 per cent per annum. Consumption of electric power per worker will rise by 5 or by 6 per cent alternatively.

ON THE METHODS EMPLOYED IN THE STUDY [7])

Introduction

As already indicated, many studies in DIW have shown that capital stock, and not labour and power supply, decisively limit production.

As labour is being treated as a quantitative phenomenon, it must be assumed, that the required quality of the factor service will be supplied by the labour force. It cannot be denied that a shortage of specifically qualified services here or there – for example in underdeveloped countries – will have a limiting effect. In the Federal Republic, however, the mobility of the labour force is adequate, partly due to housing construction in the past ten years, and bottlenecks caused by lack of qualified labour have not been serious. Concerning energy supply, this study assumes that if supply at home is inadequate any necessary imports could be paid for without difficulty.

The importance of the factor of production 'capital' (in the narrow sense of the word, i.e. fixed capital stock) lies in the fact that it can be shown that for many years the utilized capital stock per unit produced for all practical purposes has been constant (fluctuations of capital utilization reflect fluctuations of utilization of labour [8]).

This is a universally observable phenomenon and seems to stem from the fact that the substitution of labour by capital (affecting an increase in the relative need for capital) and technical progress (affecting a decrease in the need for capital) in the real world happen more or less simultaneously, i.e. without realization of technical progress substitution will not occur.

Structural shifts of individual branches or parts of the economy, nevertheless, may raise or lower the relative need for capital of a group of industries or of the entire economy. This will easily be understood if one takes into account that the need for capital per unit produced for example in housing (unit produced = rent) is many times greater, and in transport (unit produced = volume of traffic) somewhat greater than in manufacturing.

---

[7]) Tables 6–21, mentioned in the following are not published here; they are available on request from the Deutsches Institut für Wirtschaftsforschung, Berlin-Dahlem.

[8]) Cf. R. KRENGEL: 'Anlagevermögen, Produktion und Beschäftigung der Industrie im Gebiet der Bundesrepublik von 1924 bis 1956', Sonderhefte des DIW, Neue Folge, Nr. 42 (Berlin 1958) 35ff.

Industrialization, i.e. an above average increase of industry, in each case and in every country means that the average capital coefficient will be lowered, as it has been the case in the Federal Republic.

Reasons for Sustained Growth in West-German Industry

The industry of West-Germany has features distinguishing it from those of many other countries:

a) The age distribution of fixed capital stock is not normal. While the average useful life of industrial plant in the Federal Republic has been estimated by the DIW to be approximately 32 years, the real average age of plant at present is only 11 years, in other words the 'weight' of old equipment is insignificant. The reasons for this anomaly (war damage, dismantling, especially high investment and growth of investment in the past twelve years) are known.

b) Accordingly, present gross investment in every year is many times higher than the retirement of obsolete plant. In other words, the influence of investment on capacity is high, and in fact higher than the comparison of gross investment and depreciation reveals.

c) While for years – allowing for short disturbances even for decades – West-German (and formerly German) industry invested more or less linearly, i.e. average capital input per worker hardly rose for a long period, there has been noticeable since 1956 a complete and far reaching reorientation in investment activity. While for decades German industry used to improve products technically (and it exported these products) in the production process technical progress was utilized to an unbelievably small degree. For example a very modern automobile, technically far ahead of its time, can be built by almost 'medieval' methods or by modern methods of production. Assuming a low level of wages, the 'medieval' methods are able to compete successfully. This peculiar reluctance to modernise, going hand-in-hand with subjugation of the labour unions for many years, has now given way to an even greater eagerness to utilize technical progress also on the production line, which is logical only if wages rise.

d) Since labour is scarce and – provided development will be undisturbed – will remain so, it seems certain that in the next ten years a strong incentive towards high investment will remain.

e) All these reasons suggest that the prospects for growth of West-German industry will be rather good in the years ahead. A high propensity to invest and an 'automatically' high capacity effect of investment are in conjuncture. The upward thrush is so strong as to overcome any errors in economic policy. This automatic resistance to possible mistakes in matters of detail of economic policy provides formidable support for the future of the economy.

On the Forecasts of Capital Stock

1. STATISTICAL BASIS

To start with, the prognosis is based – as has already been mentioned – on estimates of expected gross fixed capital stocks up to 1970.

Table 6 (not published here) embodies an assumption made concerning expected scrappings of obsolete plant. The data have been taken from capital stock accounts estimated by the DIW and are based on the assumptions of average life span as follows:
a) buildings and structures   50 years throughout
b) equipment
     mining and basic material industries   20 years
     investment goods industries   26 years
     consumer goods industries   33 years
     food, drink, tobacco manufacturing   28 years
i.e. it is being assumed that every year some plant will be dismantled or scrapped which is between 20 and 50 years of age.

Of course, these assumptions do not show factual developments precisely, but, relatively speaking, the figures are believed to be quite reliable. Moreover, retirements – as can be seen – are quite low (especially if compared to all existing plant) and mistakes in the estimate therefore are of little significance as regards final outcome [9]).

Table 7 (not published here) shows the resulting calculations if an optimistic view of investment activity is being taken. Based on estimated investments of the different branches in 1959 growth rates of 5 per cent (mining with the exception of crude oil) respectively 7 per cent (manufacturing industry and crude oil mining) were applied to the data. The calculation yields a rise of yearly gross investment from 10,140 million DM in 1959 to 15,050 million DM in 1965 and 20,920 million DM in 1970. *Table 7* (not published here), likewise, contains the result of a pessimistic

---

[9]) Cf. page 72f.

calculation; this assumes a constancy of absolute investment between 1959 and 1970. Therefore, 'pessimistic' in the context of this study means merely stagnation in investment activity for some years but no actual decline.

As the pessimistically defined investment would reappear in the table between 1959 and 1970 year by year by exactly the same amount – twelve times over – we have refrained from making it explicit in the table.

Table 8 (not published here) averages both estimates of investment activity. Experience gained from previous attempt at forecasting by the DIW suggests that averaging of 'optimistic' and 'pessimistic' calculations come closest to actual happenings. Therefore, the estimate of mid-way investment activity is probably of greater practical value than the two estimates which served to derive the mid-way investment figures.

Tables 9, 10 and 11 (not published here) combine the results of Table 6 (scrappings) with those of Tables 7 and 8. The remaining balance between gross investment and retirements shows the increase in capacity:

a) according to optimistic assumption (Table 9);
b) according to pessimistic assumptions (Table 10);
c) mid-way between the two (Table 11).

The next steps taken in this analysis are just as simple and it might as well be pointed out here that industrial capital accounting as developed by the DIW is in no way black magic, it is a tool of growth analysis which appeals by its simplicity rather.

The starting point for the following calculations are the data of investments adding to capacity according to Tables 9 to 11. With the aid of the data embodied in the tables the data of capital stock by industrial branches as of 1, January 1959, which had been estimated earlier by the DIW, are being projected.

Tables 12 to 14 (not published here) bridge the gap between investment and capital stock accounts and again an optimistic (Table 12), a pessimistic (Table 13) and a moderate (Table 14) view are being taken.

The data in Tables 12 to 14 represent figures as of 1, January of each year. Because of the rapid increase in industrial capacity the *yearly average* of the development of gross fixed capital stock between 1959 and 1970 is being shown in *Table 15*; the table contains only the mid-way estimate and no attempt has been made to include yearly averages for the optimistic and pessimistic variant, these data can be derived easily from Tables 12 and 13.

On the basis of the data obtained so far it is possible now to determine the 'path of growth' of gross fixed capital stock which can reasonably be expected.

Table 16 (not published here) contains gross capital stock data for 1950 and 1955 (factual data of the capital accounts by the DIW) and the results of the optimistic predictions for 1960, 1965 and 1970. To give a more complete view the table also shows the structure of gross capital stock to be expected under optimistic assumptions, the development by branches (from 1950) and the rates of growth in five year intervals.

Table 17 (not published here) shows comparable data for the same years as Table 16 according to the pessimistic version, and finally *Table 18* (not published here) contains the capital stock data according to the moderate view.

The development over time of the path of growth of gross fixed capital stock is as follows (1950 = 100):

	1955	1960 [a]	1965	1970
Optimistic version	140	202	283	412
Pessimistic version	140	201	261	326
Mid-way version	140	201	272	369

The pattern of the rates of growth is distributed as follows:

	1950–1955	1955–1960	1960–1965	1965–1970	1960–1970
Optimistic version	+ 40	+ 44	+ 41	+ 45	+ 104
Pessimistic version	+ 40	+ 44	+ 30	+ 25	+ 62
Mid-way version	+ 40	+ 44	+ 35	+ 36	+ 83

[a] 1960 preliminary.

The average rates of growth of capacity per annum between 1960 and 1970 will be according to the

optimistic version	7,4 per cent,
pessimistic version	5,0 per cent,
mid-way version	6,2 per cent;

even in the case of sustained stagnation of investment activity growth would be quite noticeable.

2. 'ADAPTING' THE STATISTICAL MODEL TO THE 'REAL' ECONOMY

It is the scourge of all who try their hand at forecasting that those interested in the results expect to be handed one or a few 'cast-iron' figures. The author prefers to hold the view that estimates of a 'path' or 'spread' are in principle more sound (because they are more honest, to begin with) than an attempt to predict the presumably 'true' development only.

But, in order to establish such possibly 'true' image of the path of growth, anyway, the following procedure was adopted:

For each individual branch of industry it is possible to calculate three rates of growth of capital stock for the periods 1960 to 1965 and 1965 to 1970 – an optimistic, a pessimistic and mid-way version.

Table 19 (not published here) contains the results of the adaptation of the statistical model by way of economic analysis, i.e. those data of the capital accounts for the year 1965 which the author chose finally.

The analysis is based on the gross fixed capital stock data and applies the rates of growth in each branch which seemed to be most likely from the point of view of the economy. The three growth rates in each case which had been derived by statistical methods were given consideration as far as it seemed justifiable in selecting the most likely rate of growth. Where it appeared necessary to substitute other rates of growth than those derived from the assumed investment activity the results of the statistical prognosis were modified, or in other words they were 'adapted'.

For example, the final calculations of gross fixed capital stock for 1965 of coal mining, iron ore mining and other mining contain lesser rates of growth compared to 1960 than would appear from the assumption that there would be no change in investment. In other words: for those branches it was believed that investment adding to capacity would sink inescapably below the level of 1959.

The same considerations apply to flour milling, vegetable oil and margarine production, while, on the other hand, higher rates of growth than those yielded by the optimistic version were thought to be possible in the cases of crude oil mining, aeroplane manufacture and plastic industry.

Gross fixed capital stock for 1970 was determined accordingly (*Table 20*, not published here). The rates of growth 1965/1970 of the optimistic, pessimistic and mid-way version were retained wherever possible or they were modified where it seemed necessary.

It is interesting to note that total gross fixed capital stock which is derived by economic analysis does not differ appreciably from the mid-way version of the statistical analysis, either for 1965 and 1970.

Gross Fixed Capital Stock of West-German Industry million DM

	1965	1970
Mid-way version	166,0	225,1
Final adopted version	168,6	224,2

Whether the careful selection of likely growth rates has appreciably improved the forecast, is open to question. Anyway, checking the statistical prognosis for economic consistency reveals that in all probability the mid-way rate of growth will be nearest to that which can be expected in reality.

Forecasts of Output

The forecast of capital stocks has been supplemented by a forecast of production. First, we established the theoretically achievable maximum output by branches (via maximum productivity of capital taken from capital stock accounts); secondly, this output was then reduced for the branches of manufacturing industry by 5 per cent and for the branches of extracting industry by between 5 and 20 per cent in order to arrive at a figure indicating practically feasible (instead of theoretical) maximum output. Plant utilization coefficients would be 94 per cent in 1965 and 1970, they would be approximately as high as those effectively in force in the Federal Republic in 1956.

Of course, whether utilization of plant will indeed correspond with this value exactly in 1965 and 1970 cannot be predicted. The calculations will only tell how high output in West-German industry would be in those two years if the limiting factor of production 'capital stock' is being well utilized, but not too much so either.

As in the past so in the next ten years industrial net-output should grow somewhat quicker than capital stock. This will be the case because of the prevailing effect of structural shifts and in addition in 1960/1965 because of the assumed improvement in plant utilization [10]).

---

[10]) Inspite of generally rather good utilization in 1960, plant utilization in the food, tobacco and drink industries was not too high and consequently the average suffered.

Growth Rates in Per Cent

	1960–1965[11]	1965–1970	1960–1970
Capital Stock	37	33	83
Output	44	36	98

[11]) Differences between growth rates of Capital Stock and Output are due to the assumption of higher utilization of capital stock 1965 as compared with 1960.

Table 21 (not published here) sets out in detail the results of the forecast of output.

On the Forecasts of Energy Input

1. ELECTRICITY CONSUMPTION

On average, productivity of electric power, i.e. net-output per unit of electricity input, for years has been nearly constant in West-German industry. Productivity of electric power was 1,568 DM of net-output per 1,000 kWh in 1951, it went down to 1,522 DM in 1952 (beginning of electricity intensive aluminium production) and remained nearly constant since, aside from short lived fluctuations.

If it is being assumed that in each individual branch of industry productivity of electric power (or vice versa specific electricity consumption) had remained constant since 1950, the resulting theoretical power input would differ very little from actual input data. Nearly everything is in favour and very little speaks against the conclusion that the parallel development of electricity input and net-output is due to technical reasons and that this development will continue in the longer run as it did indeed in the past ten years.

In a manner of speaking, our electricity forecast is a 'by-product' of the output prognosis. The parallelism of electricity consumption and output is therefore not a primary result but it becomes a result by the fact that the assumptions described above are based on reliable information. The data of the electricity forecast are being shown in Table 3 on page 59.

2. COAL INPUT

The forecast of coal input is much more complicated than the foregoing,

firstly, because of widespread uncertainty concerning the future development of prices for coal and crude oil. Secondly, because coal consumption depends on the following additional factors:
1) Structural shifts in production;
2) technical improvement of furnaces;
3) substitution of coal by other energy supplies for technical reasons.
Recently, the DIW in its 'Wochenbericht' has tried to quantify these influences on coal consumption. The findings of this study have been used here for projection. While in 1950 net-output per ton HCE came to only 821 DM, in 1955 coal productivity rose to 1,111 DM/ton and in 1960 it rose to 1,469 DM/ton.

It is to be expected that in 1965 net-output per ton HCE coal input will reach approximately 2,300 DM, in other words, it will continue to rise rapidly. Afterwards growth will be slower because by 1965 coal will have been substituted wherever possible and will than be confined to those branches where substitution is difficult. From then on to 1970 it will profit to a larger extent from expansion of output than is the case to-day or will be the case for years to come.

Total industrial coal input according to these assumptions will be 72.75 million tons HCE in 1965 and 83.43 million tons HCE in 1970. The highest input achieved so far was 75 million tons HCE in 1956.

On the Margins of Error of the Forecast

Right from the beginning most forecasts are presented with the assurance that the possibilities of error are so numerous that 'after all' prognosis is hardly possible. Here, some observations about the margins of error are presented at the close of the study, and the author is aware of the risk that the reservations which follow below may not be perceived clearly for being set out at the end.
1. No statistical analysis can be better than the data it starts out with. No doubt, neither net-output figures nor employment data – all official statistics – can be deemed 'precise' by the standards of a perfectionist, but in the past these data have shown that they are useful for meaningful analysis and their value for prognostic purposes can hardly be denied.

As concerns the gross fixed capital stock data there are three sources of error:
a) error in estimates of retirement of obsolete plant,
b) error in estimates of investment activity,

c) error in estimates of useful life of plant.

No doubt, the data used here are 'wrong' – again by the standards of a perfectionist – but inspite of this the errors, which are by no means treated lightly, affect the results only little in the situation which presently prevails in West-Germany.

If it is assumed for the arguments sake that between 1959 and 1970 scrappings were in reality 50 per cent higher or lower than assumed in the study, gross fixed capital stock instead being worth 224,000 million DM – as assumed – will come to between 210,000 and 240,000 million DM, i.e. we would be moving within a tolerable spread of error.

As the rate of scrapping depends on previous estimates of investment, it should be mentioned that due to the experience of a cooperation for many years between the Deutsches Institut für Wirtschaftsforschung, Berlin, and the Ifo-Institut für Wirtschaftsforschung, München; time and again estimates made independently by each side in the initial stage never differed from one another by more than 3 per cent.

2. More significant than errors caused by inadequate statistical material are those differences between forecasts and subsequent developments which are due to external influences.

For example it is very seldom possible to allow for major changes in economic policy when making a forecast.

The lower and upper limits used by us are intended to represent in a way the influence of bad and good economic policy; still, this is far from being the final word on how events will turn out in reality.

Our method of 'outflanking' might be considered as the attempt to take into account in making the forecast a certain, seemingly unavoidable sum of errors and foolishness of economic policy. But, whether utilization of plant will be high just in 1965 and 1970 or whether there will be stagnation just in 1964/1965 is impossible to foresee.

3. The errors will be the fewer the more the production targets envisaged by a forecast are considered universally acceptable. The author would be very much mistaken if he did not believe strongly and with good reason that the majority of West-German entrepreneurs to-day are ready to meet the challenge of 'expansion', which, several years ago was not generally the case.

The more firms want and strive for expansion the more certain it will come and the sooner will the forecast prove true in the light of actual developments.

CHAPTER 3

PRODUCTION ET DEPENSES INTERIEURES
DE LA FRANCE EN 1970

(Résultats et méthodes)

PAR

JEAN BENARD

Professeur Agrégé à la Faculté de Droit et des Sciences Economiques de Poitiers
Directeur du Centre d'Etude de la Prospection Economique à Moyen et Long Termes,
Paris, France

INTRODUCTION

La projection relative à l'économie française en 1970, présentée ci-après, se distingue de la plupart des autres projections du présent ouvrage en ce qu'elle fait partie d'une série de travaux prospectifs entrepris pour l'élaboration du 4ème Plan français de modernisation et d'équipement (1962–1965).

Sans revêtir de ce fait, un caractère officiel, elle bénéficie de méthodes et d'informations éprouvées à cette occasion. Les projections officiellement dressées pour la préparation du 4ème Plan affectent les années 1965 et 1975. Les chiffres prospectifs pour 1970 présentés ci-après ont été obtenus le plus souvent par interpolation entre ces deux années, mais on verra que l'interpolation n'a pas toujours été linéaire (ni même exponentielle), les contraintes de la cohérence et celles fournies par des informations directes ayant été respectées.

Les calculs nécessaires ont été très largement effectués par la Division des Programmes du Service des Etudes Economiques et Financières du Ministère des Finances (SEEF) qui effectue les projections préalables aux Plans.

En en remerciant les auteurs [1]) je dois souligner que les résultats finals obtenus et surtout les commentaires, économiques ou méthodologiques, qui les accompagnent, ne sauraient engager que le signataire de ces lignes.

Avant d'exposer les résultats numériques, puis les étapes du calcul

---

[1]) Tout particulièrement M. H. DURAND, Administrateur Civil.

prospectif conduisant à ces résultats, nous rappellerons les principaux caractères généraux des projections françaises, car leur connaissance permet de mieux comprendre certains traits originaux de ces projections.

En conclusion, nous ferons part de quelques réflexions sur la méthode suivie, à la fois pour mieux l'éclairer et pour indiquer dans quelles directions s'oriente actuellement en France la recherche sur ce sujet.

CARACTERES GENERAUX DES PROJECTIONS FRANÇAISES A MOYEN ET LONG TERMES

Deux séries de caractères généraux des projections françaises doivent être soulignées dès l'abord car elles les distinguent de bien d'autres travaux analogues menés dans les pays occidentaux industrialisés au cours de ces dernières années. L'une a trait à l'objet même des projections, l'autre à leurs caractéristiques formelles.

L'objet des projections françaises: la préparation du Plan indicatif

Les projections à moyen et long termes opérées en France depuis 1957, le sont à l'occasion de la préparation des Plans quadriennaux de modernisation et d'équipement. On a pu leur donner le nom de «*projections préalables*» car elles sont établies dès les premiers stades de cette préparation, avant que les Commissions sectorielles du Commissariat au Plan n'étudient des programmes de branche.

Elles ont pour objet de guider l'élaboration des programmes de branche en procédant à une première exploration macroéconomique de l'avenir. A cette fin, elles fournissent aux experts de branche un ensemble vraisemblable et cohérent d'hypothèses de croissance de l'économie nationale.

Deux projections préalables sont mises sur pieds: l'une a un horizon à moyen terme: l'année terminale du Plan lui-même, l'autre a un horizon à long terme situé à 10 ou 15 ans de l'année de base. C'est ainsi que, pour le 3ème Plan (1958–1961) la projection à moyen terme s'étendait sur la période 1954–1961, et la projection à long terme sur la période 1954–1965. Toutes deux ont été élaborées en 1956–1957, ce qui explique l'année de base retenue. Pour le 4ème Plan (1962–1965) les projections préalables élaborées en 1959–1960, s'étendent l'une de 1956 à 1965, l'autre de 1956 à 1975.

La projection à moyen terme vient explorer la période future couverte par le Plan. Elle est une première tranche de ce dernier et se justifie ainsi.

La projection à long terme (1954–1965 ou 1956–1975) requiert quelques justifications supplémentaires. Elle déborde, en effet, la période du Plan. C'est qu'il est apparu nécessaire, tant pour les objectifs généraux de croissance retenus par le Plan quadriennal que pour certaines décisions stratégiques en matière d'investissements lourds pour l'infrastructure, l'énergie, la recherche scientifique ou l'enseignement, de prendre une vue à plus long terme, de l'évolution économique. D'où l'idée d'une «projection d'encadrement» du Plan explorant un avenir plus éloigné, mais le faisant, évidemment, de façon plus sommaire. Cette projection intervient la première puisqu'elle a pour mission de dégager les perspectives de croissance longue au sein desquelles s'inscrira le Plan à moyen terme.

Qu'elles constituent une première ébauche du Plan, ou qu'elles lui fournissent un cadre perspectif plus vaste, les projections françaises présentent un caractère plus intentionnel que prévisionnel, pour reprendre la terminologie utilisée par Kuznets [2]). Elles servent à dégager non pas les tendances d'une évolution supposée spontanée, mais les éléments de base d'une politique économique de croissance délibérément orientée vers des objectifs définis.

Le choix de ces objectifs et celui des instruments à mettre en œuvre pour les atteindre n'est pas arbitraire, pour autant; il doit tenir compte des contraintes techniques, psycho-sociologiques et institutionnelles qui délimitent le domaine des possibilités. Mais nous verrons que les projections dressées par les Services économiques officiels français répugnent à formaliser mathématiquement toutes ces contraintes.

Premières étapes de la préparation du Plan, les projections ont donc un caractère opérationnel et provisoire. Elles sont destinées à être retouchées, parfois sensiblement, après les travaux des Commissions de modernisation qui rassemblent des experts de branche. Notons, cependant que, bien que «préalables» elles bénéficient des études des Plans précédents et d'un flux d'informations économiques et techniques, certes encore très incomplet et imparfait, mais néanmoins en progrès. L'image globale qu'elles donnent de l'avenir économique sera donc souvent voisine de celle qui se dégage ensuite des travaux des experts sectoriels.

---

[2]) S. KUZNETS: 'Concepts and Assumptions in Long Term Projections for National Product' (in 'Long Range Economic Projections' Studies in Income and Wealth, *16* NBER. 1954).

Enfin, il va de soi qu'une fois achevée la préparation d'un Plan quadriennal donné, les projections seront revues. Celle qui correspond à la période planifiée se confondra avec les comptes synthétiques du Plan lui-même. Quant à la projection d'encadrement à long terme, elle sera révisée en tenant compte des informations dégagées par les études sectorielles.

Caractéristiques formelles

Du point de vue formel, les projections officielles françaises présentent actuellement trois caractéristiques essentielles.

Ce sont des *projections à prix constants*. La structure des prix de l'année de base retenue (ici 1959) va donc jouer le rôle de système de pondération des indices de volume de la croissance des différents biens et services. Sauf cas très particulier, on ne tente pas encore d'examiner les conséquences sur l'évolution des prix ni du progrès technique, ni des variations exogènes (mouvement des salaires, modification des cours mondiaux), ni des comportements financiers de certains agents. Nous verrons, cependant à la fin de la 3ème partie de cet article, que, sur ce dernier point, des travaux sont en cours.

Ce sont ensuite *des projections détaillées,* allant jusqu'à une prévision des productions par branche, dans une nomenclature à 16, et même pour certains travaux, à 64 postes, et non des projections globales limitées aux grands agrégats du Produit et de la Dépense Nationale. Un tel niveau de décontraction est indispensable si l'on veut, à l'aide de la projection, préciser les termes d'une politique économique à moyen ou à long terme. C'est en effet au niveau des branches, ou au moins des groupes de branche, que l'on peut concevoir des programmes concrets de développement ou de modernisation et que l'on commence à entrevoir les moyens de les réaliser. On verra, par ailleurs, que c'est plus par l'examen de la structure des flux économiques de l'année terminale que par la détection de «gaps» entre quantités globales que les projectionnistes français jugent de la validité des prévisions faites et des programmes établis.

En troisième lieu, l'analyse prospective à long terme française, *n'utilise pas un modèle explicite général* formé d'un système d'équations simultanées et d'inéquations. Elle a recours à une méthode d'approximations successives à laquelle on peut donner le nom de *«Schéma itératif»*.

Nous désignerons par ce terme un cadre de raisonnement et de calcul synthétique et ordonné, permettant de recenser les hypothèses formulées et de vérifier la cohérence et la vraisemblance des déductions chiffrées que l'on en tire. C'est, en quelque sorte, un modèle non formalisé mathématiquement en toutes ses parties, mais qui, même énoncé en termes littéraires, guide le raisonnement et se résoud numériquement par la méthode des approximations successives.

Appliqué aux projections à moyen ou à long terme, le schéma itératif comprend le plus souvent une série de modèles partiels pouvant être aisément traduits mathématiquement. Ainsi en est il du système de comptabilité nationale prospective, de la matrice d'input-output, des fonctions de consommation des ménages et de certaines relations ayant trait aux investissements productifs.

Une extension de la procédure des modèles économétriques a été tentée pour étudier les distorsions de prix relatifs susceptibles d'être engendrées par la mise en œuvre du Plan et les procédures de financement envisagées, mais on en n'est qu'aux essais préliminaires.

Le schéma itératif comprend aussi des *procédures normalisées d'estimation des variables exogènes*, c'est à dire des méthodes d'évaluation faisant systématiquement appel à toutes les informations disponibles et essayant de les traiter de façon cohérente. Ainsi en est il par exemple de l'estimation des dépenses publiques par fonction, ou bien encore de celle des échanges extérieures.

Il implique enfin, la mise en œuvre de *tests de cohérence et de vraisemblance*.

La vérification de cohérence, automatique en cas d'emploi d'un modèle explicité sous forme d'un système d'équations simultanées, ne l'est plus ici, puisque l'itération suppose un *certain ordre* des opérations numériques. Des retours en arrière sont donc indispensables; par exemple des productions par branche, vers le Produit national brut, alors qu'une première approximation de ce dernier a déjà servi à calculer la demande finale, puis, par inversion de la matrice d'input-output, les dites productions par branche. Il faut donc vérifier que les itérations convergent vers des valeurs stables.

En fait, l'expérience montre que, bénéficiant de la garantie de cohérence, certes élémentaire mais indispensable, fournie par le cadre comptable national et qu'admettant la stabilité des structures sociales et politiques, les évaluations itératives convergent assez rapidement.

Quant à la *vraisemblance* elle est appréciée en fonction de seuils en deçà ou au delà desquels les tensions financières ou sociales seraient si graves qu'elles risqueraient d'engendrer un processus cumulatif malsain (inflation galopante par exemple) ou de remettre en cause les comportements économiques, voire le cadre institutionnel. Ainsi en est il d'un plafond de déficit budgétaire, d'un plancher de salaire réel, d'une proportion maximum d'endettement des entreprises pour financer leurs investissements etc.... On voit qu'on peut parler ici encore de cohérence puisqu'il s'agit de vérifier que les résultats obtenus sont compatibles avec l'hypothèse fondamentale sur laquelle repose toute la projection: celle sinon d'une entière stabilité, du moins d'une évolution graduelle et sans rupture de la société étudiée.

LES RESULTATS NUMERIQUES POUR 1970

Opérée en prix constants de 1959, la projection donne les résultats suivants.

Les grands agrégats

1. PRODUCTION INTÉRIEURE BRUTE

Le taux de croissance retenu pour la période 1959–1970 est identique à un dixième de point près, à celui figurant dans les deux projections préalables 1965 et 1975. Il est de 5,1% par an.

On verra que ce taux se situe dans un intervalle supérieur au taux de longue période le plus fréquemment enregistré dans l'histoire des économies capitalistes industrialisées, mais qu'il est très voisin des rythmes le plus souvent observés depuis 1949 en Europe occidentale continentale.

De 1949 à 1959, la France, en particulier, a vu sa production intérieure brute croître à raison de 4,7% par an en moyenne. Certes, de sensibles fluctuations ont fait varier les taux annuels effectifs autour de cette moyenne géométrique, ainsi qu'en témoignent les chiffres suivants, mais jamais la croissance ne s'est changée en régression.

Taux de variation par rapport à l'année précédente

	1950	1951	1952	1953	1954	1955	1956	1957	1958	1959	1949–1959
PIB [3])	8,0	6,3	2,2	3,0	5,3	6,0	5,1	6,2	1,8	2,4	4,7
PNB [4])	7,6	6,0	2,6	2,9	4,8	5,8	5,0	5,9	1,8	2,3	4,5

[3]) PIB = Production Intérieur Brute (taux de croissance par rapport à l'année précédente).

[4]) PNB = Produit National Brut (taux de croissance par rapport à l'année précédente).

TABLEAU 1 – La production intérieure brute et ses emplois

	Millions de N.F. 1959		Indices 1970 (1959 = 100)	Taux de croissance annuels moyens			
	1959	1970		49–59	59–70	59–65	65–70
Production intérieure brute	227 600	393 200	173	4,6	5,1	5,2	5,05
Consommation des ménages	160 500	274 150	171	4,35	5,0	4,8	5,25
Consommation des administrations [a]	13 050	21 465	164	7,35	4,6	4,6	4,6
Consommation totale	173 550	295 615	170	4,55	4,95	4,75	5,25
F.B.C.F. productive [b]	29 150	53 000	181	2,6	5,55	6,9	4,05
F.B.C.F. en logements [b]	11 200	17 800	159	9,7	4,3	4,9	3,55
F.B.C.F. administrative [b]	5 500	11 700	213	6,7	7,1	8,1	5,7
F.B.C.F. Totale	45 850	82 500	180	4,4	5,5	6,7	4,25
Variation des stocks [c]	2 100	7 830	373	4,4	5,5	6,7	4,25
Exportations	32 200	54 700	170	7,7	4,95	7,6	1,85
Importations	− 26 100	− 47 445	182	5,2	5,6	9,2	1,4
Exportations nettes	6 100	7 255	119	5,2	1,6	9,2	5,05

[a] Administrations et Institutions financières.
[b] F.B.C.F. = Formation brute de capital fixe.
[c] Variation des stocks et ajustements.

La population totale devant augmenter de 9% et la population active employée de 6% pendant les 11 ans séparant 1959 de 1970, la production par tête s'accroîtra de 4,3% par an et la productivité par travailleur de 4,5% par an.

2. DEMANDE FINALE

Le tableau 1 montre que de 1959 à 1970, la *consommation des ménages* devrait augmenter à peu près au même rythme que la production (5%) et par conséquent sensiblement plus vite qu'au cours de la décennie précédente où son rythme n'atteignait que 4,35% par an. Mais, cette accélération de la croissance de la consommation privée interviendra progressivement, le taux devant passer à 4,8% de 1959 à 1965 et à 5,2% de 1965 à 1970.

C'est qu'au cours de la première période, le 4ème Plan prévoit un effort tout particulier d'*investissement*.

La part de la formation brute de capital fixe, qui était de 20,6% en 1949, et 20,1% en 1959, s'élèverait à 21,8% en 1965 pour redescendre à 21% en 1970 comme en 1975.

Parmi les investissements, ce sont d'ailleurs ceux du secteur administratif qui, à toutes les échéances, accusent la plus forte progression. Ceci est dû aux besoins aigus en équipements scolaire et urbain et en travaux routiers.

De 1949 à 1959, au contraire, les investissements des ménages sont ceux qui ont crû le plus rapidement, sous l'effet de la politique favorisant la construction de logements par l'accession à la propriété.

Mais le changement de rythme le plus important affecte les *investissements productifs*. Alors qu'ils n'ont augmenté en moyenne que de 2,6%, par an de 1949 à 1959; on souhaite les voir croître au taux annuel de 5,55% de 1959 à 1970 et même de 6,9% de 1959 à 1965. [5]

Semblable rythme ne peut être soutenu plusieurs années de suite que si aucun ralentissement conjonturel de la croissance du produit intérieur ne vient freiner, voire momentanément, renverser la cadence des investissements des entreprises. En France ces freinages sont intervenus deux fois, en 1952–1953, en 1958–1959; les deux fois sur l'initiative de gouvernements plus soucieux de stabilité monétaire que d'expansion, les deux fois en raison d'un grave déséquilibre des échanges et des finances extérieurs

---

[5] Le Projet de 4° Plan est encore plus ambitieux.

compromettant le pouvoir d'achat de la monnaie, les approvisionnements en importations et, par là, la poursuite de la croissance.

Les objectifs du Plan en matière d'investissements productifs supposent donc, que, dans la période envisagée, aucune tension inflationniste d'origine externe ou interne n'obligera les Pouvoirs Publics à renverser la vapeur, ni qu'aucune dépression externe ne contaminera l'économie nationale.

En matière d'*échanges extérieurs*, enfin, on notera un très sensible accroissement de volume tant des exports que des imports au cours de la période 1959–1965 en raison, surtout, de l'application intégrale du Traité de Rome qui doit intervenir alors [6]). De 1965 à 1970, l'effort d'exportation serait, en revanche, sensiblement relâché de même que les importations ne croîtraient plus qu'à un rythme modeste. Ce sont là, sans doute, les résultats de calculs trop rapides qui devront être revus.

Il n'en reste pas moins que de 1959 à 1965, on demande aux exportations de croître de 7,6 % par an, soit au même rythme que celui atteint en moyenne de 1949 à 1959, alors qu'on s'attend, du fait de la libération des échanges, à un développement des importations au rythme annuel de 9,2 % contre 5,2 % auparavant!

Les estimations d'exportations qui, comme nous le verrons, revêtent alors le caractère d'objectifs de politique économique, doivent donc être réalisées à tout prix. Cependant il est clair que les aléas sont infiniment plus grands en ce domaine que partout ailleurs. Aussi importe-t-il de préciser les grandes directions dans lesquelles l'effort d'exportation devra être accentué de façon à mieux en mesurer les obstacles et à mieux dégager les moyens de surmonter ceux-ci.

La balance commerciale extérieure doit être excédentaire tout au long de la période, fléchissant légèrement de 1959 à 1965, puis remontant en 1970 à l'indice 120 par rapport à 1959. Apparaissant pour l'essentiel dans les échanges avec les autres pays membres de la zone franc, cet excédent représente le volume d'aide annuelle que la France envisage d'apporter aux pays sous développés de sa zone monétaire.

Principales modifications de structure

La projection en 16 branches et catégories de produits permet de

---

[6]) Signalons, dès maintenant, que les auteurs des projections préalables au 4° Plan n'ont pu prendre en considération ni un éventuel ralentissement de l'application du Traité de Rome causé par les difficultés d'harmonisation des politiques agricoles, ni les conséquences de l'adhésion du Royaume Uni et d'autres membres de l'A.E.L.E.

suivre les modifications structurelles de la production et de la dépence nationales découlant de l'hypothèse de croissance globale retenue.

1. COMPOSITION DE LA DEMANDE DES MÉNAGES

Représentant 70% de la Production intérieure brute, la consommation des ménages guide largement, par sa composition, la structure même de la production.

Les grandes lois classiques d'évolution de la consommation privée se retrouvent dans les résultats de la projection.

Une analyse par catégories de besoins serait ici plus parlante qu'une présentation par groupe de produits, mais, pour 1970, le calcul a été mené directement en termes de produits par interpolation entre 1965 et 1975. On s'aperçoit, cependant, que, pour une consommation privée totale devant augmenter de 71% en 11 ans (1959–1970), la consommation de produits agricoles et alimentaires ne s'accroît que de 38%, celle des textiles, habillement et chaussures de 72%, tandis que les carburants et les services sont à l'indice 196–198 et les achats de produits mécaniques électriques (automobiles, équipement ménager, radios et télévisions) se situent à l'indice 214.

La part de l'alimentation ne cesse de régresser, montrant que ce poste approche de la saturation. De 42,6% en 1949, elle tombe à 39,8% en 1959, et doit, selon les projections, passer à 36% en 1965, 32,4% en 1970 et 29,7% en 1975. Si l'on tient compte, en outre, des améliorations de qualité se traduisant par un déplacement de la dépense vers des prix plus élevés, les indices de la demande alimentaire en quantités physiques sont encore plus faibles.

Signalons seulement que, pour bon nombre de produits (alimentation, habillement, logement, automobile, tabac), le facteur qualité a été systématiquement pris en considération. Or on sait que l'orientation des achats vers des qualités supérieures d'un même produit, augmente le volume de la dépense, même si celle-ci est calculée à prix constants, la demande se déplace vers des articles plus chers.

2. STRUCTURE DES ÉCHANGES EXTÉRIEURS

Ces échanges concernent aussi bien ceux de la France avec les autres pays membres de la zone franc qu'avec les pays étrangers proprement dits. On verra que les hypothèses et les modes d'estimation ont différé de l'un à l'autre cas. Au total on peut constater:

A l'importation, accroissement important des entrées de produits énergétiques (pétrole saharien) et des matières premières (minerai de fer et métaux non ferreux) venant elles-aussi principalement des anciens «pays d'outre-mer».

Quant aux produits chimiques et caoutchouc et aux produits des industries mécaniques et électriques (ces derniers en hausse très sensible: + 118% en 11 ans) ils doivent venir des pays étrangers proprement dits et témoignent de l'ouverture croissante des frontières aux produits fabriqués.

A l'exportation, les perspectives sont assez ambitieuses du côté des produits agricoles (doublement en 10 ans), mais elles le sont encore plus pour les produits des industries mécaniques et électriques et pour ceux de la chimie (plastique compris). Les taux de croissance des exportations de ces deux groupes sont respectivement de 8,3 et 7,8 % par an. En revanche, on ne prévoit aucune augmentation des exportations de textiles et produits de l'habillement.

Ces prévisions d'exportation entendent ainsi tenir compte de l'évolution des besoins des marchés étrangers (industrialisés d'une part et sous développés de l'autre) et des conditions de la concurrence. La demande sera forte, en effet, pour les produits mécaniques et chimiques élaborés, notamment à des fins d'équipement, tandis qu'elle sera beaucoup plus faible et subira la concurrence de l'industrie des pays jeunes pour le textile. On pourrait appliquer le même raisonnement aux exportations agricoles, et estimer, de ce fait, trop ambitieux les chiffres retenus par les projections françaises sur ce point. Les auteurs en ont partiellement tenu compte en ne prévoyant que le doublement des exportations agricoles alors que les productions correspondantes pouvaient être sensiblement plus accrûes. Mais ils n'ont pas crû devoir retenir des chiffres plus faibles, arguant du fait que l'ensemble de la projection, et plus spécialement la prévision des échanges extérieurs, s'appuie sur l'hypothèse d'un Marché Commun Européen en régime de croisière. Or, les Gouvernements français ont toujours jusqu'à présent posé en axiome que l'étape de 1963 ne pourra être franchie que si les politiques agricoles des Etats membres ont été harmonisées au préalable et donc des débouchés suffisants réservés à l'agriculture française.

3. PRODUCTION, EMPLOI ET PRODUCTIVITÉ PAR BRANCHE

L'évolution de la *production par branche* reflète la diversité des taux de croissance des biens et services faisant l'objet de la demande finale, notamment de la consommation privée et du commerce extérieur.

Autour d'un indice moyen de 172 pour la somme des valeurs ajoutées, on peut distinguer trois groupes de branche selon la position de leur propre indice.

TABLEAU 2 – Production, emploi et productivité par branche

Branches	Indices 1970 (1959 = 100)		Taux de croissance annuel moyen de la productivité
	Valeur ajoutée brute aux prix de marché (en prix de 1959)	Population active employée	
1 – Agriculture, forêts	137,8	86,0	4,3
2 – Industries agricoles et alimentaires	147,3	105,5	3,1
3 – Combustibles minéraux solides et gaz	108,2	78,7	2,9
4 – Electricité	224,5	133,0	4,9
5 – Pétrole, gaz naturel et carburants	213,0	100,0	7,1
6 – Matériaux de construction et verre	178,5	106,2	4,8
7 – Mines de fer et sidérurgie	188,0	119,5	4,2
8 – Minerais et métaux non ferreux	161,5	103,8	4,1
9 – Industries mécaniques et électriques	201,8	125,0	4,5
10 – Chimie	210,0	115,0	5,6
11 – Textile, habillement, cuir	151,0	92,2	4,6
12 – Bois, papier et industries diverses	186,0	115,3	4,5
13 – Bâtiment et génie civil	164,6	107,5	4,0
14 – Transports et télécommunications	153,2	110,3	3,0
15 – Services de logement	170,5	103,1	4,7
16 Autres services	189,5	135,0	3,1
17 – Commerces	167,0	115,0	3,4
Total	172,3	106,9	4,4

En tête se situent l'électricité (225), les pétroles et carburants (213), la chimie (210), et les industries mécaniques et électriques (202). Les suivent d'assez près les «autres services» (190), la sidérurgie (188), et le groupe «bois, papier, industries diverses» (186).

L'énergie (sauf le charbon), et l'industrie lourde et les techniques modernes comme la chimie en sont les éléments moteurs, parce que les plus nécessaires à la réalisation du rythme de croissance envisagé tant pour la consommation privée que pour l'ensemble de la production.

En revanche, on notera la relativement faible progression du charbon et du gaz, des produits agricoles et alimentaires, des textiles et des transports en commun. Liés de très près à la demande de consommation des ménages, ces groupes de produits ou services subissent le contre coup des changements structurels prévus pour cette demande sous l'effet de l'augmentation du revenu réel. Nous avons vu, par ailleurs, que pour les textiles, comme pour les produits agricoles les perspectives d'exportation n'étaient pas des plus brillantes.

Après consultation d'experts, *des taux de croissance de la productivité*, compatibles avec les perspectives de production de chaque branche, ont été appliqués à chacune, de façon à dégager *leurs besoins de main-d'œuvre respectifs.*

Ces taux sont tous assez concentrés autour de leur moyenne de 4,5 %. Les seuls nettement plus élevés affectent le pétrole (7,1 %) et la chimie (5,6 %). Le taux de l'agriculture (4,3 %) est très près de la moyenne, les taux les plus faibles étant ceux des industries alimentaires, des transports en commun, des autres services et du commerce, et surtout des mines de charbon (1,7 %).

Il en résulte que sur une population active employée par les entreprises [7]) de 17 540 000 personnes, en augmentation d'un peu plus de 6 % sur 1959, l'agriculture, les mines de charbon et le groupe: textile, habillement, cuir verraient leurs effectifs diminuer en valeur absolue de 10 à 20 %, tandis que les «autres services» auraient 35 % de personnel en plus, l'électricité 33 % et les industries mécaniques et électriques 25 %. Les autres grands demandeurs de main d'œuvre seraient la sidérurgie et le groupe bois, papier, industries diverses.

Les phénomènes frappants sont ici, celui, bien connu, de l'émigration agricole, au demeurant largement indépendant des progrès de la productivité et traité comme tel, mais aussi le recul du textile, en face desquels s'inscrivent la progression des industries mécaniques et électriques et des autres services.

On notera que des industries d'avant garde comme la chimie et le pétrole n'augmentent que très peu leur demande de main d'œuvre, leurs

---

[7]) La population active totale comprend, en outre, les domestiques employés par les ménages, les employés des institutions financières et les fonctionnaires ou agents assimilés des Administrations. Ces groupes devraient respectivement compter, en 1970, environ 480 000, 220 000 et 1 960 000 personnes.

gains de productivité absorbant entièrement ou presque leurs accroissements de production.

Une balance des ressources et besoins de main d'œuvre peut alors être établie qui montre que l'*équilibre de l'emploi* serait maintenu en 1970, à condition que l'emploi féminin ne soit qu'en très faible accroissement, l'immigration nettement plus faible que celle prévue pour 1965 et les cessations d'activité de la part des personnes âgées en augmentation substantielle. C'est dire que les risques de sous emploi ne sont pas absents de la projection.

Tableau 3 – Equilibre de l'emploi en 1970 (en milliers)

Besoins de main-d'œuvre		Ressources de main-d'œuvre	
Agriculture	3.900	Population active (aux taux de 1954)	21.450
Industries	7.780		
Transports, Services ⎱	5.860	Variations dûes à:	
Commerces ⎰		– la scolarisation	– 1.000
		– l'activité féminine	+ 90
Total Entreprises	17.540	– l'immigration	+ 460
Domestiques	480	– le retrait de personnes	
Institutions financières	220	âgées	– 200
Administrations	1.960		
		Offre de main-d'œuvre	20.800
		à déduire:	
		– Militaires du contingent	– 300
		– Chômage frictionnel	– 300
Besoins totaux	20.200	*Ressources totales*	20.200

LES ETAPES DU CALCUL PROSPECTIF

Le schéma itératif utilisé pour la projection 1959–1970, comme pour ses sœurs les projections 1956–1965 et 1956–1975, comprend quatre grandes étapes de calcul que nous allons successivement résumer.

Choix du taux de croissance de la production intérieure brute

1. DÉFINITION DE L'AGRÉGAT RETENU

En matière de production, l'agrégat retenu n'est pas le Produit national brut mais la *Production intérieure brute.* Ce second agrégat se distingue du premier, en ce qu'il est défini territorialement, mais aussi en ce qu'il ne comprend pas les services rendus par les Administrations. La projection à long terme de la valeur de ces services, conventionnellement représentée par le montant des traitements des fonctionnaires, pose, en effet, de délicats problèmes que le choix de la production intérieure brute permet d'éluder. Le premier stade de la projection est donc limité à la sphère de la production des biens et services habituellement vendus sur le marché. Mais il affecte un agrégat consolidé c'est-à-dire sans doubles emplois dûs aux consommations intermédiaires et, donc, invariant.

2. SÉLECTION DU TAUX DE CROISSANCE

Le taux de croissance [8]) prospectif de la Production intérieure brute *n'est pas donné par le jeu de relations économétriques*, par exemple, de fonctions de production à facteurs complémentaires ou substituables comme celles présentées par le rapport du Groupe d'Experts de Luxembourg [9]).

Ceci, parce que les conclusions du dit rapport n'étaient pas encore au point lorsque furent élaborées les projections préalables au 4ème Plan français, parce que ces fonctions exigent des évaluations statistiques dont on ne dispose pas encore en France (sur le Capital national, notamment), mais aussi en raison de désaccords méthodologiques plus profonds sur lesquels nous reviendrons en conclusion.

Les taux de croissance retenus ne découlent pas, pour autant, d'une simple *extrapolation de trends passés*. Ceux-ci, calculés sur des périodes dites «normales», excluant donc guerres et reconstructions d'après guerres, voire grandes dépressions, traduisent en définitive des rythmes de croissance anciens, remontant habituellement au premier tiers, ou aux premières quarante années du siècle. Or il est certain que, depuis cette époque, des facteurs nouveaux sont intervenus tant dans les techniques de production que dans les modes de calcul et d'organisation économiques susceptibles de modifier durablement les taux de développement des économies industrialisées.

C'est donc à *un choix délibéré au sein d'un éventail de taux possibles*,

---

[8]) Ou «les» taux, lorsque, comme dans la projection 1975, plusieurs variantes sont étudiées.

[9]) «Méthodes de prévision du développement économique à long terme», Office Statistique des Communautés Européennes. Informations statistiques (Nov.–Déc. 1960) 547 à 555.

lui-même offert par l'expérience historique des dites économies, qu'il a été procédé.

L'examen de ces taux de croissance annuels moyens du PNB, dans le monde occidental et les économies de l'Est, permet de dégager quatre intervalles significatifs (taux moyens calculés par décennie).

Moins de 2,5 %. Ce sont les taux qui caractérisent les périodes de relative stagnation des économies industrielles: Royaume-Uni (1900–1910), France (1929–1939), Etats-Unis (1929–1939).

De 2,5 à 4 %. Taux les plus fréquents dans les économies occidentales industrialisées depuis le début de la phase monopolistique jusqu'à 1939. Etats-Unis (1884–1894; 1904–1914; 1919–1929), Allemagne (1890–1910), Royaume-Uni (1875–1900), Italie (1898–1913; 1918–1928), France (1900–1910; 1920–1929). On les retrouve encore après la deuxième guerre mondiale aux Etats-Unis, au Royaume-Uni et dans les petits pays industriels d'Europe occidentale.

De 4 à 6 %. Ces taux, déjà élevés, n'étaient apparus avant 1939 que dans les phases d'industrialisation rapide aux Etats-Unis (1894–1904) et en Allemagne (1870–1890). Depuis la deuxième guerre mondiale, ils se sont manifestés durablement dans quelques pays industriels occidentaux où la diffusion du progrès technique a été rapide: France, Italie, Pays-Bas.

Plus de 6 %. Ces rythmes de croissance sont très exceptionnels dans les économies capitalistes industrialisées. Les Etats-Unis ne les ont plus connus depuis la décennie 1874–1884. La croissance japonaise s'y est, en revanche, inscrite assez souvent, et notamment depuis 1947. L'Allemagne occidentale enfin, depuis 1950, a un taux de croissance moyen situé entre 7 et 8 % par an.

C'est par contre dans cet intervalle que se situent les rythmes de croissance des Produits nationaux bruts [10]) des économies socialistes planifiées de l'Est européen, de l'U.R.S.S. notamment (de 7,5 à 8 % par an).

Dans cette gamme de taux de croissance constatés et donc possible, le choix des projectionnistes français ne s'est pas porté sur les plus fréquents (2,5 à 4 %), mais sur ceux qui leur apparaissent à la fois *les plus souhaitables en même temps que possibles sans tensions exagérées*, remettant en cause les hypothèses de continuité des structures économiques, sociales et institutionnelles qui sont à la base des projections et des Plans. Tels sont les taux du *3ème intervalle (4 à 6 %)*.

---

[10]) Calculés selon les concepts de la Comptabilité nationale occidentale.

Les projections préalables au 3ème Plan l'avaient déjà choisi pour leurs deux variantes de 1965. Il en est de même, de façon plus accentuée encore, pour celles préparant le 4ème Plan. La projection à long terme (1956–1975), établie en 1959, avançait 3 variantes caractérisées par des rythmes de croissance de la Production intérieure brute de 3%, 4,5% et 6%. Mais la variante faible (3%) était abandonnée par la projection à moyen terme (1956–1965) ramenée à une seule variante, celle de 5%. Le 4ème Plan lui-même, après établissement de programmes sectoriels, retiendra un taux de 5,5% pour la période de 1961–1965.

Finalement *le taux de croissance annuel moyen adopté ici*, pour toute la période 1959–1975, y compris les étapes 1965 et 1970, sera de *5% par an.* [11])

Rappelons que ce taux s'applique à la Production intérieure brute et qu'il fléchirait légèrement si nous le transposions en termes de Produit national brut, les services de l'Etat étant appelés à croître un peu moins rapidement, encore que les besoins considérables en personnel enseignant ne permettent pas d'envisager un trop grand écart entre les rythmes de développement respectifs des services de l'Etat et du PNB.

Le choix d'un taux situé au-dessus de ceux les plus fréquemment observés dans le passé s'appuie sur les considérations suivantes:

1. *La mise en œuvre du Plan* suppose un effort de développement particulier, fondé sur un courant d'investissements soutenus, une amélioration du calcul économique et une coordination des décisions qui doivent, toutes choses égales d'ailleurs, favoriser des rythmes de croissance supérieurs à ceux caractérisant le développement spontané de jadis. A cette considération «subjective», on peut en joindre de plus «objectives».

2. Les années à venir seront vraisemblablement marquées par une *accélération du progrès technique*, tantôt par diffusion des procédés et produits d'avant-garde multipliés ces dernières années dans les pays les plus avancés, tantôt par de nouvelles applications de découvertes scientifiques déjà acquises au stade des laboratoires et bureaux d'études. Chimie, électronique, énergie atomique et fusées, par exemple, n'ont pas épuisé toutes leurs possibilités de rénovation de l'appareil productif.

3. *L'expansion démographique*, phénomène nouveau en France puisqu'il ne date que de 1945, semble devoir se poursuivre. Or elle restera sans aucun doute encore longtemps, dans un pays évolué mais à faible densité

---

[11]) Il s'agit du taux adopté au début de l'itération. Une fois celle-ci terminée un taux légèrement plus élevé, de 5,1%, apparaît. C'est celui qui est finalement retenu et qui figure au tableau 1.

de population comme le nôtre, un facteur de stimulation de la croissance [12]).

4. *L'atténuation*, sinon l'élimination complète, *des fluctuations cycliques*
vient renforcer le taux de croissance à long terme. Autrement dit, le
rabotage des fluctuations ne ramène pas purement et simplement au trend
préexistant ; il dégage un nouveau trend plus rapide que le précédent.

5. Enfin *la stimulation dûe aux concurrences extérieures* est un facteur non
négligeable de développement. Pour les 10 ans à venir, cette stimulation se
situera sur deux plans : au niveau de la compétition Est-Ouest d'une part,
à celui de la concurrence entre économies européennes occidentales dans
le cadre d'un Marché commun très probablement élargi, d'autre part.

Notons, cependant, que *tous ces facteurs ne sont pas parfaitement
additifs*. Ils peuvent même être incompatibles. Si une politique économique active de la part de l'Etat, concertée avec les autres agents
économiques dominants (les «Policy Makers» de Tinbergen), ou, pour
parler le langage français, «une planification indicative», est le moyen à la
fois de stimuler la diffusion du progrès technique et d'atténuer les
fluctuations cycliques, elle sera, en revanche, affaiblie par la libéralisation
des échanges extérieurs et des mouvements internationaux de capitaux et
de main-d'œuvre, tant qu'une politique économique supranationale ne
verra pas le jour. Et si, en lieux et place de cette dernière, des accords,
officiels ou occultes, de cartels s'instaurent, le cinquième facteur sera très
atténué ou même aura une influence négative.

3. SIGNIFICATION DE LA MÉTHODE

On peut s'étonner du caractère sommaire de la méthode utilisée pour
sélectionner un élément aussi important de la prévision économique à long
terme que ne l'est le taux de croissance de la Production intérieure brute.
On remarquera en effet que l'on raisonne directement ici sur un agrégat de
production sans le décomposer par grand secteur (agriculture, industrie,
tertiaire) ni sans que le rôle des facteurs primaires de production (travail
et capital) soit mis en lumière et leurs possibilités d'expansion étudiées
distinctement et quantitativement.

C'est que, pour ses auteurs, il ne s'agit là que de la *première étape d'une
itération allant beaucoup plus loin dans l'analyse et l'évaluation prospectives*.
On ne s'attarde pas beaucoup à l'estimation globale de la Production

---

[12]) Voir sur ce point le suggestif article d'A. SAUVY : «Les Perspectives d'accroissement du nombre des emplois en France d'ici 1975», Population (avril–juin 1961).

intérieure brute car ce n'est que le premier élément d'une série d'approximations successives donnant naissance à des estimations de plus en plus vraisemblables au fur et à mesure d'une part qu'elles se rectifieront mutuellement et d'autre part qu'elles apporteront des informations plus riches et plus précises sur l'évolution future envisagée. Le problème, dès lors, n'est plus de «prévoir» un avenir échappant à l'action du projectionniste, mais *d'étudier les conséquences et les conditions de réalisation d'une hypothèse globale de développement*, à laquelle, comme nous allons le voir, seront associées des *objectifs spécifiques* de politique économique et sociale.

Cette attitude, incontestablement «volontariste», ou «intentionnelle», comme on voudra, donne moins d'importance à la sélection du taux de croissance générale à l'aide de relations économétriques objectives, qu'à l'analyse de ses répercussions en matière de demande finale d'abord, de production et de facteurs de production par branche ensuite, de répartition des revenus et de circuits de financement enfin.

C'est au vu des conséquences chiffrées dans ces divers domaines que l'hypothèse de développement sera tenue pour réalisable ou non.

On ne peut donc isoler cette première étape des suivantes, si ce n'est, comme nous l'avons fait, pour des raisons didactiques.

Décomposition de la demande finale

Considérant que les «objectifs» de production et d'investissement productif sont, en réalité, des moyens d'atteindre ces objectifs plus fondamentaux que sont l'élévation du niveau de vie individuel et la satisfaction des besoins collectifs assumés par l'Etat (administration générale, enseignement, santé, défense nationale...), on a commencé par chercher à évaluer les postes correspondants de la dépense intérieure brute.

C'est donc d'abord la consommation des ménages (et leurs investissements en construction de logements), la consommation et les investissements des administrations et le solde des échanges extérieurs qui ont fait l'objet d'études particulières. L'investissement productif qui, dans cette optique, aurait dû être traité avec la production a été lui aussi calculé dès ce second stade, pour des raisons de commodité du calcul.

Signalons enfin que, pour chaque poste de la demande finale, les évaluations ont été opérées en deux stades successifs: estimation par fonction d'abord, c'est-à-dire par type de dépense satisfaisant une catégorie définie de besoins; estimation par nature de produits ensuite.

Les méthodes employées peuvent être résumées ainsi:

1. CONSOMMATION ET INVESTISSEMENTS DES ADMINISTRATIONS

La projection des dépenses des Administrations en biens et services s'appuie sur une classification fonctionnelle des dépenses publiques [13].

Sous sa forme la plus ramassée (en 10 postes), la ventilation fontionnelle française se présente de la façon suivante:
1. Pouvoirs publics et administration générale;
2. Justice et sécurité intérieure;
3. Relations internationales;
4. Défense nationale;
5. Action éducative et culturelle;
6. Action sociale;
7. Action économique;
8. Logement;
9. Dépenses non fonctionnelles (par ex. service de la dette publique);
10. Dépenses non ventilées.

C'est dans le cadre de cette nomenclature, croisée avec celle des opérations achats de biens et services, revenus, transferts, etc. . . .) que les spécialistes du SEEF, en contact avec les ministères compétents, tracent les grandes lignes d'un budget fonctionnel à moyen ou à long terme des Administrations.

Ce budget est chiffré à partir des programmes dressés par certaines Administrations, en fonction de perspectives générales de développement du Revenu National [14] ou de besoins spécifiques. Ce second cas se présente en particulier dans l'enseignement où les effectifs futurs de jeunes gens, l'évolution des taux de scolarisation au-delà de l'obligation scolaire, l'éventuelle prolongation de cette dernière, la réforme des programmes, les besoins en découlant en enseignants et en locaux, sont les principaux éléments guidant une première estimation des dépenses. Celle-ci sera ultérieurement retouchée lorsque les bilans de main-d'œuvre par branche et par qualification auront permis de préciser l'orientation souhaitable à donner aux futurs élèves (par ex. vers l'enseignement secondaire général ou vers l'enseignement technique).

De même en matière de travaux publics et d'urbanisme, la projection sera intimement liée aux perspectives de développement de la circulation

---

[13] Sur cette classification fonctionnelle, voir «Les Comptes de la Nation, vol. II, Les méthodes», Ministère des Finances, Imprimerie Nationale, (1960) p. 110.
[14] Plus exactement de la Production intérieure brute.

automobile d'une part et de constructions de logements d'autre part.

Enfin des dépenses comme celles de défense nationale ne peuvent être évaluées pour l'avenir que si deux séries d'hypothèses sont avancées, les unes d'ordre technique (sur la proportion des armements conventionnels ou modernes; sur les parts de l'armée de métier et du contingent) les autres d'ordre politique (situation internationale; missions de l'armée; solutions de conflits actuels etc. . . .).

Bien que l'étude de la demande finale ne requière qu'une estimation des consommations et de l'investissement brut en *biens et services*, la projection fonctionnelle des dépenses des Administrations va plus loin et construit un véritable compte prospectif complet de toutes leurs dépenses (salaires et transferts compris) et de leurs recettes ordinaires (impôts). Ces dernières sont calculées en fonction de la Production intérieure brute prévue, mais aussi d'après des renseignements directs sur l'évolution future de certaines dépenses servant d'assiette à des impôts particuliers mais importants: le circulation automobile et la consommation d'essence par exemple étudiées dans la consommation des ménages.

Faute de construire un tel compte, la projection ne saurait comment limiter les dépenses requises par les besoins collectifs. Ici au contraire, la confrontation de la somme des dépenses et de celle des recettes attendues permet, en se donnant un plafond de déficit budgétaire, ou plus exactement d'«impasse», de déterminer une enveloppe financière à l'intérieur de laquelle doit se situer obligatoirement le montant total des dépenses.

Quant aux arbitrages à opérer pour ramener ce total dans l'enveloppe en question, ils sont de nature politique et l'on peut en imaginer plusieurs.

Une fois ainsi chiffrées les dépenses des Administrations par fonction, en distinguant consommation courante et formation brute de capital fixe, il convient de les ventiler par catégories de produits. Le plus souvent on utilisera, à cette fin, des tableaux de décomposition des dépenses pour les années passées. Des modifications seront cependant apportées en cas de changements techniques prévisibles (en matière militaire notamment).

2. ECHANGES EXTÉRIEURS [15])

La projection des échanges extérieurs présente des difficultés bien connues

---

[15]) Les chiffres d'échanges extérieurs de la projection 1970 ayant été interpolés géométriquement entre ceux de 1965 et de 1975 nous exposerons les méthodes utilisées pour ces deux années.

qui s'accentuent dans un schéma itératif. Les exportations futures, dépendant de l'évolution des débouchés extérieurs et des coûts et du dynamisme comparés de l'industrie nationale et de ses concurrentes étrangères, sont, de ce seul fait, fort malaisées à évoluer. Mais, dans une optique planificatrice, les choses se compliquent car, tout en étant un élément de la demande finale, elles sont considérées comme un moyen de se procurer des produits importés. Or ces derniers sont, à leur tour, soit commandés par la consommation finale ou la formation de capital fixe, soit incorporés aux inputs de la production.

Il est donc impossible d'évaluer les échanges extérieurs de façon entièrement autonome.

Les projections françaises sont donc obligées d'anticiper une fois de plus sur l'estimation des productions et des consommations, quitte à revenir en arrière une fois celles-ci menées à bien.

Pratiquement la projection des échanges extérieurs est opérée par zones géographiques en distinguant deux grands ensembles et quelques sous ensembles. Les deux grands ensembles sont la Zone franc et les Pays étrangers hors-zone franc.

Les importations en provenance de la Zone franc distinguent les produits traditionnels (produits agricoles et alimentaires tropicaux, matières premières minérales) et les produits des «grands ensembles miniers ou pétroliers» nouvellement installés ou projetés au Sahara et en Afrique Noire.

L'importation de produits traditionnels est évaluée en fonction d'une part des besoins français (d'après les élasticités de consommation finale et une première appréciation des besoins industriels), d'autre part des perspectives de développement des productions et des consommations des pays fournisseurs, d'après leurs propres plans ou projets. Celle des produits des ensembles miniers ou pétroliers est beaucoup plus aisée à connaître puisque, sous réserve des aléas techniques et surtout politiques, ces ensembles ont été édifiés pour alimenter les industries françaises ou renforcer les exportations de la Zone franc vers le reste du monde. Il faut cependant les harmoniser avec les besoins industriels français prévus.

Quant aux *exportations vers la Zone Franc*, leur montant total est déterminé par la somme des importations en provenance de cette zone et du volume de l'aide française prévue pour le développement des pays membres. Dans la décomposition par produits on tient compte, en outre, des besoins desdits pays en biens de consommation et en équipements, dans le cadre de leurs propres perspectives de développement, et de la modification prévisible de la répartition de leurs commandes entre pays industrialisés fournisseurs. Cette dernière considération qui, pour l'instant, intéresse surtout les membres de la Communauté Economique Européenne, mais qui pourrait aussi concerner les pays de l'Est européen, est évidemment la plus difficile à traduire quantitativement.

Les importations françaises en provenance des pays étrangers non membres de la Zone franc sont évaluées empiriquement par catégories de produits en tenant compte:
— des besoins intérieurs restant à satisfaire après déduction des importations en provenance de la Zone franc.
— de l'abaissement des protections douanières résultant de la mise en place du Marché Commun Européen.
Ici encore un va et vient entre les estimations d'importation et celles de production et de consommation doit être opéré.

Quant aux *hypothèses de politique commerciale* (qui affectent d'ailleurs aussi bien les exportations que les importations), elles ont été formulées voici un an et prévoient l'application complète des clauses du Traité de Rome en 1965, une simple articulation par arrangements douaniers entre les 6 de la CEE et les 7 de l'EFTA, une libéralisation générale des échanges dans le cadre de la Zone de transférabilité, une limitation des importations des pays à bas salaires, un volume légèrement croissant et équilibré des échanges avec les pays de l'Est.

Les exportations françaises vers l'étranger tiennent compte, outre les éléments précités de politique commerciale, de la croissance du Produit national brut des pays occidentaux industrialisés, ainsi que des possibilités d'exportations de l'économie française dans les branches les plus dynamiques ou pour les produits les plus demandés à l'étranger.

Compte tenu des perspectives de solde du commerce extérieur des pays de la Zone franc avec les pays étrangers (solde qui affecte celui de la Zone franc tout entière vis à vis du reste du monde), et d'une appréciation sommaire des éléments non commerciaux, une balance prospective des paiements courants de la France vis à vis de l'ensemble des pays étrangers non membres de la Zone franc est alors dressée.

L'équilibre de cette balance étant considéré comme une contrainte, et la plupart des calculs conduisant d'abord à un déficit, on cherchera les moyens de réduire ce dernier. Dans les projections 1965 et 1975, ces moyens ont consisté:
— à accentuer le transfert de certaines importations (de pétrole et de matières premières notamment) de l'étranger vers la Zone franc,

— à envisager de plus fortes exportations vers l'étranger des secteurs d'avant-garde (métaux non ferreux, industries mécaniques et électriques, chimie).

La balance ainsi rectifiée, par produits et par zones, devient une balance «orientée», comportant désormais non plus de simples prévisions mais des *objectifs* de politique économique. Comme par ailleurs, cette politique entend se plier aux règles de libération des échanges et de réduction des protections découlant tant du Traité de Rome que des tendances actuellement prédominantes dans le monde occidental, on conçoit que ce secteur de la projection soit particulièrement fragile.

3. INVESTISSEMENTS DIRECTEMENT PRODUCTIFS

En bonne logique, les investissements directement productifs (en capital fixe et en formation de stocks) devraient être étudiés en même temps que la production dont ils sont un facteur. Les investissements de l'année terminale de la projection seraient alors considérés à la fois comme le prolongement de ceux des années précédentes ayant permis la croissance du produit national jusqu'au niveau envisagé et comme l'amorce de ceux qui porteront cette croissance plus avant au cours des années postérieures à la période de projection.

Par ailleurs, le montant des investissements et leur composition par produits varie d'une branche à l'autre selon les perspectives de développement et les techniques à mettre en œuvre dans chacune. On ne peut donc, semble-t-il, résoudre ce problème sans connaître au moins les futurs rythmes de production des différentes branches. Mais, les volumes de production à venir, ne peuvent être calculés, par inversion de la matrice d'input-output qu'une fois connue la demande finale, ventilée par produits; et cette demande finale inclut les investissements. Le cercle vicieux semble inévitable.

On sait que la solution théorique de ce problème réside dans l'emploi d'une matrice de coefficients marginaux de capital, dite matrice dynamique de Léontieff, et dans la résolution du système d'équations différentielles qui en résulte.

Malaisées à construire, si on les veut significatives, de telles matrices apparaissent finalement inutilement lourdes pour notre propos. Dans une nomenclature à 16 branches (plus le commerce) les produits d'équipement se ramènent à deux grands groupes: les produits des industries mécaniques et électriques d'une part (industrie n° 9) et produits du Bâtiment Génie

Civil (industrie n° 13). La répartition du montant global de la formation brute de capital fixe entre ces deux postes accuse une constance assez remarquable dans le temps. Il suffit donc d'un coefficient marginal brut global de capital fixe productif et de la répartition précitée – au besoin légèrement infléchie – pour obtenir une image, certes grossière, mais suffisamment valable pour notre étude. Signalons que le coefficient global retenu pour la projection 1970 est de 2,7.

4. CONSOMMATION DES MÉNAGES ET INVESTISSEMENTS EN LOGEMENTS

Nous rassemblons ces deux postes de la demande finale non parce que leur mode de calcul est identique, bien au contraire, mais parce que la construction de logements est en majeure partie le fait des particuliers et rentre donc dans leurs investissements.

Il n'en reste pas moins que largement subventionnée et bénéficiant d'importants crédits de caisses publiques ou semi-publiques, la *construction de logements*, même privée, dépend des objectifs que l'Etat s'assigne en ce domaine et des moyens financiers qu'il y consacre.

L'évaluation prospective de ces objectifs est essentiellement fondée sur la comparaison de l'état quantitatif et qualitatif du parc actuel de logements et des besoins futurs à satisfaire. Ces derniers sont évalués en fonction des perspectives démographiques et de ce que l'on sait des extensions urbaines elles-mêmes liées aux perspectives de production. Une étude plus poussée de la question devrait être menée par région, mais il est évident qu'il ne peut en être question au stade des projections préalables.

Quant à la *consommation des ménages* proprement dite, son mode de calcul est très différent. Le *montant total* de la consommation des ménages est ici calculé *par solde*. Il résulte en effet de la différence entre le total des ressources en biens et services (production intérieure brute + importation) et celui de tous les autres emplois (consommation et investissements des Administrations + exportation + investissements productifs bruts + investissements en logements).

Ainsi se dégage le solde des ressources *disponible* pour la consommation privée. Encore faut il que ce solde disponible, qui représente en somme l'offre de produits pour la consommation, soit égal à la demande qui se dégagera spontanément. Un nouveau test partiel de cohérence s'impose donc, qui consiste à confronter ces deux évaluations prospectives de la consommation privée globale. Celle relative à la demande exigerait, en toute rigueur, que nous ayions formulé des hypothèses précises sur la distribution des revenus et sur la fiscalité directe, puisque la consommation et l'épargne globale des particuliers sont essentiellement fonction de ces deux termes.

La pratique française actuelle se voit obligée, faute d'informations suffisantes, de se contenter d'appréciations sommaires sur ce point [16]). On vérifiera en particulier, que la consommation dégagée par solde cadre avec celle découlant de l'application à la production intérieure brute de la propension globale ou de l'élasticité globale de consommation observée dans le passé.

Mais l'essentiel de l'analyse de la consommation consiste à en étudier la décomposition par produit. Comme, dans le cas des Administrations, le travail sera mené en deux étapes, la première consistant en une prévision de la consommation *par fonctions*, ou, si l'on préfère, par *catégories de besoins*.

Ici, la méthode économétrique est largement employée à travers les fonctions de consommation. Dans toutes, la variable explicative centrale est la dépense totale de consommation, mais la forme des relations varie. La plupart des besoins peuvent être évalués à l'aide d'une simple élasticité constante. Certains, comme l'alimentation et les chaussures, font appel à une élasticité décroissante tantôt dans le temps, tantôt avec le revenu (ici la dépense totale). D'autres exigent l'intervention de relations à plusieurs variables explicatives (dépense totale, stock ou parc des produits étudiés, temps), ainsi en est-il par exemple de l'automobile et des autres biens durables. D'autres enfin comme les services médicaux sont soumis à un simple trend chronologique, tandis que les loyers rémunérant les services de logements sont estimés en fonction des perspectives tracées pour le parc immobilier.

Passage aux productions par branche et tests de cohérence

1. LA PRODUCTION, LA PRODUCTIVITÉ ET L'EMPLOI PAR BRANCHE

Une fois la demande finale de l'année terminale de la projection ventilée par catégories de produits, il est aisé de calculer les *productions totales par branche* et les consommations intermédiaires correspondantes. Il suffit,

---

[16]) Du moins au stade des projections préalables. Dans la préparation du Plan proprement dit des études plus poussées intérieurement dans le cadre de l'analyse de l'équilibre prospectif.

pour cela, de disposer d'une matrice de coefficients techniques d'input-output.

Celle-ci établie pour une année passée ne peut, cependant, servir telle quelle pour l'avenir. Il convient de modifier certains coefficients d'input afin de tenir compte des progrès techniques d'ores et déjà prévisibles pour la période étudiée. Pour les projections 1965 et 1975, c'est une matrice «prospective», ainsi modifiée, qui a été construite sur la base de la matrice «ex-post» 1956. L'estimation des coefficients techniques de 1965, a bénéficié des premiers travaux des Commissions du 4ème Plan.

Quant à la matrice 1970, ses coefficients ont été interpolés à partir de ceux de 1965 et de 1975.

Les principales modifications de coefficients techniques ont affecté la consommation d'énergie (substitution de l'électricité et du pétrole au charbon), la réduction des consommations spécifiques d'acier et l'augmentation de celles des métaux non ferreux et des plastiques, l'extension de la préfabrication dans le bâtiment...

Quant à la résolution du modèle de production ainsi élaboré, elle s'est faite par itération selon un processus mis au point par le SEEF et décrit dans une récente étude [17]).

Rappelons que le tableau d'échanges interindustriels (input-output) utilisé pour les projections préliminaires à moyen et long terme comprend 16 branches (plus le commerce) correspondant aux 16 grandes catégories de biens et services entre lesquelles la demande finale a été ventilée.

Ces 17 branches, commerce inclus, sont celles de la Nomenclature proposée par le Groupe d'Experts de Luxembourg [18]).

C'est sur les résultats de l'inversion de ce tableau que les Commissions du Plan sont appelées à donner leur avis, à fournir des informations complémentaires et, après rectification éventuelle, à élaborer des programmes de branche.

Mais, avant même de saisir les Commissions, il n'est pas inutile de prendre un premier aperçu de la demande de facteurs primaires découlant des perspectives de production ainsi calculées. En matière d'investissements, nous avons vu qu'on renvoyait l'étude détaillée aux experts de branche. Il a paru, en revanche, possible de procéder à une estimation de la demande de main d'œuvre par branche.

---

[17]) M. SENTIS: «Sur un problème mathématique posé par la recherche economique», Etudes de Comptabilité Nationale, n° 2 (1961) 82 sp.

[18]) «Méthodes de prévision du développement économique à long terme», op. cit. p. 624.

On verra que les résultats obtenus dans ce domaine seront précieux lors de l'épreuve de cohérence et de vraisemblance.

Les besoins de main d'œuvre par branche sont calculés en divisant l'indice prospectif de valeur ajoutée de chaque branche par l'indice correspondant de productivité du travail. Ce dernier est supputé, en fonction même des progrès techniques attendus, mais aussi de l'expansion envisagée, par les experts de branche consultés. La seule exception à cette procédure concerne l'agriculture pour laquelle on admet que la réduction de la population active obéit à des lois sociologiques largement indépendantes de l'évolution de la productivité moyenne de la branche, de sorte que celle-ci se trouve plus déterminée par l'ampleur de l'exode rural qu'elle ne le commande elle-même.

2. TESTS DE COHÉRENCE ET DE VRAISEMBLANCE

Les tests de cohérence et de vraisemblance, dont nous avons déjà souligné la nécessité, ne peuvent être que rudimentaires dans une projection préalable à prix constants et limitée aux flux physiques, c'est-à-dire aux opérations sur biens et services.

Rappelons que par «test de vraisemblance» on entend ici le jugement que l'économiste doit porter sur le réalisme des principales conséquences d'ordre social et financier de sa projection. Il ne s'agit donc nullement ici d'équilibre comptable, celui-ci étant automatiquement garanti par l'emploi d'un modèle de comptabilité nationale. On pourrait, par contre, parler d'équilibre économique et social, défini comme le respect, par les principales variables économiques des contraintes institutionnelles, sociologiques ou psychologiques qui n'ont pas pû être introduites explicitement dans le schéma des flux physiques (ressources et emplois de biens et services) mais qui, néanmoins, jouent un rôle décisif tant sur le marché de la main-d'œuvre que sur celui des capitaux.

En matière financière par exemple, il ne s'agit plus de rechercher la fameuse égalité $S = I$ automatiquement vérifié par le système comptable, mais d'examiner si les comportements financiers, compte-tenu des institutions et des habitudes existantes, sont susceptibles de conduire au schéma de financement des investissements postulé par l'équilibre comptable.

Nous avons déjà vu comment des tests partiels intervenaient en matière de dépenses et recettes des Administrations et d'échanges extérieurs. Nous nous limiterons donc ici aux deux seuls autres points sur lesquels peut être appréciée la validité de la projection: le bilan de la main-d'œuvre et le poids des investissements.

L'évaluation des besoins de main-d'œuvre par branche n'a d'intérêt que si elle conduit à une confrontation avec l'offre future de travail. Dans un travail prospectif de ce genre, cette offre ne peut être estimée que par une projection démographique qui part de la population totale future distribuée par groupe d'âges, utilise des taux d'activité par âge et par sexe et formule des hypothèses raisonnées sur la scolarisation, les obligations militaires, le travail des femmes, les retraits d'activité aux âges élevés, et les migrations. Une hypothèse complémentaire concerne le volume de chômage fractionnel compatible avec l'état de plein emploi qui constitue l'un des objectifs, ou si l'on préfère l'une des conditions, imposés à la projection. Un volume global de population active «employable» est ainsi calculé, que l'on compare au total des besoins de main-d'œuvre (besoins des branches + besoins des ménages en domestiques + besoins des administrations en fonctionnaires).

Si un écart substantiel apparaît, on s'interroge sur sa signification et les possibilités de l'éliminer. On est alors conduit d'une part à revoir plus attentivement les perspectives de croissance de la production jusqu'alors retenues, d'autre part à examiner les marges de jeu laissées par l'estimation des catégories marginales de population active, essentiellement les femmes, les personnes âgées et les migrants. Mais il peut arriver qu'un écart important subsiste. En face des menaces inflationnistes ou, au contraire du sous-emploi probable, qui se profilent alors, l'économiste tire la sonnette d'alarme et signale aux pouvoirs publics l'impérieuse nécessité d'un choix: soit revoir les objectifs d'expansion de la production et de la dépense nationales, soit étudier de nouvelles mesures de politique économique susceptibles de réduite l'écart détecté.

Un problème de même nature se pose à propos des investissements. Mais ici, moins encore qu'en matière de main-d'œuvre, une étude globale et à prix constants ne suffit pas. Une simple confrontation entre le volume total des investissements requis et les possibilités d'épargne, pour utile qu'elle soit, ne peut nous apprendre grand' chose. Aussi, dans les projections les plus élaborées, c'est-à-dire dans celles qui se donnent l'année terminale du Plan pour horizon (par exemple la projection 1956–1965 pour le 4ème Plan), on cherche à retracer les *circuits de financement* par lesquels l'épargne des différents agents économiques est susceptible d'être drainée pour couvrir les besoins financiers. On dresse, pour ce faire, des «tableaux économiques» prospectifs, de structure identique à celle des tableaux figurant dans la Comptabilité Nationale rétrospective française.

En tablant sur des comportements financiers stables des entreprises (notamment en matière d'autofinancement et d'endettement) et en posant des limites aux possibilités d'endettement des Administrations ainsi qu'au déficit extérieur, on dégage les variations de position créancière (ou plus rarement débitrice) des ménages. Il reste à s'interroger sur la vraisemblance de ces modifications et de l'allure générale du schéma de financement tracé, ainsi que sur les conséquences en matière de prix, distribution des revenus, de fiscalité, et donc finalement d'équilibre monétaire.

On s'apercevra, par exemple, que la croissance accélérée de la production et des revenus – en une période où règne, par hypothèse, la stabilité monétaire – entraîne une augmentation de l'épargne des ménages plus rapide que celle de leurs revenus. Du même coup la consommation des ménages est appelée à croître moins vite que leurs revenus. Mais la consommation des ménages devant, d'après la projection, augmenter à peu près au même rythme que la production, il faut que les revenus distribués aux ménages croissent plus vite que cette dernière et par conséquent que l'autofinancement (profits non distribués) augmente moins rapidement. Et comme les investissements augmentent un peu plus que le volume de production, les entreprises doivent logiquement s'endetter de façon croissante.

Or, et c'est ici que la contradiction surgit, la stabilité monétaire rend cet endettement très lourd. On conçoit donc que les entreprises cherchent à l'éluder et, ou bien n'opèrent pas la totalité des investissements prévus, ce qui remet en cause l'expansion, ou bien les financent par autofinancement, ce qui relance l'inflation.

Diverses mesures peuvent être envisagées pour briser ce cercle vicieux : consolidation de l'épargne placée à court terme en épargne placée à long terme, extension de l'autofinancement des investissements des entreprises grâce à un allègement de la fiscalité pesant sur ces dernières et compensation par un alourdissement des impôts frappant les ménages, extension du rôle du Trésor Public, comme banquier à long terme, création d'entreprises publiques, enfin, là où les initiatives et les investissements privés se révéleraient défaillants.

Toute une gamme d'instruments, des plus libéraux aux plus statiques, se dessine ainsi, entre lesquels le Gouvernement doit choisir de façon à engager des études plus approfondies.

On comprendra que de telles analyses sont d'autant plus poussées que les projections ont un terme moins éloigné. Il devient en effet très hasardeux de postuler la stabilité des comportements financiers sur une très longue période et d'imaginer les politiques fiscales, bancaires ou du marché financier, susceptibles d'éliminer les tensions monétaires.

QUELQUES REFLEXIONS DE METHODE

En conclusion, nous voudrions présenter quelques brèves observations sur les problèmes méthodologiques soulevés par les projections françaises.

Les raisons de la répugnance des services officiels français envers les modèles économétriques généraux

Bien qu'elle ne soit exprimée nulle part de façon tranchante, la répugnance éprouvée jusqu'à présent par les projectionnistes français envers les modèles économétriques généraux est indiscutable. Rappelons en rapidement les raisons.

Première raison: les modèles généraux sont ou trop simples pour expliquer la réalité et guider une politique économique de développement, ou trop discutables. Le reproche d'excessive simplicité (on dira même de «simplisme») est adressé en particulier aux modèles macroéconomiques, non seulement à ceux du type Harrod-Domar, ou à fonction de production à facteurs complémentaires [19]) mais aussi aux modèles à fonction de production à facteurs substituables [20]).

S'ils restent macroéconomiques, et «unisectoriels», les modèles laissent échapper bon nombre de facteurs de la croissance; la complexité formelle de certains d'entre eux ne fait que masquer la pauvreté de leur contenu réel. Essaie-t-on de construire des modèles «multisectoriels» que, sauf dans certains domaines éprouvés, comme ceux des échanges inter-industriels ou des fonctions de consommation, des incertitudes considérables pèsent sur bon nombre de relations et de paramètres. La garantie de cohérence qu'offre le modèle général est alors largement compensée par ces incertitudes et il semble préférable de procéder par itération. De cette façon le projectionniste maîtrise constamment le déroulement des calculs et peut les rectifier en cours de route au fur et à mesure de l'amélioration de son information.

Deuxième raison: les relations structurelles et la valeur numérique des

---

[19]) Par exemple le modèle utilisé ces dernières années aux Pays Bas et exposé par P. J. VERDOORN: «Complementarity and Long Range Projections», Econometrica, (octobre 1956).

[20]) cf. Rapport précité du Groupe d'experts de Luxembourg.

paramètres d'un modèle sont nécessairement établies à partir de données observées sur un passé remontant assez loin dans le temps. Il le faut, pour pouvoir éliminer les périodes exceptionnelles et lisser les fluctuations cycliques. Mais les éléments obtenus risquent fort d'être peu significatifs pour un avenir où les changements seront vraisemblablement plus rapides et plus profonds que dans le passé.

Troisième raison: les tensions économiques, inflationnistes ou déflationnistes, et surtout les tensions sociales et politiques, auxquelles peut se heurter la croissance, ne sont pas toujours susceptibles d'expression quantitative. Bien qu'elles ne puissent, dans ce cas, être formalisées (par des inégalités ou des fonctions non linéaires), elles jouent un rôle si important qu'on ne peut les ignorer. Mieux vaut alors disposer d'un schéma de raisonnement et de calcul plus souple que ne l'est un système d'équation et d'inéquations.

Quatrième raison; enfin: les projections ne constituent que la première phase d'un *dialogue* sur les perspectives d'avenir de l'économie nationale entre l'Etat et les grandes entreprises ou groupes professionnels des différents secteurs de cette économie. Il serait regrettable de tarir la richesse d'information qui peut se dégager de ce dialogue en enfermant ce dernier dans le cadre rigide d'un modèle explicite.

L'utilité de la formalisation

La valeur des arguments ci-dessus ne saurait être sous-estimée. Ils sont inspirés par une expérience remontant maintenant à six ou huit ans pour les travaux à court terme, à quatre ou cinq pour ceux à moyen et long termes engagés plus tardivement. Les exigences de politique économique étaient, et demeurent, trop précises pour que ceux qui ont mission de les éclairer quantitativement puissent se limiter à l'emploi d'instruments prévisionnels plus élégants mais par trop simplificateurs que sont la plupart des modèles économétriques généraux existants.

Ce qui ne signifie pas que, par nature, les modèles généraux soient inutilisables en matière de projections planificatrices ni que de nouveaux systèmes de relations économétriques, mieux adaptés au problème à résoudre, ne puissent être construits dans un avenir relativement proche. Après les travaux de R. Frisch [21] et de J. Tinbergen [22] nul ne soutient

---

[21] R. Frisch: «L'emploi des modèles pour l'élaboration d'une politique économique rationnelle», Revue d'Economie Politique (sept., oct. et nov. 1950). «Oslo Decision Models» (1957); et l'article figurant dans le présent ouvrage.

[22] J. Tinbergen: «Economic Policy; Principles and Design» (Amsterdam 1956).

plus – et cela n'a jamais été le cas des projectionnistes français – qu'un modèle ne puisse donner que les résultats du jeu spontané de comportements, de techniques et de règles institutionnelles, résultats devant lesquels il ne resterait plus qu'à s'incliner. La distinction entre modèles prévisionnels et *modèles décisionnels* s'impose de plus en plus. Le modèle décisionnel a précisément pour mission de montrer à quelles conditions, avec quelles conséquences, des objectifs préalablement fixés ou déduits d'une procédure d'optimation, peuvent être atteints sous des contraintes déterminées.

Le schéma itératif utilisé se propose, certes, le même but et y parvient, en général, de façon satisfaisante. Mais une formalisation présenterait le grand avantage d'obliger à expliciter des relations sous jacentes à bien des raisonnements littéraires, même s'il n'est pas toujours possible de chiffrer les paramètres et de passer ainsi du stade théorique au stade économétrique proprement dit. On pourrait alors vérifier que les relations en question sont indépendantes et mutuellement compatibles. Par ailleurs, la recherche systématique de l'information statistique, comptable ou technologique susceptible d'alimenter l'évaluation des paramètres, permettrait d'asseoir plus solidement les fondements économiques et même, pour certaines, sociologiques des dites relations.

Pour ne prendre qu'un exemple, la discussion de cohérence et de vraisemblance du Tableau économique d'ensemble serait certainement plus rapide et plus précise si elle s'aidait d'un modèle précisant les comportements financiers des entreprises et des ménages, énonçant des limites aux variations d'endettement.

Ceci est tellement vrai que depuis plus d'un an le SEEF élabore un modèle général à prix variables où ces derniers sont fonction du taux de salaire, des investissements (eux-mêmes commandés par les objectifs de développement) et des comportements financiers des entrepreneurs [23]).

Quant à la détermination de la valeur numérique des paramètres ses sources ne se limitent pas obligatoirement aux séries statistiques longues du pays considéré. Elles peuvent être fournies aussi par des comparaisons internationales, et par des informations directes sur le comportement futur de certaines grandeurs, par exemple: des taux de croissance de la productivité et des modifications des coefficients d'input sous l'effet du

---

[23]) P. THIONET: «Indices prévisionnels de prix des agrégats de production des secteurs par la méthode des budgets économiques», Communication au Congrès de l'Institut International de Statistique (Tokyo 1960).

A. NATAF: «Modèle à prix variables et plans de développement», Communication au Congrès d'Econométrie (Paris 1961).

progrès technique. Tous procédés d'ores et déjà employés mais qui peuvent l'être aussi bien à l'intérieur de modèles.

L'enrichissement de la prévision par le dialogue entre l'Etat et les milieux d'affaires, tel que la procédure française de préparation des Plans l'a organisé, est incontestable. Mais elle se heurte à des limites que les méthodes actuelles permettent mal de cerner. Un effort de systématisation plus poussé, conduisant à l'établissement d'un modèle de «politique économique décentralisée» du genre de ceux présentés par Tinbergen [24]), pourrait montrer si les échanges d'informations et de projets (limités le plus souvent à des données macroéconomiques) entre macro-unités, d'une part facilitent la convergence vers un état de cohérence des prévisions, d'autre part rapprochent de l'optimum collectif défini eu reconnu par les Pouvoirs Publics. On peut présenter un peu différemment la question en disant qu'il s'agit de mesurer l'efficacité et le coût d'une politique économique qui se veut à la fois «décentralisée» et «concertée».

Les recherches en cours

Le problème de la formalisation évoqué ci-dessus n'est évidemment pas le seul qui se pose aux projectionnistes et planificateurs français. Au regard de certaines lacunes d'information concrète, il n'est sans doute même pas le plus important. Aussi la recherche économique, sans le négliger, s'oriente-t-elle aussi vers d'autres directions.

Deux équipes de recherche ont été récemment créées pour approfondir les problèmes de méthode qui se posent à propos de la planification indicative et des études prospectives à long terme. [25])

Signalons entre autres:

— l'étude du rôle du progrès technique dans la croissance,
— l'analyse du coût et du rendement économique de certaines fonctions sociales (enseignement, santé publique, urbanisme),
— l'étude des projections de commerce extérieur et l'élaboration de tests de cohérence multinationale,
— l'essai de formulation de l'optimum à long terme.

On peut espérer que ces travaux menés, sur le plan de la recherche

[24]) J. Tinbergen: «Centralization and Decentralization in Economic Policy» (Amsterdam 1956).
[25]) Le «Centre de Recherches Mathématiques sur la Planification» (CERMAP) dirigé par le Pr. A. Nataf et le «Centre d'Etude de la prospection économique à moyen et long termes» (CEPREL) dirigé par le Pr. J. Bénard.

scientifique indépendante, mais en liaison intime avec les services d'étude économique officiellement chargés de l'établissement des projections et du Plan, contribueront à en améliorer les méthodes et, par là, l'efficacité.

SUMMARY

The projection of French Economy for 1970, was prepared according to methods used for the 'preliminary projections' made in connection with the elaboration of the 4th Plan of modernization and equipment (1962–1965). It is therefore more a deliberate exercise than a forecast. To give some more explanation to the planners, this projection is not limited to the large aggregates of the National Product and Expenditure, but is broken down into 16 branches (17 with trading). It does not use a general explicit model, but appeals to a method of trial and error called the 'iterative scheme'.

This scheme includes partial models (accounting system, input-output matrix, some functions of behaviour) and "normalized proceedings" or exogenous variable estimates (in particular for public expenditures and foreign trade). It allows besides for tests of consistency (accounting consistency and convergences of estimates, made at different stages) and of likelihood (in respect of some limits and some structures, especially in financial matters).

Calculated in constant prices of 1959, the projection gives the following results:

The gross domestic final output should rise from 5,1 % per year from 1959 to 1970, which means a little more than from 1949 to 1959 (4,7 %), but a little less than the rate fixed by the 4th Plan 1962–1965 (5,5 %). The productivity per worker would grow at about 4,5 % per year.

Private consumption would rise nearly at the same rate as production, while gross investments in fixed capital, especially in the Government sector for teaching, would rise faster. Owing to the European Common Market, imports would rise more rapidly than exports and domestic final output. An excess of the balance of trade over 7 billions of NF. (against 6,1 billions in 1959), should subsist, for the greater part to help underdeveloped countries in the Franc Area.

The evolution for branches of production shows the diversity of the rates of growth of the goods and services relative to final demand, especially for private consumption and foreign trade.

The leading industries are: electricity, oil production and refining, chemical industries, and the engineering industries. On the other hand, coal, agricultural and food products, textile and public transports, will just slowly increase.

Having regard to the prospects of productivity increase in various sectors, demand for labour force has been calculated and compared with supply. Supply is given by the evolution of the population at working age, rates of activity in each age group, assumptions as to school attendance, work by women, and immigration. This confrontation leads to a rather fragile balance of employment.

The method used consists in choosing a rate of increase of gross domestic final output, which shows rapid development, but not at all exceptionnal in the industrialized capitalist economies when placed in the range of the rates observed in Western Continental Europe during the last ten years. As already stated, the rate of $5,1\%$ per year has been retained.

Later we intend to study the consequences and conditions of realization of these development hypotheses, which will allow us to say if it is realizable or not, in the light of the available material and human resources, and to the economic policy instruments which may be used.

The projection-makers are not trying to derive an autonomous forecast but to analyse the conditions of a predetermined rate of expansion, under identified constraints.

The different procedures used to estimate the main components of final demand (private and public consumption, investments, foreign trade), and to distribute these between the various categories of products, are further explained, as is the passage to production and to the manpower needs in each branch, by an input-output table.

There are a few indications as to tests of consistency and likelihood.

Beyond pure accounting equilibrium (consistency), it is desirable to appreciate the most important consequences of this projection, such as the case for the employment balance and the network of financing investments. One must be careful to ensure that the combined hypothesis of investments and productivity increase will not involve, for some economic and financial behaviours, stresses and strains supposed to be socially or monetarily unbearable.

The study closes with thoughts on the necessity of a greater formalization of French methods and on the projects now studied in this field.

BIBLIOGRAPHIE

I. Resultats des projections françaises

Publications communes du Commissariat Général au Plan et du Service des Etudes Economiques et Financières (SEEF).

3ème Plan: «Perspectives de l'économie française en 1965», Imprimerie Nationale, (Juin 1956).

«L'équilibre économique en 1961», Rapport du Groupe de l'Equilibre du 3ème Plan, Brochure ronéotée (19 juillet 1957).

4ème Plan: «L'équilibre économique en 1965», Rapport du Groupe de l'Equilibre du 4ème Plan, (Brochure ronéotée à paraître).

II. Etudes méthodologiques

P. BAUCHET: «L'expérience française de planification», Editions du Seuil (1958).

J. BENARD: «Problèmes et instruments de synthèse d'un plan indicatif», Cahiers de l'I.S.E.A., N° 67 (Mai 1958).

F. BLOCH-LAINE et C. GRUSON: «La prévision économique; information, prévision et planification», Encyclopédie Française t. *XX*, 20–50–7).

C. GRUSON: «Les programmes en chiffres», Encyclopédie Française t. *IX* 9–24–3).

F. LE GUAY: «Les projections à long terme en France», Communication à la Conférence internationale sur les techniques d'Input-Output, Genève, (sept. 1961).

P. MASSE: «Prévision et prospective», Prospective n° 4 (Novembre 1959).

P. MASSE: «La planification française», Conférence au National Institute of Economic and Social Research (Londres 22 avril 1961) in «Problèmes Economiques» (3 octobre 1961).

A. NATAF: «Modèle à prix variables et plans de développement», Communication au Congrès d'Econométrie, (Paris 1961).

CHAPTER 4

VALIDITE THEORIQUE ET EMPIRIQUE D'UNE PREVISION GLOBALE DE LA CROISSANCE DE L'ECONOMIE ITALIENNE DE 1958 À 1970

PAR

VERA CAO-PINNA

Professeur agrégée à l'Université de Rome, Italie

Cette étude est une synthèse des travaux préliminaires effectués par un groupe d'experts, dans le cadre de recherches plus détaillées sur les perspectives à moyen terme de la demande italienne de biens de consommation et de sources d'énergie.

Ces recherches ont été développées à la demande et avec l'appui de plusieurs institutions, notamment: le Département de l'Agriculture des Etats Unis d'Amérique, l'«Ente Nazionale Idrocarburi» et la Division de l'Economie de la Communauté Européenne du Charbon et de l'Acier.

Toutefois, l'auteur de cet article expose en pleine indépendance et à titre personnel ses propres vues sur les conclusions dégagées de l'étape préliminaire de ces travaux et tient à remercier en particulier deux membres du groupe: M. Camillo Righi et M. Gualtiero Petrilli pour leur collaboration précieuse, tant dans les calculs relatifs aux analyses retrospectives et aux prévisions de la croissance de l'économie italienne, que dans l'interprétation des résultats de ces recherches.

INTRODUCTION: OBJET ET CADRE GENERAL DE L'ETUDE

1. Cette étude a pour objet d'examiner le fondement théorique et empirique de l'opinion généralement admise selon laquelle le taux de croissance de l'économie italienne pourrait se stabiliser au niveau de 5,5 pour cent par an, du moins jusqu'à l'année 1970.

Cette perspective est déjà à la base de quelques études prévisionnelles portant sur des problèmes particuliers ou sur des programmes d'investissement à long terme; mais, jusqu'ici, elle n'a été justifiée qu'en termes de bonne volonté et de confiance dans l'avenir.

En effet, le seul effort d'interprétation des événements qui ont influencé l'expansion de l'économie italienne au cours du siècle écoulé, qui laisse entrevoir, sur des bases scientifiques, la possibilité d'un prolongement des tendances enregistrées pendant les dix dernières années est dû au professeur Barberi [1]) et nous nous en servirons comme point de départ pour notre étude.

Nous sommes entièrement d'accord avec lui lorsqu'il affirme la nécessité de vérifier la valeur «*éternelle*» des paramètres du développement économique, par une analyse comparative d'observations portant sur des *périodes caractéristiques* de l'évolution d'un pays (plutôt que par la recherche d'un taux hypothétique d'expansion «normal» dégagé des séries historiques). Ceci nous a encouragé à exploiter davantage le matériel statistique disponible, pour examiner et mettre au jour les implications d'une extrapolation à l'année 1970 du taux de croissance enregistré pendant la période 1950–1958.

Et, comme l'objectif essentiel de l'analyse économique, base nécessaire de tout exercice prévisionnel, ne consiste que dans la recherche, dans le temps et dans l'espace, des uniformités ou des difformités des paramètres caractéristiques du développement économique, le but de notre analyse consistera justement à développer les recherches de Barberi et, en particulier, à tester la validité, pour l'économie italienne, des formules et des paramètres utilisés en d'autres pays pour expliquer l'évolution passée et pour anticiper les tendances futures de l'économie nationale.

2. A cette fin, nous nous servirons d'un schéma d'analyse prévisionnelle récemment proposé par un groupe d'experts organisé par la CECA,[2]) suivant lequel il convient (en accord avec la pratique généralement suivie dans la construction et l'application des modèles économétriques) d'isoler au préalable les éléments *non-systématiques* de la croissance et dont l'évolution peut être estimée indépendamment, sur la base des facteurs *exogènes* qui influencent, ou limitent leur expansion.

Dans ce schéma, les éléments non-systématiques sont représentés par trois secteurs:
— Agriculture (y compris Sylviculture et Pêche);

[1]) B. BARBERI: «Aspetti statistici nelle teorie dello sviluppo economico», L'Industria, no. 3 (1960) et: «Aspetti dinamici e strutturali di un secolo di sviluppo economico dell' Italia» Economia e Storia, Giuffre' (1960).

[2]) «Méthodes de Prévision du Développement Economique à Long-Terme» Rapport d'un Groupe d'Experts», Informations Statistiques no. 6 (Novembre-Décembre, 1960) Office Statistique des Communautés Européennes, Bruxelles.

— Administrations Publiques;
— Services de logement.

Nos estimations de l'expansion de ces secteurs sont présentées dans la deuxième partie de cet article, notre étude étant principalement centrée sur les prévisions pour l'ensemble des *activités industrielles et tertiaires* (qui représentent déjà 70 pour cent du Produit National Brut) et sur les critères utilisables pour délimiter le champ de variation du taux d'expansion de ce secteur «*endogène*», suivant les hypothèses générales incorporées dans toute prévision économique à moyen ou à long terme (évolution favorable de la politique nationale et internationale, stabilité relative du système monétaire, et absence de facteurs accidentels).

Plus précisement, notre exercice consistera:

a) à effectuer une analyse retrospective du développement du secteur «endogène» par l'utilisation d'un certain nombre de relations fonctionnelles entre le niveau de la production et les facteurs couramment utilisés comme variables explicatives: travail, capital et progrès technique;

b) à tester la validité de l'hypothèse d'une stabilité relative des paramètres dégagés des analyses retrospectives et à montrer le caractère tout à fait *provisoire et subjectif* d'une prévision *globale* de la croissance économique;

c) à établir des hypothèses vraisemblables pour l'accroissement potentiel des trois facteurs de la production mentionnés ci-dessus et à calculer, en accord avec ces hypothèses, le taux moyen d'expansion du secteur étudié, au cours de la période 1959–1970;

d) à complèter notre exercice, tantôt par l'extrapolation des trends mathématiques (de la période 1950–1958) du produit brut des trois secteurs «exogènes», tantôt par des estimations indépendantes des composantes principales de la demande finale (consommation, investissements, exportations).

Analyse critique des prévisions globales fondées sur l'expérience du passé

1. DIFFÉRENTES MÉTHODES POUR L'ANALYSE DES SÉRIES CHRONOLOGIQUES

3. L'étude rétrospective du développement du secteur «*industrie et activités tertiaires*» a été basée sur l'analyse mathématique des séries (aux prix constants de l'année 1938) de la production, de l'emploi et du stock de capital fixe dans ce secteur, au cours des périodes *1922–1939* et *1950–1958*.

La dynamique de ces séries (présentées aux tableaux 1 et 2) et les indicateurs caractéristiques (présentées au tableau 3) montrent, à première vue, que les deux périodes représentent *deux stades tout à fait différents* de la croissance de l'économie italienne et qu'il serait tout à fait inutile d'essayer de dégager, de la combinaison de ces séries, une mesure, aussi abstraite qu'arbitraire, d'un taux d'expansion «normal» utilisable comme base de référence pour une prévision à moyen terme.

Pendant la première période (1922–1938), l'utilisation des facteurs travail et capital a été en effet très irrégulière, à cause des événements accidentels (inflation, crise et préparation des interventions militaires) qui se sont juxtaposés aux fluctuations de la conjoncture.

Au cours de la deuxième période (1950–1958), l'utilisation des facteurs de la production a été plus «normale», et le parallélisme entre les séries de l'emploi et de la production (voir le graphique annexé au tableau 2) semblerait justifier une éventuelle extrapolation des trends enregistrés de 1950 à 1958. Néanmoins, il ne faut pas oublier que l'expansion récente du secteur étudié a été particulièrement favorisée par la performance de la demande intérieure de biens durables et, surtout, par les innovations techniques qui ont accompagné l'expansion et la concentration, géographique et financière, des industries de base (métallurgie, chimie, pétrole).

L'analyse mathématique des deux groupes de séries nous permettra, à présent, de mieux caractériser les deux périodes en termes économétriques et d'examiner, ensuite, dans quelles hypothèses et conditions il serait possible de prolonger jusqu'à' l'année 1970 le «boom» des années cinquante.

4. Les relations fonctionnelles utilisées pour analyser le développement passé du secteur «endogène» sont les suivantes:

Equations	*Symboles*
	Symbols

$$(1)\ \frac{v_1}{a_1} = \beta v_1{}^{\eta}$$

v_1 = volume de production (représenté par la valeur ajoutée du secteur «endogène» à prix constants);

v_1 = volume of output (represented by the value added of the 'endogenous' sector at constant prices);

Tableau 1 – Italie – Séries de la production et des facteurs travail et capital, dans le secteur «Endogène» (Industrie et Tertiaire) 1922–1939; 1950–1959

Table 1 – Italy – Series of Output and of the Factors Capital and Labour used in the «Endogenous» Sector (Industry and Tertiary) 1922–1939; 1950–1959

Années Years	Valeur ajoutée aux prix 1938 (millions de lires) Value added at 1938 prices (million Lires)	Emploi (1000 unités par an) Employment (1000 units per year)	Stock de Capital fixe aux prix 1938 (millions de lires) Stock of fixed capital at 1938 prices (million Lires)	Indices (1922 et 1950 = 100) Indices (1922 and 1950 = 100)		
	v_1	a_1	K_1	v_1	a_1	K_1
1922	53.394	5.035	83.800	100,—	100,—	100,—
1923	56.461	5.182	85.500	105,74	102,92	102,03
1924	62.098	5.329	87.700	116,30	105,84	104,65
1925	64.283	5.357	91.700	120,39	106,40	109,43
1926	63.026	5.385	96.900	118,04	106,95	115,63
1927	64.226	5.413	102.400	120,29	107,51	122,20
1928	67.511	5.499	106.800	126,44	109,22	127,45
1929	69.191	5.502	113.400	129,59	109,28	135,32
1930	68.095	5.460	119.300	127,53	108,44	142,36
1931	66.842	5.419	123.700	124,61	107,63	147,61
1932	66.928	5.377	126.300	125,35	106,79	150,72
1933	70.882	5.575	127.300	132,75	110,72	151,91
1934	70.993	5.772	128.300	132,96	114,64	153,10
1935	74.541	5.900	130.100	139,61	118,55	155,25
1936	76.575	6.167	133.700	143,41	122,48	159,55
1937	79.345	6.365	139.800	148,00	126,42	166,83
1938	79.662	6.562	147.000	149,20	130,33	175,42
1939	85.728	6.759	153.200	160,56	134,24	182,82
1950	91.758	8.475	187.000	100,—	100,—	100,—
1951	103.074	8.700	196.000	112,33	102,65	104,81
1952	105.807	8.910	205.000	115,31	105,13	109,63
1953	111.933	9.210	216.000	121,99	108,67	115,51
1954	118.700	9.510	226.000	129,43	112,21	120,86
1955	127.554	9.795	237.000	139,01	115,58	126,74
1956	134.853	10.035	249.000	146,97	118,41	133,16
1957	143.622	10.305	263.000	156,52	121,59	140,64
1958	148.896	10.515	277.000	162,27	124,07	148,13

Sources:
v_1 = Séries de l'Institut Central de Statistique.
a_1 = 1922–1939: Interpolation libre des données de l'emploi total résultant des recensements industriel de 1921, 1927 et 1937–1939 (retracée sur la base d'une étude de Colin Clark: «The Development of the Italian Economy», Quarterly Review of the Banca Nazionale del Lavoro (Septembre 1954).
1950–1958: Série chronologique élaborée par la SVIMEZ: «L'aumento dell'occupazione in Italia dal 1950 al 1957» Giuffré (1959).
K_1 = Elaboration des séries relatives au stock de capital fixe dans l'ensemble de l'économie (voir: B. Barberi, op. cit.). Les séries de K_1 ne comprennent pas la valeur des logements; les travaux publics dans le sens strict du terme, et les moyens de transport privés, mais bien les valeurs des infrastructures du secteur transports (chemins de fer, ports, aérodromes). *Les données se réfèrent*

(1.1) $v_1 = \beta a_1^{\gamma}$ a_1 = quantité de travail (nombre de travailleurs employés dans le secteur);

                       a_1 = quantity of labour (number of workers employed in the sector);

(2) $v_1 = \beta K_1^{\varepsilon}$ $\dfrac{v_1}{a_1}$ = productivité du travail;

                       $\dfrac{v_1}{a_1}$ = productivity of labour;

(3.1) $v_1 = \beta a_1^{\lambda} K_1^{\mu}$ β = facteur de dimension;

                       β = dimensional factor;

(où: $\lambda + \mu = 1$) η = élasticité de la productivité du travail, par rapport à la production;

                       η = elasticity of labour productivity to output;

                       γ = élasticité de la production, par rapport à la quantité de travail;

                       γ = elasticity of output to the quantity of labour.

(3.2) $v_1 = \beta a_1^{\lambda} K_1^{\mu}$ K_1 = valeur réelle du stock de capital fixe installé dans le secteur;

(où: $\lambda + \mu \gtrless 1$) K_1 = real value of the fixed capital stock of the sector.

                       ε = élasticité de la production, par rapport au stock de capital fixe;

                       ε = elasticity of output to the stock of fixed capital.

(3.3) $v_1 = \beta a_1^{\lambda} K_1^{\mu} e^{rt}$ λ = élasticité partielle de la production, par rapport à la quantité de travail;

(où: $\lambda + \mu = 1$) λ = partial elasticity of output to the quantity of labour.

---

aux valeurs au début de chaque année.

Sources:

v_1 = Series of the Central Institute of Statistics.

a_1 = *1922–1939:* Free interpolation of data of total employment as resulting of industrial censusses of 1921, 1927 and 1937–1939 (retraced on the base of a study by Colin Clark: «The Development of the Italian Economy», Quarterly Review of the Banca Nazionale del Lavoro, September 1954. *1950–1958:* Chronological Series elaborated by the SVIMEZ: «L'aumento dell'occupazione in Italia dal 1950 al 1957» Giuffré (1959).

K_1 = Elaboration of series of the stock of fixed capital (see B. Barberi, op. cit.) Series of K_1 do not include the value of dwellings and public works sensu stricto, but include the values of the infrastructure of the sector transport (Railways, havens, air-fields). *Data are referring to values at the beginning of the year.*

TABLEAU 2 – Italie – Taux annuels du développement du secteur «Endogène» (Industrie et Tertiaire) – 1922–1939; 1950–1958
TABLE 2 – Italy – Annual Rates of Growth of the «Endogenous» Sector (Industry and Tertiary) – 1922–1939; 1950–1958

Années Years	Productivité du travail Labour productivity	Emploi Employment	Stock de capital fixe Stock of fixed capital	Valeur Ajoutée Value added
	$\dot{A}_1 : A_1$	$\dot{a}_1 : a_1$	$\dot{K}_1 : K_1$	$\dot{v}_1 : v_1$
1922–1923	2,83	2,92	2,03	5,74
1923–1924	6,88	2,84	2,57	9,98
1924–1925	3,00	0,53	4,56	3,52
1925–1926	−2,50	0,52	5,67	−1,96
1926–1927	1,45	0,52	5,67	1,90
1927–1928	3,45	1,59	4,30	5,11
1928–1929	2,44	0,05	6,18	2,49
1929–1930	−0,88	−0,76	5,20	−1,58
1930–1931	−1,36	−0,75	3,69	−2,14
1931–1932	1,22	−0,78	2,10	0,43
1932–1933	2,09	3,68	0,79	5,91
1933–1934	−3,23	3,53	0,79	0,16
1934–1935	2,93	3,41	1,40	5,00
1935–1936	−1,90	3,32	2,77	2,73
1936–1937	0,40	3,21	4,56	3,62
1937–1938	−2,65	3,10	5,15	0,40
1938–1939	4,45	3,00	4,22	7,61
1922–1939 [a])	*1,12*	*1,75*	*3,62*	*2,85*
[b])	*1,05*	*1,73*	*3,55*	*2,79*
1950–1951	9,42	2,65	4,82	12,33
1951–1952	0,25	2,41	4,58	4,55
1952–1953	2,27	3,37	5,37	9,16
1953–1954	2,80	3,26	4,62	8,32
1954–1955	4,24	3,00	4,87	7,90
1955–1956	3,23	2,45	5,07	5,92
1956–1957	3,72	2,60	5,62	6,60
1957–1958	1,58	1,84	5,33	3,78
1950–1958 [a])	*3,38*	*2,75*	*5,10*	*6,25*
[b])	*3,36*	*2,70*	*4,91*	*6,08*

$\dot{A}_1, \dot{a}_1, \dot{K}_1, \dot{v}_1 =$ accroissements annuels des valeurs: A_1, a_1, K_1, v_1.
[a]) Taux (composés) calculés d'après la formule $M = C (1 + i)^t$
[b]) Taux (exponentiels) calculés d'après la formule $M = C e^{rt}$.
$\dot{A}_1, \dot{a}_1, \dot{K}_1, \dot{v}_1 =$ annual rates of growth of values: A_1, a_1, K_1, v_1.
[a]) Geometric rates according to formula: $M = C (1 + i)^t$
[b]) Exponential rates according to formula: $M = C e^{rt}$.

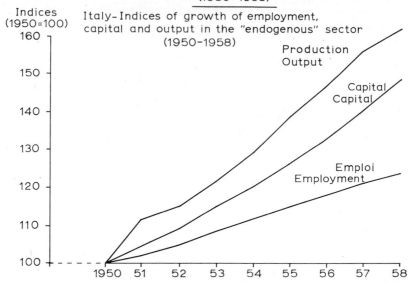

Italie-Indices d'accroissement de l'emploi, du capital
et de la production dans le secteur "endogène"
(1950–1958)

Italy-Indices of growth of employment,
capital and output in the "endogenous" sector
(1950–1958)

μ = élasticité partielle de la production, par
rapport au capital;

μ = partial elasticity of output to capital.

e = base des logarithmes naturels;

e = base of the natural logarithms.

r = taux annuel de l'accroissement *autonome*
de la production, dû à des facteurs autres
que la quantité de travail et le stock de
biens de capital (dimension de la production, progrès technique, formation professionnelle, etc.)

r = annual rate of *autonomous* growth of output due to other factors than the quantity
of labour and the stock of capital goods
(Scale of production, technical progress,
professional skill, etc.)

TABLEAU 3 – Italie – Indicateurs du développement du secteur «Endogène» (Industrie et Tertiaire) – 1922–1938; 1950–1958
TABLE 3 – Italy – Indicators of the Development of the «Endogenous» Sector (Industry and Tertiary) – 1922–1938; 1950–1958

Années / Years	Productivité du travail (1000 lires 1938 par unité) / Productivity of labour (1000 lires 1938 per unit)	Stock de Capital fixe par travailleur (1000 lires 1938) / Stock of fixed capital per worker (1000 lires 1938)	Coefficients moyen de capital / Average Capital-Output ratios	Accumulation du capital (en pourcentage de la valeur ajoutée du secteur) / Accumulation of capital as a percentage of the value added of the sector	(en pourcentage du Revenu National Brut) / as a percentage of the Gross National Income
	$A_1 = v_1 : a_1$	$K_1 : a_1$	$K_1 : v_1$	$\Delta K_1 : v_1$	$\Delta K_1 : Y$
1922	10,60	16,64	1,57	—	—
1923	10,90	16,50	1,51	3,18	1,66
1924	11,65	16,46	1,41	3,90	2,64
1925	12,00	17,12	1,43	6,44	3,68
1926	11,70	17,99	1,54	8,09	4,54
1927	11,87	18,92	1,59	8,73	4,77
1928	12,28	19,42	1,58	6,85	3,86
1929	12,58	20,61	1,64	9,78	5,39
1930	12,47	21,85	1,75	8,53	4,73
1931	12,30	22,83	1,86	6,46	3,79
1932	12,45	23,49	1,89	3,90	2,24
1933	12,71	22,83	1,80	1,49	0,83
1934	12,30	22,23	1,81	1,41	0,84
1935	12,66	21,80	1,75	2,54	1,52
1936	12,42	21,68	1,75	4,83	2,78
1937	12,47	21,96	1,76	7,97	4,76
1938	12,14	22,40	1,85	9,07	5,22
1939	12,68	22,67	1,79	7,78	4,50
1950	10,83	22,06	2,04	—	—
1951	11,85	22,53	1,90	9,81	5,76
1952	11,88	23,01	1,94	8,73	5,41
1953	12,15	23,45	1,93	10,40	6,49
1954	12,49	23,76	1,90	8,93	5,56
1955	13,02	24,20	1,86	9,26	5,84
1956	13,44	24,81	1,85	9,41	5,96
1957	13,94	25,52	1,83	10,38	6,67
1958	14,16	26,34	1,86	9,75	6,33

Une description complète des concepts et des hypothèses qui sont à la base de ces relations est donnée au chapitre III de l'étude déjà citée: «Méthodes de prévision» etc. Nous nous limiterons donc à résumer le fondement théorique de ces relations fonctionnelles et à en citer les avantages et désavantages respectifs.

Le premier groupe de relations (1), (1.1) et (2) sont des versions extrêmement simplifiées de la fonction macroéconomique de la production, car elles sont fondées sur l'hypothèse qu'il existe une relation assez stable entre le volume de la production *(v)* et l'utilisation d'un des facteurs travail *(a)*, ou capital *(K)*. Cette hypothèse présuppose donc l'existence d'une *complémentarité* stricte des autres facteurs au facteur choisi comme variable explicative en ce sens qu'on suppose *qu'une et une seule* combinaison soit possible entre eux, pour aboutir à un niveau donné de la production.

Le deuxième groupe de relations (3.1), (3.2) et (3.3) sont des versions aussi simplifiées que les autres de la fonction de production, mais elles présentent l'avantage d'admettre la possibilité d'une *substitution* entre les facteurs considérés et d'expliciter, en outre, quel est l'apport attendu (ou espéré) de chacun d'eux à l'expansion de la production.

La première (1.1) est celle utilisée dans les premières études du Prof. Douglas sur la fonction macroéconomique de la production, dans laquelle la restriction imposée à la somme des élasticités partielles (λ et μ) exprimait la condition – assez réaliste jusqu' aux années trente – du rendement constant (c'est à dire d'une productivité marginale nulle) des facteurs travail et capital.

La modification apportée à la formule (3.2), par la suppression de ladite restriction, permet de tester la validité de l'hypothèse du rendement constant qui était à la base de l'équation (3.1) et, le cas échéant, d'utiliser également cette hypothèse, dans la formule (3.3), pour mesurer l'apport de facteurs autres que le travail et le capital et donc, pour concentrer la marge de subjectivité d'une prévision à moyen terme dans l'estimation du trend résiduel *(r)* envisagé pour l'avenir.

Cependant, il ne faut pas oublier que, même si des études approfondies dans le temps et dans l'espace démontraient la stabilité relative des élasticités λ et μ figurant dans ces relations, la validité d'une prévision du taux de croissance de la production dépendra toujours en grande partie des estimations concernant la disponibilité et l'utilisation des divers facteurs de la production. Par conséquent, il faudra toujours vérifier ex-post la cohérence ultime de ces estimations, soit par l'utilisation d'une formule tenant compte de la relation entre le taux d'épargne et le volume de la production [3]), soit par l'examen de la plausibilité du rapport capital-production envisagé, et du taux des investissements neufs, par rapport à la production et au revenu national.

2. HYPOTHÈSES DE CROISSANCE DU SECTEUR «ENDOGÈNE» ÉTABLIES À L'AIDE DE RELATIONS DE COMPLÉMENTARITÉ DES FACTEURS DE LA PRODUCTION

5. Les résultats de nos analyses rétrospectives sont présentés au tableau 4.

Examinant, d'abord, les résultats de l'analyse de régression fondée sur la relation (1), entre la productivité du travail (v_1/a_1) et la production (v_1), on constate que la valeur de l'élasticité η a augmenté, entre les deux périodes, de 0,342 à 0,533.

Ceci confirme donc déjà qu'il faut se méfier de l'hypothèse de constance des paramètres des modèles à une seule variable explicative, c'est à dire des modèles fondés sur l'hypothèse de complémentarité des facteurs de la production.

En effet, malgré la conformité de la valeur de l'élasticité calculée pour la période 1950–1958 à celle des élasticités dégagées des nombreuses applications de la formule (1) qui ont été effectuées par le Professeur Verdoorn, nous ne croyons pas à la «normalité» apparente de cette valeur et à la possibilité de l'utiliser pour une prévision à moyen ou à long terme.[4])

C'est donc, à titre d'exercice pur que, sur la base bien fragile de cette élasticité, nous avons calculé le taux d'expansion, de 1959 à 1970, correspondant à une hypothèse, établie indépendamment, d'accroissement probable de l'emploi dans le secteur «endogène»[5]).

Pour effectuer ce calcul, nous préférons cependant utiliser la version (1.1) de la formule (1), étant donné le caractère moins aléatoire des estimations relatives à l'offre et à la demande potentielle de travail, par rapport à celles concernant la productivité du travail.

---

[3]) Voir: Chapître III de: «Méthodes de Prévision, etc.» op. cit.
[4]) Voir note sur page 122.
[5]) Voir le tableau B annexé au chapitre II.

4) Note de la page 121.

Pays Country	Période analysée Period under review	Taux annuel d'expansion		Elasticités de v/a par rapport à v Elasticities of v/a to v (η)
		Annual rates of growth		
		de la production industrielle (v) of industrial production (%)	de la productivité du travail (v/a) of labour productivity (%)	
Royaume-Uni United Kingdom	1941–1907	2,40	0,98	0,41
Royaume-Uni United Kingdom	1907–1930	1,28	0,605	0,47
Etats-Unis U.S.A.	1869–1899	5,61	2,31	0,42
Etats-Unis U.S.A.	1899–1939	3,35	1,91	0,57
Allemagne Germany	1882–1907	4,38	2,14	0,49
Suède Sweden	1913–1930	2,40	1,03	0,43
Japon Japan	1926–1938	6,70	3,40	0,51
Danemark Denmark	1924–1938	3,50	1,90	0,54
Estonie Estonia	1927–1938	0,80	0,40	0,50
Canada Canada	1924–1938	1,60	1,10	0,63
Finlande Finland	1924–1938	5,10	3,2	0,63

Voir: P. J. VERDOORN: «Fattori che regolano lo sviluppo della produttività del lavoro», L'industria, No 1 (1949).

TABLEAU 4 – Italie – Paramètres du développement du secteur Endogène [a])
(Industrie et Tertiaire)
TABLE 4 – Italy – Parameters of the Development of the Endogenous Sector
(Industry and Tertiary) [a])

1922–1939 (aux prix de 1938) (at 1938 prices)		1950–1958 (aux prix de 1938) (at 1938 prices)	
$\dfrac{v_1}{a_1} = 21{,}649\ v_1^{(0,059)\,0,342}$	$R = 0{,}820$	$\dfrac{v_1}{a_1} = 8{,}689\ v_1^{(0,019)\,0,533}$	$R = 0{,}996$
$v_1 = 0{,}221\ a_1^{(0,058)\,1.348}$	$R = 0{,}940$	$v_1 = 0{,}006\ a_1^{(0,083)\,2,120}$	$R = 0{,}995$
$v_1 = 7{,}285\ K_1^{(0,058)\,0,583}$	$R = 0{,}930$	$v_1 = 0{,}397\ K_1^{(0,050)\,1,207}$	$R = 0{,}994$
$v_1 = 1{,}078\ a_1^{(0,049)\,0,675}\ K_1^{(0,049)\,0,325}$	$R = 0{,}962$	$v_1 = 1{,}033\ a_1^{(0,029)\,-0,463}\ K_1^{(0,029)\,1,463}$	$R = 0{,}991$
$v_1 = 0{,}784\ a_1^{(0,162)\,0,769}\ K_1^{(0,071)\,0,298}$	$R = 0{,}973$	$v_1 = 0{,}027\ a_1^{(1,229)\,1,357}\ K_1^{(0,700)\,0,436}$	$R = 0{,}995$
$v_1 = 1{,}967\ a_1^{(0,092)\,0,724}\ K_1^{(0,092)\,0,276}\ e^{(0,0004)\,0,0013}$	$R = 0{,}970$	$v_1 = 0{,}978\ a_1^{(0,898)\,1,118}\ K_1^{(0,898)\,-0,118}\ {(0,019)}^{\,0,03378}$	$R = 0{,}879$

[a]) Les fonctions ont été calculées à partir des *nombres indices* de chaque série.
[a]) The fonctions have been computed on the *index-numbers* of each series.

Taux de croissance (de 1959 à 1970) envisagé pour l'*emploi* dans le secteur endogène	*Elasticité* de la production, par rapport à l'emploi (de 1950 à 1958)	*Taux* d'expansion (de 1959 à 1970) calculé d'après la formule (1.1)
Projected rate of growth (1959 to 1970) of *employment* in the endogenous sector	*Elasticity* of production to employment (from 1950 to 1958)	*Rate* of growth (1959 to 1970) as computed from formula (1.1)
$\left(\dfrac{\dot{a}_1}{a_1}\right)$	(γ)	$\dfrac{\dot{v}_1}{v_1} = \gamma\left(\dfrac{\dot{a}_1}{a_1}\right)$
(%) 2,0	2,12	4,24

Si l'on acceptait le résultat de cet exercice, fondé exclusivement sur l'hypothèse d'une constance et d'une «normalité» illusoire de l'élasticité γ, il faudrait donc se résigner à ne pas compter sur un prolongement du taux de 6,25 pour cent par an, enregistré dans le secteur «endogène» pendant la période 1950–1958.

Cette perspective paraît en effet plutôt pessimiste, surtout si l'on considère que le taux d'expansion réalisé de 1950 à 1959 n'a permis que de *rattraper* le retard provoqué par la dernière guerre mondiale, par rapport au taux d'expansion, d'ordre bien modeste, enregistré pendant une période particulièrement affectée par des fluctuations défavorables de la conjoncture, comme la période 1922–1939:

	% par an % per year
Taux d'expansion de la production du secteur «endogène» Rate of growth of the output of the endogenous sector 1922–1939 (17 ans) 1922–1939 (17 years)	2,85
entre 1922 et 1958 (36 ans) from 1922 to 1958 (36 years)	2,89

6. Il est, par contre, intéressant de constater qu'une prévision éventuellement fondée sur la *formule (2)*, c'est-à-dire, sur la valeur de l'élasticité de la production par rapport au capital de la période 1950–1958 et sur notre estimation concernant la demande de capital par travailleur [6]) permettrait d'envisager, pour la période 1959–1970, un taux d'expansion sensiblement plus élevé que celui calculé à l'aide de la formule (1.1):

Taux d'accroissement envisagé (de 1959 à 1970) pour le *stock de capital fixe*	Elasticité de la production, par rapport au capital (de 1950 à 1958)	Taux d'expansion (de 1959 à 1970) de la production, calculé à l'aide de la formule (2)
Projected growth rates of the stock of fixed capital (1959 to 1970)	Elasticity of production to capital (1950 to 1958)	Growth rate of output (1959 to 1970) as computed from formula (2)
$\left(\dfrac{\dot{K}_1}{K_1}\right)$	ε	$\dfrac{\dot{v}_1}{v_1} = \varepsilon\left(\dfrac{\dot{K}_1}{K_1}\right)$
(%) 4,2	1,207	5,07

7. Ces différences entre les taux d'expansion de la production calculés à l'aide des deux relations de complémentarité démontrent donc que nos estimations de la demande future de travail et de capital, ne sont pas compatibles avec l'hypothèse de la stabilité des paramètres utilisés dans ces deux premières tentatives de prévision.

---

[6]) Voir le tableau C annexé au chapitre II.

La raison de cette incompatibilité est très simple: elle réside en effet dans la légère altération que nous avons apportée aux rapports qui existaient, pendant la période de référence (1950–1958), entre les facteurs travail et capital:

	Période 1950–1958 Period 1950 to 1958	Estimations pour la période 1959–1970 Period 1959 to 1970 Estimates
Rapports entre le taux d'accroissement du capital $\left(\dfrac{\dot{K_1}}{K_1}\right)$ et de l'emploi $\left(\dfrac{\dot{a_1}}{a_1}\right)$	$\dfrac{4,91}{2,70} = 1,82$	$\dfrac{4,2}{2,0} = 2,10$

Ratio between the rates
    of growth of capital
$\left(\dfrac{\dot{K_1}}{K_1}\right)$ and employment $\left(\dfrac{\dot{a_1}}{a_1}\right)$

La perspective (qui nous semble assez raisonnable) d'une intensité croissante du capital par travailleur, c'est-à-dire d'une substitution progressive du facteur capital au facteur travail, contredit en effet l'hypothèse de complémentarité entre les deux facteurs qui est à la base du premier groupe des formules de prévision.

Suivant cette hypothèse, une prévision fondée sur la formule (1.1) pourrait être compatible avec une prévision fondée sur la formule (2) (ou vice-versa), mais à la seule condition d'une cristallisation des rapports entre les taux d'accroissement de l'emploi et du capital de 1950 à 1958.

A) *Prévision fondée sur la formule (1.1) et sur notre estimation de l'accroissement de l'emploi.[7])*

$$\left(\frac{\dot{a_1}}{a_1}\right) \times (\gamma) = \frac{\dot{v_1}}{v_1}$$
$$2,0 \times 2,12 = 4,24$$

B) *Prévision fondée sur la formule (2) et sur le rapport existant entre l'accroissement de l'emploi et l'accroissement du capital de 1950 à 1958* [7])

$$\left(\frac{\dot{K_1}}{K_1}\right) \times (\varepsilon) = \frac{\dot{v_1}}{v_1}$$

$$3,64 \times 1,207 = 4,39$$

8. La conclusion qu'on peut tirer de ces exemples est donc que si l'on a des raisons bien fondées pour estimer que l'intensité de capital par travailleur continuera à augmenter au cours de la période de prévision, on ne devrait pas calculer le taux d'expansion de la production, ni à l'aide d'une relation de complémentarité du capital au travail, ni à l'aide d'une relation de complémentarité du travail au capital, car il va de soit que, dans ce cas, les élasticités passées de la production, par rapport à un seul des deux facteurs, ne resteront pas inchangées dans l'avenir.

Il est, d'autre part, évident que l'incertitude des prévisions fondées uniquement sur l'extrapolation des relations entre l'expansion de la production et l'accroissement d'un seul facteur persiste lorsqu'on utilise l'hypothèse de la constance (au cours de la période de prévision) du coefficient moyen de capital enregistré pour l'année de base de la prévision. Cette hypothèse équivaut en effet à utiliser une élasticité (ε) égale à 1. Dans notre cas, le taux de croissance qu'on pourrait envisager pour la production du secteur endogène sur la base de cette méthode serait en effet, égal à *4,2*, et donc à peu près égal au taux calculé par la formule (1.1), mais inférieur au taux calculé sur la base de la valeur de l'élasticité (ε), dégagée de la période 1950–1958 (1,207) qui correspond à un coefficient de capital décroissant.

3. HYPOTHÈSES DE CROISSANCE DU SECTEUR «ENDOGÈNE» ÉTABLIES À L'AIDE DE RELATIONS PERMETTANT LA SUBSTITUTION ENTRE LES FACTEURS DE LA PRODUCTION

9. On dispose donc, à ce stade de l'analyse, de deux estimations (sensiblement différentes l'une de l'autre) du taux d'expansion du secteur «endogène», sans qu'on puisse encore se prononcer sur la plausibilité de chacune d'elles.

---

[7]) La différence, d'ordre négligeable, entre les deux taux d'expansion de la production est simplement due aux erreurs d'ajustement des analyses de régression développées par les formules (1.1) et (2). Les valeurs exactes des deux élasticités, calculées par les rapports entre les taux (exponentiels) d'expansion de la production (6,08) et les taux d'accroissement de l'emploi (2,70) et du capital (4,91) de 1950 à 1958 seraient, en effet, les suivantes $\gamma = 2.25 : \varepsilon = 1.24$.

Taux de croissance de la production (de 1959 à 1970) du secteur «endogène», calculé suivant:

a) *la formule* (1.1)   4,24%
b) *la formule* (2)   5,07%
     (Taux effectif enregistré de 1950 à 1958)   (6,25%)

Nous allons donc examiner si l'utilisation du *deuxième groupe de
relations fonctionnelles* (3.1); (3.2); (3.3), admettant la possibilité d'une
substitution entre les facteurs travail et capital, peut nous aider à donner
un fondement logique à la possibilité d'extrapoler jusqu'à l'année 1970
le taux d'expansion enregistré pour le secteur «endogène» de 1950 à
1958.

10. Si l'on étudie les résultats des analyses basées sur la *série 1922–1939*,
on constate que, quelle que soit l'équation utilisée, les valeurs des élasticités λ et μ semblent confirmer l'existence de «*normes*» assez générales
pour ce qui concerne l'apport des facteurs travail et capital à l'expansion
de la production. En effet, tant dans les équations (3.1) et (3.3) où l'on
a retenu la restriction $\lambda + \mu = 1$, que dans l'équation (3.2) où ladite
restriction a été abandonnée, les valeurs des élasticités de la production,
par rapport au travail et au capital, sont assez proches des valeurs
classiques de 0,70 et 0,30 dégagées des études de Douglas et de ses
adeptes.[8])

L'ajustement libre des trois séries, effectué par l'équation (3.2) semble,
d'autre part, confirmer que déjà au cours de cette période, le secteur
endogène de l'économie italienne avait un rendement légèrement croissant: la somme des deux élasticités est en effet légèrement supérieure à
l'unité (1,07).

Cette constatation est confirmée aussi par la solution de l'équation
(3.3) où le *temps* a été introduit comme troisième variable explicative.
Le taux résiduel (r) de l'accroissement *autonome* de la production au
delà de l'hypothèse de rendement constant (exprimée par la restriction
apportée aux exposants respectifs, λ et μ), est égal à 0,13 pour cent
par an.

L'ensemble de ces résultats paraît donc confirmer que malgré les
conditions politiques défavorables à l'économie italienne, après le premier conflit mondial, l'expansion de la production non-agricole a été,
comme dans plusieurs autres pays, à peu près proportionelle à l'emploi

---

[8]) Voir note sur page 128.

8) Note de la page 127.

Auteur / Author	Pays / Country	Période / Period	Secteur / Sector	Emploi (en hommes-an) / Employment (man year)	Valeur des élasticités (et erreurs probables) / Value of elasticities (and probable errors)		
					λ	μ	$\lambda + \mu$
1. Equation (3.1), avec restriction ($\lambda + \mu = 1$) / **1. Equation (3.1), with the restriction ($\lambda + \mu = 1$)**							
Douglas	U.S.A.	1899–1922	Industrie manufacturière / Manufacturing Industry	Ouvriers salariés / Wage-earning workers	0,75 (0,04)	0,25 (0,04)	1,—
Cobb et Douglas / Cobb-Douglas	U.S.A. (Mass.) / U.S.A. (Mass.)	1890–1926 / 1890–1926	Industrie manufacturière / Manufacturing Industry	Ouvriers salariés / Wage-earning workers	0,743	0,257	1,—
Douglas	Australie (Victoria) / Australia (Victoria)	1907–1929 / 1907–1929	Industrie manufacturière / Manufacturing Industry	Salariés et indépendants / Wage-earning and independent workers	0,71 (0,07)	0,29 (0,07)	1,—
Douglas	Australie (New South Wales) / Australia (New South Wales)	1901–1927 / 1901–1927	Industrie manufacturière / Manufacturing Industry	Salariés et indépendants / Wage-earning and independent workers	0,86 (0,05)	0,14 (0,05)	1,—
Williams	Nouvelle-Zélande / New Zealand	1923–1940 / 1923–1940	Industrie manufacturière / Manufacturing Industry	Salariés et indépendants / Wage-earning and independent workers	0,54 (0,02)	0,46 (0,02)	1,—
Notre étude / Our study	Italie / Italy	1922–1939 / 1922–1939	Secteur privé non agricole / Private non agricultural sector	Salariés et indépendants / Wage-earning and independent workers	0,675 (0,049)	0,325 (0,049)	
2. Equation (3.2), sans restriction ($\lambda + \mu \gtrless 1$) / **2. Equation (3.2), without restriction ($\lambda + \mu \lessgtr 1$)**							
Douglas	U.S.A.	1899–1922	Industrie manufacturière / Manufacturing Industry	Ouvriers salariés / Wage-earning workers	0,81 (0,15)	0,23 (0,06)	1,04
Douglas	U.S.A.	1899–1922	Industrie manufacturière / Manufacturing Industry	Tous les salariés / All wage-earners	0,78 (0,14)	0,15 (0,08)	0,93
Douglas	Australie (Victoria) / Australia (Victoria)	1907–1929 / 1907–1929	Industrie manufacturière / Manufacturing Industry	Salariés et indépendants / Wage-earning and independent workers	0,84 (0,34)	0,23 (0,17)	1,07
Douglas	Australie (New South Wales) / Australia (New South Wales)	1901–1927 / 1901–1927	Industrie manufacturière / Manufacturing Industry	Salariés et indépendants / Wage-earning and independent workers	0,78 (0,12)	0,20 (0,08)	0,98
Notre étude / Italie	1922–1939	Secteur privé non agricole / Private non agricole	Salariés et indépendants	0,769	0,298	1,067

des facteurs travail et capital et que les relations fonctionnelles entre ces trois variables ont été caractérisées par une «normalité» des paramètres respectifs, ce qui ne nous surprend nullement.

11. Les résultats des analyses relatives à la *période 1950-1958* sont également intéressants malgré la nature erratique des valeurs numériques de quelques paramètres, ou leur apparente non-signification, due à la collinéarité très marquée des trends des trois séries de base.

En examinant d'abord la solution de l'équation classique de Douglas (3.1), on constate en effet qu'elle semble – à première vue – dépourvue de toute signification économique à cause de la valeur négative de l'élasticité de la production par rapport au facteur travail ($\lambda = -\,0{,}463$).

Il est toutefois intéressant de voir comment il est possible de trouver pour cette solution une interprétation plausible, bien qu'incomplètement satisfaisante.

Une simple manipulation algébrique [9]) permet, en effet, de ré-écrire notre solution de l'équation (3.1) sous cette forme:

$$(3.1\text{—a}) \qquad\qquad \nu_1 = \beta\, K_1 \left(\frac{K_1}{a_1}\right)^{\frac{1}{2}}.$$

On remarquera toutefois que, malgré son élégance, cette version présente l'inconvénient d'attribuer à l'*intensité de capital*, c'est à dire la combinaison des facteurs travail et capital $\left(\dfrac{K_1}{a_1}\right)$, tout le mérite de la performance de ce secteur au cours des années cinquante.

La même remarque s'applique à la solution (pourtant très erratique) de l'équation (3.2) dont le seul aspect intéressant consiste dans le *rapport* entre les valeurs numériques des deux élasticités, ce qui confirme davan-

---

[9]) $\nu_1 = 1{,}033\, a_1^{-0{,}463}\, K_1^{1{,}463}$

$\qquad = 1{,}033\, a_1^{-0{,}463}\, K_1^1\, K_1^{0{,}463}$

$\qquad = 1{,}033\, \dfrac{1}{a_1{}^{0{,}463}}\, K_1\, K_1^{0{,}463}$

$\qquad = 1{,}033\, K_1 \left(\dfrac{K_1}{a_1}\right)^{0{,}463}$

Nous ne voudrions pas manquer de remercier le Dr Geary pour nous avoir éclairés sur l'intérêt que présente cette version de la solution (3.1) pour la période 1950-1958.

tage la validité et la généralité des *proportions classiques* entre les rémunérations des facteurs travail et capital.[10]

Solution de l'équation (3.2)	*1950–1958*
Valeur de l'élasticité λ	1,357
Valeur de l'élasticité μ	0,436
Somme des élasticités $(\lambda + \mu)$	1,793
Rapport: $\lambda : (\lambda + \mu)$	0,75

12. C'est, par contre, sur la solution de l'équation (3.3) que nous jugeons nécessaire d'attirer l'attention du lecteur, car (malgré la non-signification des valeurs numériques des élasticités λ et μ) c'est la seule à nous apprendre que: le *taux d'expansion de la production enregistré de 1950 à 1958 dans le secteur «endogène» (6,25% par an) a été réalisé pour près de 50 pour cent, grâce à l'apport de facteurs autres que le volume du travail et du capital utilisés dans ce secteur.* Le taux résiduel (*r*), réalisé au delà de la condition de rendement constant de ces facteurs est en effet égal à 3.38% par an (contre 0.13% pour la période 1922–1939).

Ce résultat présente – à notre avis – le plus grand intérêt, car il montre clairement la fragilité des bases scientifiques sur lesquelles repose toute prévision globale simplement fondée sur l'extrapolation des tendances enregistrées dans le passé. La solution de cette équation nous indique, en effet, que l'utilisation pour la prévision des paramètres dégagés des analyses relatives à la période 1950–1958, à *l'aide de n'importe quelle formule* (par exemple, la 3.1, dont les valeurs des exposants ne sont pas

---

[10]   Un simple calcul permet en effet de vérifier la validité actuelle de ces proportions:

1.	Valeur ajoutée du secteur «endogène» en 1959 (milliards de lires 1959)	11.800
2.	Rémuneration des travailleurs salariés employés en 1959 dans le secteur «endogène» (évaluation officielle) (milliards de lires 1959)	5.241
3.	Revenu brut par travailleur salarié employé en 1959 (000 de lires 1959)	(618)
4.	Travailleurs indépendants employés en 1959 dans le secteur endogène (000 unités)	(3.220)
5.	Revenu brut par travailleur imputable aux travailleurs indépendants (000 de lires 1959)	(1.000)[a]
$6 = 4 \times 5$	Estimation de la rémuneration du travail indépendant (milliards de lires 1959)	3.220
$7 = 2 + 6$	*Rémuneration totale du facteur travail, en 1959*	*8.461*
$8 = 7 : 1$	Idem, en pourcentage de la valeur ajoutée du secteur «endogène» en 1959	73%

[a]) Imputation effectuée sur la base du traitement des cadres moyens des Administrations publiques.

de nature très erratique) *impliquerait, en tout cas, l'extrapolation d'un taux d'expansion «autonome» de la production égal á 3.38% par an.*

Prévisions fondées sur les paramètres dégagés de la série 1950–1958

$$(3.1) \quad \lambda \quad \left(\frac{\dot{a}_1}{a_1}\right) + \mu \quad \left(\frac{\dot{K}_1}{K_1}\right) = \frac{\dot{v}_1}{v_1}$$

$$(-0{,}463 \cdot \quad 2) + (1{,}463 \quad \cdot \quad 4{,}2) \quad = 5{,}22$$

$$(3.3) \quad \lambda \quad \left(\frac{\dot{a}_1}{a_1}\right) + \mu \quad \left(\frac{\dot{K}_1}{K_1}\right) + r = \frac{\dot{v}_1}{v_1}$$

$$(1{,}118 \quad \cdot \quad 2) + (-0{,}118 \cdot \quad 4{,}2) + 3{,}38 \quad = 5{,}12$$

Il est aussi intéressant de constater qu'une telle prévision ne s'écarte-rait pas beaucoup de celle calculée à l'aide de la formule (2) uniquement fondée sur l'élasticité de la production par rapport au capital (5,07) mais, qu'elle aussi impliquerait, en réalité, l'extrapolation d'un taux d'accrois-sement autonome de la production supérieur à 3 pour cent par an.

4. LIMITES DES PRÉVISIONS GLOBALES ET NÉCESSITÉ DES PRÉVISIONS DÉTAILLÉES

13. On voit, maintenant, plus clairement quelles sont les limites d'objec-tivité d'une prévision globale fondée sur l'expérience du passé: même lorsqu'elle n'est pas une extrapolation mécanique du taux de croissance enregistré au cours d'une période donnée, mais qu'elle s'appuie sur la validité et la généralité de quelques relations fonctionnelles dont la stabi-lité a été largement vérifiée, comme les proportions entre les rémunéra-tions des facteurs travail et capital.

Il est, en effet, facile de démontrer que ce n'est pas tellement l'éven-tuelle marge d'erreur dont peuvent être affectées les élasticités de la pro-duction par rapport à l'emploi (λ) et au capital (μ), qui influenceront une prévision fondée sur une fonction de production, mais *surtout la marge d'incertitude dont sera inévitablement affectée l'estimation relative à l'ex-pansion autonome de la production qui pourra être réalisée grace à l'apport des «returns to scale» et des facteurs qualitatifs représentés par le terme de trend (r).*

Un exemple très simple confirmera cette affirmation: en ordonnant, par ligne et par colonne, dans les marges des deux tableaux suivants, les deux séries des combinaisons possibles de l'accroissement des facteurs travail et capital, et en utilisant:

a) deux hypothèses alternatives pour les valeurs des élasticités λ et μ, à la condition que leur somme soit égale à l'unité;

b) l'hypothèse d'un taux résiduel d'expansion de la production (r) égal (dans les deux cas) à *2%* par an;

les calculs des taux de la production correspondant à ces hypothèses, montrent que les variations dues aux valeurs des élasticités λ et μ sont d'ordre tout à fait négligeable et que la seule hypothèse critique qui détermine le niveau du taux de croissance recherché est celle qui concerne le taux résiduel r:

| Hypothèse A $(\lambda : \mu = 3)$ | | | | Hypothèse B $(\lambda : \mu = 2)$ | | | |
| $\left(\dfrac{\dot{v}}{v} = 0,75\dfrac{\dot{a}}{a} + 0,25\dfrac{\dot{K}}{K} + 2\right)$ | | | | $\left(\dfrac{\dot{v}}{v} = 0,666\dfrac{\dot{a}}{a} + 0,333\dfrac{\dot{K}}{K} + 2\right)$ | | | |
$\dfrac{\dot{K}}{K}$ $\diagdown$ $\dfrac{\dot{a}}{a}$ 1,0	1,5	2,0	2,5	$\dfrac{\dot{K}}{K}$ $\diagdown$ $\dfrac{\dot{a}}{a}$ 1,0	1,5	2,0	2,5
1,0 3,00	3,37	3,74	4,12	1,0 3,00	3,33	3,66	4,00
1,5 3,13	3,50	3,87	4,25	1,5 3,17	3,50	3,83	4,17
2,0 3,26	3,63	4,00	4,38	2,0 3,34	3,67	4,00	4,34
2,5 3,39	3,76	4,13	4,51	2,5 3,51	3,84	4,17	4,51
3,0 3,52	3,89	4,26	4,64	3,0 3,68	4,01	4,34	4,68
3,5 3,65	4,02	4,39	4,77	3,5 3,85	4,18	4,51	4,85
4,0 3,78	4,15	4,52	4.90	4,0 4,02	4,35	4,68	5,02
4,5 3,91	4,28	4,65	5,03	4,5 4,19	4,52	4,85	5,19
5,0 4,04	4,40	4,78	5,16	5,0 4,36	4,69	5,02	5,35

Cette constatation nous permet de conclure qu'à moins d'introduire des altérations substantielles dans nos estimations de l'accroissement de l'emploi et du stock de capital fixe jusqu'à l'année 1970, l'extrapolation éventuelle du taux de croissance enregistré dans le secteur «endogène» de 1950 à 1958 (6,25% par an) impliquerait la croyance dans la possibilité de réaliser un taux de croissance *autonome* de la production de l'ordre de 3,75% par an;

$$\frac{\dot{v_1}}{v_1} - \left(\lambda\frac{\dot{a_1}}{a_1} + \mu\frac{\dot{K_1}}{K_1}\right) = r$$

$(\lambda/\mu = 3)$ $6,25 - (0,75 \times 2 + 0,25 \times 4,2) = 3,70$

$(\lambda/\mu = 2)$ $6,25 - (0,67 \times 2 + 0,33 \times 4,2) = 3,75$

C'est-à-dire: un taux résiduel qui dépasse de beaucoup *la limite de 2 pour cent par an qui a été jugée, par le groupe* d'experts de la CECA [11]), comme l'apport *maximum* qu'on pourrait raisonnablement espérer pour les dix années prochaines, en tenant surtout compte des effets favorables de l'intégration des économies européennes.

14. La question qui se pose à présent consiste, donc à savoir si, et dans quelle mesure, on pourra compter dans l'avenir sur l'apport de facteurs autres que le volume du travail et du capital, en particulier, sur l'apport du capital «intangible» de la nation (progrès technique, organisation, esprit d'initiative, formation professionnelle, etc.) et sur l'apport éventuel des *éléments «volontaristes»* qui caractérisent les objectifs actuels de la politique économique nationale et internationale; ou, en d'autres termes, si le taux de 6,25 pour cent par an qui a caractérisé la période 1950–1958 doit être considéré comme un taux de «*rattrapage*» du trend (bien modéré) enregistré de 1922 à 1939, ou comme *l'expression d'un stade technologique et politique tout à fait nouveau et d'une nouvelle étape de la croissance de l'économie italienne.*

Aucune réponse à ces questions ne peut, évidemment, être objectivement trouvée au stade d'une prévision *globale ou sémi-globale.*

Nous pensons en effet qu'à ce stade, l'expérience du passé ou les expériences d'autres pays, mesurées en termes globaux, ne peuvent plus fournir de bases scientifiques suffisantes pour justifier tel ou tel pronostic à l'égard du taux résiduel (*r*), ni nous aider à donner une réponse rigoureuse aux questions qui nous intéressent [12]).

15. Evitant de nous embarquer dans une discussion des arguments «pour» ou «contre», qui pourraient justifier une vision pessimiste ou optimiste à l'égard du niveau futur du taux résiduel de la production dans le secteur étudié,[13] nous nous limiterons à affirmer que nous ne partageons pas l'opinion de ceux qui ne croient pas à la possibilité de donner un

---

[11]) Voir: «Méthodes de Prévision etc.»; op. cit. (page 580).

[12]) Valeurs des trends résiduels *(r)*, calculés d'après la formule (3.3), avec restriction $\lambda + \mu = 1$ et $\lambda / \mu = 3$:

Canada	1870–1938	0,5% par an
Norvège	1900–1955	1,7% par an
Royaume Uni	1870–1919	0,7% par an
Etats-Unis	1909–1949	1,6% par an

Voir: «Méthodes de Prévision etc.»; (op. cit. tableau 9).

[13]) On pourra trouver une liste presque complète de ces «pour» et «contre» dans le rapport d'un débat très brillant qui a eu lieu à Paris, en 1960, sur les taux de croissance de l'économie française envisagés par le Commissariat Général au Plan (voir le Bulletin Sedeis – Supplément au N. 766 du 16 Octobre 1960).

fondement logique et scientifique à une prévision à moyen ou à long terme. Nous sommes, toutefois, parmi ceux qui se refusent à accepter comme impérative et définitive une simple prévision *globale* de la croissance spontanée de l'économie, qui soit dégagée de l'expérience (historique ou récente) du passé: même lorsqu'elle est élaborée sur la base de modèles économètriques apparemment rigoureux, mais décidemment insuffisants pour une exploration approfondie de l'évolution possible ou désirée de la *structure* d'un système économique moderne.

Il résulte de l'enseignement que nous avons tiré des expériences personnelles effectuées dans le domaine de la prévision économique que l'établissement d'une prévision *globale* (ou semi-globale) n'est qu'une étape essentielle, mais tout à fait *préliminaire* de l'effort de recherche bien plus vaste qu'il faut entamer, pour anticiper les effets des variations (spontanées ou provoquées) dans les grandeurs fondamentales du processus de la croissance et de l'évolution politique, technologique et sociale du Pays.

Un tel effort de recherche présuppose l'organisation d'un système de données statistiques et de renseignements techniques beaucoup plus vaste que celui actuellement disponible dans la majorité des pays de l'Europe occidentale.

Nous pensons cependant que si cet effort était entrepris, le résultat d'une recherche prévisionnelle, ou d'une programmation «indicative», fondée sur une connaissance *détaillée* du processus d'adaptation des diverses catégories d'agents économiques à l'évolution politique et technique qui caractérise notre époque, n'aurait rien à envier aux résultats réalisables par la formulation et l'application des plans impératifs en vigueur dans les économies socialistes.

Un aperçu général de la méthode «itérative» permettant d'établir, *par approximations successives*, des prévisions détaillées incorporant – ou non – l'expression d'une politique «intentionnelle» du développement économique, est donné dans la publication déjà mentionnée, de l'Office de Statistique des Communautés Européennes.[14]

D'autres méthodes d'analyse prévisionnelle encore plus raffinées et rigoureuses, mais afférant à un véritable effort de planification économique, forment l'objet des études admirables que le Prof. Frisch dirige à l'Université de Oslo.

Nous nous limiterons pourtant à rappeler que dans tout effort de

---

[14] «Méthodes de Prévision etc.»; op. cit.

prévision pure, ou de programmation économique souple telle que celle actuellement praticable en Europe occidentale:

a) le stade fondamental consiste dans le développement, (à partir d'une hypothèse préliminaire d'expansion générale de l'économie) d'une analyse *détaillée* de l'évolution potentielle (ou désirée) de la *demande finale* des divers groupes de biens et services, incorporant les objectifs éventuels de la politique économique, fiscale et du commerce extérieur, ainsi que les programmes déjà arrêtés (ou à l'étude) en matière d'investissements privés et publics;

b) l'étape suivante consiste à établir, à l'aide d'études sectorielles et d'une matrice des coefficients techniques (tenant compte des modifications technologiques prévisibles dans les secteurs les plus importants), des prévisions aussi détaillées que possible de la *demande intermédiaire* de produits nationaux et d'importation;

c) le stade final des travaux de prévision ou de programmation économique consiste à vérifier (en termes physiques et monétaires) la cohérence et l'équilibre des estimations détaillées, et leur plausibilité du point de vue financier et, par conséquent, à *modifier – si nécessaire – la prévision globale établie au stade préliminaire de la recherche.*

Il est, enfin, à peine besoin de mentionner que: dans des pays comme l'Italie où la politique de développement économique ne vise pas seulement à l'utilisation totale des ressources disponibles, mais poursuit aussi l'objectif, beaucoup plus ambitieux, d'une décentralisation géographique de l'industrialisation et du progrès, la nécessité s'impose de compliquer un peu plus le schéma esquissé ci-dessus, c'est à dire qu'il faut rechercher les interrelations économiques et financières (actuelles et futures) entre les zones géographiques déjà industrialisées et celles en cours de développement et de délimiter au préalable les «contraintes» financières qui conditionnent le rythme d'expansion des régions insuffisament dotées de capital fixe.

16. C'est donc conscient de la valeur limitée et tout à fait *provisoire* d'une prévision globale ou semi-globale de l'expansion générale de l'économie nationale, que nous nous aventurons à publier les résultats de cette étape préliminaire des travaux bien plus importants que nous nous proposons d'entreprendre, pour étudier dans quelles conditions de cohérence, entre la politique économique et financière, il serait possible de prolonger le rythme de croissance de l'économie italienne enregistré pendant la période

1950–1960 et de réaliser les changements désirés dans la structure sectorielle et géographique de la production italienne.

Nous nous limiterons donc à résumer et à commenter brièvement les estimations présentées dans la série de tableaux annexés à la deuxième partie de cet article, dont le seul mérite est d'avoir explicité toutes les hypothèses utilisées pour les établir et d'avoir exposé l'effort effectué pour *isoler les éléments systématiques du processus de croissance* (dont l'évolution peut être estimée moins arbitrairement, à l'aide de relations fonctionnelles, ou par l'extrapolation des tendances récentes), de ceux qui, par contre, échappent à toute possibilité d'anticipation rigoureuse, dans le cadre d'une prévision globale ou semi-globale.

Une hypothèse de croissance de l'économie Italienne, de 1959 à 1970

1. HYPOTHÈSES GÉNÉRALES DU PROCESSUS DE CROISSANCE DE L'ÉCONOMIE ITALIENNE

17. Notre estimation de l'expansion générale de l'économie italienne au cours de la période 1959–1970 repose sur ces hypothèses:

1) *Une confiance générale dans les facteurs suivants:*

a) la possibilité de maintenir l'équilibre et une competition stimulatrice entre les diverses forces politiques et économique en jeu, tant sur le plan national que sur le plan international;

b) l'habileté des pouvoirs publics à contenir dans des marges tolérables les fluctuations normales du niveau général de l'activité économique et du niveau général des prix;

c) les effets positifs de la libéralisation totale des échanges et de la politique d'intégration économique au sein des Communautés Européennes.

2) *La réalisation d'une coordination plus efficace de la politique des investissements publics* et des objectifs à moyen et long terme de la politique économique nationale, notamment des objectifs concernant l'industrialisation des régions du Midi.

3) *Une connaissance meilleure de l'expansion potentielle et de la localisation de la demande* du marché intérieur et du marché international.

4) *Une intensité croissante de capital* dans tous les secteurs et une meilleure *diffusion du progrès technique* dans les entreprises individuelles, en particulier dans le secteur tertiaire.

La philosophie sous-jacente de ces hypothèses peut se résumer ainsi: l'expansion future de l'économie italienne est envisagée comme un processus de développement équilibré, (du point de vue offre et demande, intérieure et extérieure), où:

— l'élément «*volontariste*» sera limité aux impulsions que les pouvoirs publics imprimeront à l'économie nationale, par la réalisation des objectifs suivants:

a) préparation et utilisation meilleures des ressources humaines disponibles;

b) l'amélioration de la distribution géographique de la production industrielle et du pouvoir d'achât de la nation;

c) le contrôle du taux d'inflation qui normalement accompagne le processus de croissance économique;

tandis que:

— *l'initiative privée* continuera à orienter librement, mais en compétition avec les entreprises publiques, le développement des autres facteurs de la production, notamment, les investissements du capital privé, la combinaison des facteurs de la production, l'organisation du marché et le commerce extérieur de leur propres produits.

2. APPRÉCIATION CRITIQUE DE NOTRE PRÉVISION POUR L'EXPANSION GÉNÉRALE DE L'ÉCONOMIE ITALIENNE DE 1959 À 1970

18. Le tableau A, en annexe, résumant nos estimations du développement de l'économie italienne au cours de la période 1959–1970 montre que, d'après nos calculs, *les ressources brutes disponibles* pourraient s'accroître au taux de 4,6 pour cent par an et le PNB au taux de 4,4 pour cent par an. Sans attribuer à ces résultats plus d'importance que n'en mérite une prévision globale ou semi-globale, nous nous sommes, tout de même, longuement demandé si nos estimations pouvaient être accusées d'être l'expression d'une optique trop prudente.

Evitant de répondre à cette question par des «impressions» personnelles, nous nous limiterons à attirer l'attention du lecteur sur quelques *indicateurs* critiques du processus de croissance et sur les considérations qui suivent.

De l'ensemble de nos estimations il résulte en effet, que:

a) le secteur *agriculture* continuera à jouer un rôle très important dans le système productif italien, malgré la diminution considérable envisagée pour sa contribution à la formation du PNB (16,4% en 1970, contre 24,5 en 1955 et 22,3 en 1959).

Il paraît donc raisonnable de s'attendre à ce que la nature essentielle-ment conjoncturelle de ce secteur (où la production végétale représentera encore 62% de la valeur totale de la production agricole en 1970) ne manque pas de continuer à exercer une action modératrice sur l'expan-sion de la demande intérieure;

b) *les exportations totales*, continueront à représenter en 1970 (comme en 1959) à peu près 20% du produit national brut (au coût des facteurs).

Un taux d'expansion du PNB plus élevé que celui dégagé de nos calculs (4,4%) impliquerait donc la nécessité d'accroître les risques d'une dépendance de la production industrielle vis à vis de la demande exté-rieure, dans une mesure qu'il faudra évaluer dans le cadre des taux de croissance envisagés dans les pays plus industrialisés et de la compétition croissante sur les marchés internationaux.

c) Le taux d'accroissement envisagé pour le *secteur «endogène»* (5,25% par an), reposant sur une hypothèse assez optimiste à l'égard du taux d'expansion *autonome* de la production (2,50% par an) comporterait une déviation assez nette du trend historique de la période 1922–1958, (2,89% par an); le taux théorique de la période 1922–1970 s'élèverait en effet à 3,54% par an (voir le graphique annexé au *tableau C*);

d) le coefficient moyen de capital (aux prix constants de l'année 1954) continuerait à baisser dans ce secteur et se situerait au niveau de 2,10 en 1970 (contre 2,35 en 1959 et 2,43 en 1955);

e) *les investissements neufs dans le secteur endogène* continueraient à représenter (comme dans la période 1950–1958) environ 9% de la valeur ajoutée à prix constants de ce secteur et environ 5,5% du revenu national brut (voir le tableau 3, au chapître I);

f) *la propension moyenne à la formation brute de capital* continuerait à augmenter jusqu'au niveau de 23,4% en 1970 (contre 22,3% en 1959 et 21,4% en 1955);

g) *le pourcentage des forces de travail non-utilisées* (ou partiellement utilisées) baisserait en 1970 au niveau critique de 3,5%.

19. Nous laisserons, toutefois, aux lecteurs la tâche d'évaluer le degré de vraisemblance et de cohérence de nos estimations. Mais nous ne voudrions pas conclure notre exposé sans souligner, encore une fois, le caractère *tout à fait provisoire* et *préliminaire* qu'il faut attribuer à cet exercice (et aux travaux similaires actuellement en cours en Italie) jusqu'au moment où les instruments nécessaires pour approfondir

l'analyse des interdépendances sectorielles et régionales seront disponibles et permettront soit de dégrossir les prévisions globales et semi-globales, soit d'en expliciter toutes les implications, en termes physiques, monétaires et financiers.

SUMMARY

The article presents a critical review of the various aggregate models currently used in medium and long-term projections of general economic expansion and stresses the need for using a minimum degree of sectorial disaggregation in establishing macro-economic projections of global supply and global demand.

On the basis of a retrospective analysis of the relationship between production and the primary factors used in the private non-agricultural sector of the Italian economy, during the periods 1922–1939 and 1950 to 1958, the Author shows, in the first part of the article, that:

a) the instability through time of the parameters of the various types of an aggregate production function is due to changes in the combination of productive factors: so that the use, for projection purposes, of production elasticities derived from retrospective relationships based on the assumption of complementarity becomes particularly risky, if the combination of capital, labor and technological progress registered in the past is expected to change during the projection period;

b) among the various types of an aggregate production function, the most recent version of the classical Cobb-Douglas function $(v = a^{\frac{2}{3}} K^{\frac{1}{3}} e^{rt})$ explaining the production developments (v) in terms of: a relationship (allowing for substitution) between labor (a) and capital (K), under the assumption of constant marginal productivity and of a residual trend rate (r), standing for: returns to scale, technological progress and other qualitative factors, presents the advantage of forcing to explicit, either the prospective combination of labor and capital, or the contribution expected from technological progress and other unmeasurable factors;

c) whatever the aggregate production function used for estimating the future developments of production, the projection will be in any case affected by an indefinite margin of error: specifically imputable to the difficulty of predicting, *in global terms*, the impact of factors other than the volume of labor and capital.

In the second part of the article, the Author presents a set of tables showing her own semi-aggregated estimates of the prospective developments of the Italian economy up to 1970, broken down, *on the supply side:* into three *'exogenous'* sectors (Agriculture, Housing services and Public Administrations) and one *'endogenous'* sector (covering industrial and tertiary activities) and, *on the demand side*, by major categories of consumption and investments.

This set of tables is supplemented with the indication of the specific hypotheses and criteria on which the projections have been based, particularly the trend equations used for setting up the projections for the independent variables and the functional relationships used for investigating the future magnitudes of the inter-related variables.

DONNEES RETROSPECTIVES ET PREVISIONS
DE LA CROISSANCE DE L'ECONOMIE ITALIENNE
DE 1950 A 1970

TABLEAU A – Italie – Projections à l'année 1970: A. Formation et utilisation des ressources nationales (en milliards de lires, aux prix de l'année 1954)

TABLE A – Italy – Projections up to 1970 : A. Disposable resources and their utilization (billion lires at 1954 prices)

Resources et emplois / Resources and utilizations	Voir tableaux / See tables	Valeurs absolues / Absolute values				Part du PNB et utilisation des ressources (en %) / Percentages in the PNB				Taux d'accroissement (% par an)[a] / Growth rates (% per year)[a]	
		1950	1955	1959	1970	1950	1955	1959	1970	1959–1950	1970–1959
V_p — Valeur ajouté du secteur privé / Value added of the private sector		7.700	10.816	13.212	21.350	88,31	90,54	90,52	91,08	6,2	4,5
v_1 — Secteur 'Endogène' (Industrie et Tertiaire) / 'Endogenous' sector (Industry and Tertiary)	C	5.170	7.690	9.755	17.125	59,30	64,38	66,84	73,06	7,3	5,3
v_2 — Agriculture, forêts, pêche / Agriculture, forestry and fisheries	E	2.391	2.937	3.251	3.850	27,42	24,59	22,27	16,42	3,5	1,6
v_3 — Revenus des logements / Rentals	F	330	355	400	650	3,78	2,97	2,74	2,77	2,2	4,5
d — Moins ajustements statistiques[b] / Less statistical duplications	G	− 191	− 167	− 194	− 275	−2,19	−1,40	−1,33	−1,17	—	—
v_4 — Valeur ajoutée du secteur public / Value added of the public sector	F	1.019	1.130	1.384	2.090	11,69	9,46	9,48	8,92	3,5	3,8
V — Produit national brut (au coût des facteurs) / Gross national product (at factor cost)		8.719	11.945	14.596	23.440	100,00	100,00	100,00	100,00	5,9	4,4
T_i — Impôts indirects (moins subventions) / Indirect taxes (less subsidies)	F	1.357	1.494	1.895	2.985					3,8	4,2
y_e — Revenus nets de l'étranger / Net income from abroad	G	14	16	79	150					21,2	6,0
Y — Revenu national brut (aux prix du marché)[b] / Gross national income (at market prices)		10.090	13.455	16.570	26.575					5,7	4,4
Y/N_p — (Idem, par tête) en milliers de lires 1954 / (Idem per head) thousand lires 1954		216	279	337	512					5,1	3,9

TABLEAU A (suite) – TABLE A (continued)

	Resources et emplois / Resources and utilizations	Voir tableaux / See tables	Valeurs absolues / Absolute values				Part du PNB et utilisation des ressources (en %) / Percentages in the PNB				Taux d'accroissement (% par an) a) / Growth rates (% per year a)	
			1950	1955	1959	1970	1950	1955	1959	1970	1959/1950	1970/1959
B	Importations nettes (+), ou exportations nettes (—) / Net imports (+) or exports (—)	G	+ 133	+ 82	– 376	0	—	—	—	—	—	—
R	Ressources brutes disponibles en Italie / Gross available resources in Italy		10.223	13.537	16.194	26.575	100,00	100,00	100,00	100,00	5,2	4,6
C	Consommation privée / Private consumption	H	7.376	9.194	10.782	16.750	72,15	67,92	66,58	63,03	4,3	4,1
G	Consommation publique b) / Public consumption b)	H	985	1.448	1.792	3.425	9,64	10,70	11,07	12,89	6,2	5,8
I	Formation brute de capital fixe / Gross formation of fixed capital	K	1.729	2.706	3.512	5.910	16,91	19,99	21,69	22,24	8,2	4,9
S	Accroissement des stocks / Increase in inventories	K	133	189	108	300	1,30	1,39	0,66	1,13	—	—
A	Ecart entre les prévisions indépendantes de l'offre et de la demande / Discrepancy between independent forecast of supply and demand		—	—	—	190	—	—	—	0,71	—	—

a) Calculés par la formule $M = C (1 + i)^t$.
a) As computed from formula $M = C (1 + i)^t$.
b) Calculé suivant le schéma de l'OECE.
b) As computed following the OECE scheme.

TABLEAU B – Italie – Projections à l'année 1970: B. Population, offre de travail, Emploi (en milliers de personnes)
TABLE B – Italy – Projections up to 1970 : B. Population, Labour Supply, Employment (thousand persons)

	Variables	Nature des projections / Nature of the projections	Valeurs absolues / Absolute values				Indices (année de base = 100) / Indices (base year = 100)		Taux d'accroissement (% par an)[a] / Growth rates (% per year)	
			1950	1955	1959	1970	1959–1950	1970–1959	1959–1950	1970–1959
N_r	Population résidente (fin d'année) / Resident population (end of the year)	Elaboration (par sexe et 16 classes d'âge) de l'Institut Central de Statistique / As estimated by the Central Institute of Statistics (by sex and 16 age classes)	47.262	49.191	50.689	54.836	107,27	108,16	0,77	0,72
N_p	Population présente (fin d'année) / Present population (end of the year)	Estimation fondée sur l'hypothèse d'une émigration nette de 1.500.000 personnes, de 1959 à 1970 / Estimation based on the assumption of a net emigration of 1.500.000 from 1959 to 1970	46.768	48.186	49.227	51.865	105,26	105,36	0,57	0,48
N_p	Idem, à mi-année / Idem, mid-year		46.595	48.035	49.120	51.700	105,42	105,25	0,59	0,47
N_{pa}	Idem, de 15 à 65 ans / Idem from 15 to 65 years of age	Estimation aléatoire / Aleatory estimate	31.100	32.300	33.000	35.000	106,11	106,07	0,66	0,54
F_a/N_{pa}	% Offre de travail / % age labour supply	Idem	(60,3)	(60,4)	(60,4)	(62,0)				
F_a	Offre de travail (exclus les militaires du contingent) / Labour supply (excluding military personnel of the contingent)	Idem	18.770	19.530	19.940	21.700	106,23	108,83	0,67	0,77

TABLEAU B (suite) – TABLE B (continued)

Variables	Nature des projections / Nature of the projections	Valeurs absolues / Absolute values				Indices (année de base = 100) / Indices (base year = 100)		Taux d'accroissement (% par an) / Growth rates (% per year)	
		1950	1955	1959	1970	1599–1950	1970–1959	1959–1950	1970–1959
U/Fa % Offre de travail non utilisée (ou partiellement utilisée) / Unutilized labour supply (or partially utilized) in percent	Hypothèse / Hypothesis	(10,3)	(8,7)	(6,8)	(3,5)				
U Offre de travail non utilisée (ou partiellement utilisée) / Unutilized labour supply (or partially utilized)	Idem	1.930	1.705	1.360	760	70,47	55,89	—3,83	—5,15
a Emploi total / Total employment	Idem	16.840	17.825	18.580	20.940	110,33	112,70	1,10	1,10
Branches utilisatrices: / Distribution among branches:									
a1 Industrie et activités tertiaires (secteur «endogène») / Industry and tertiary (endogenous' sector)	Estimation optimiste / Optimistic estimate	8.475	9.795	10.775	13.440	127,14	124,73	2,70	2,03
a2 Agriculture, forêts, pêche / Agriculture, forestry, fisheries	Estimation prudente / Moderate estimate	6.870	6.480	6.150	5.500	89,52	89,43	—1,22	—1,01
a4 Administrations publiques / Public administrations	Estimation optimiste / Optimistic estimate	1.495	1.550	1.655	2.000	100,70	120,85	1,14	1,74

a) Calculés par la formule: $M = C (1 + i)^t$.
a) As computed from formula: $M = C (1 + i)^t$.

TABLEAU C – Italie – Projections a l'année 1970: C. Stock de capital fixe, valeur ajoutée, productivité du travail et coefficient de capital dans le secteur «endogène» (Industrie et Tertiaire) (en milliards de lires aux prix de 1954)

TABLE C – Italy – Projections up to 1970 : C. Stock of fixed capital, value added, labour productivity and capital-output ratio in the 'endogenous' sector (Industry and Tertiary) (billion lires at 1954 prices)

Variables	Nature des projections / Nature of the projections	Valeurs absolues [b] / Absolute values				Indices (année de base = 100) / Indices (base year = 100)		Taux d'accroissement (% par an) [a] / Growth rates (% per year)	
		1950	1955	1959	1970	1959–1950	1970–1959	1959–1950	1970–1959
K_1/a_1	*Stock de capital fixe, par travailleur* (000 de lires 1954) / *Stock of fixed capital per worker* (000 lires 1954) — Extrapolation du taux d'accroissement de la période 1950-1958 / Extrapolation of the rate of growth of the period 1950-1958 $$K_1/a_1 = 1.706 e^{0,0210\, t^{(0,0009)}}\ ;\ R = 0,993$$ $K_1 = a_1 \times K_1/a_1$	1.740 (1.742)	1.910 (1.936)	2.106 (2.106)	2.670 (2.670)	120,90	126,78	2,11	2,11
$\dot{K}_1$	*Stock de capital fixe* (au début de l'année) / *Stock of fixed capital* (at the beginning of the year) — $\dot{K}_1 = K_1(t) - K_1(t-1)$	14.735	18.680	22.690	35.885	153,99	158,15	4,41	4,26
K_1	*Investissements neufs* / New investments — Estimation fondée sur la relation suivante:	610	800	960	1.465	157,38	152,60	5,17	3,92
v_1	*Valeur ajoutée* (au coût des facteurs) / *Value added* (at factors cost) $$\frac{\dot{v}_1}{v_1} = 0,67\,\frac{\dot{a}_1}{a_1} + 0,33\,\frac{\dot{K}_1}{K} + r$$ où: $\frac{\dot{v}_1}{v_1}$; $\frac{\dot{a}_1}{a_1}$; $\frac{\dot{K}_1}{K_1}$ = taux d'accroissement	5.170	7.690	9.755	17.125	188,68	175,56	7,30	5,25

TABLEAU C (*suite*) – TABLE C (*continued*)

Variables	Nature des projections / Nature of the projections	Valeurs absolues [b] / Absolute values				Indices (année de base = 100) / Indices (base year = 100)		Taux d'accroissement (% par an) [a] / Growth rates (% per year)	
		1950	1955	1959	1970	1959–1950	1970–1959	1959–1950	1970–1959
	de la production, du travail et du capital r = taux de l'accroissement *autonome* de v_1 dû à des facteurs autres que le travail et le capital Estimate based on the following relation: $$\frac{\dot{v_1}}{v_1} = 0{,}67\,\frac{\dot{a_1}}{a_1} + 0{,}33\,\frac{\dot{K_1}}{K} + r$$ where $\dfrac{\dot{v_1}}{v_1}$; $\dfrac{\dot{a_1}}{a_1}$; $\dfrac{\dot{K_1}}{K_1}$ = rates of growth of output, labour and capital r = rate of autonomous growth of v_1 due to other factors than labour and capital	—	—	—	—	—	—	4,03	2,50
v_1/a_1	*Productivité du travail* (000 de lires 1954) *Labour productivity*	610	785	905	1.274	148,36	140,77	4,03	3,16
K_1/v_1	Rapport (moyen) capital/produit Average capital-output ratio	2,85	2,43	2,33	2,10				

a) Calculés par la formule: $M = C(1+i)^t$.
a) As computed according to the formula: $M = C(1+i)^t$.
b) Les chiffres entre parenthèses représentent les valeurs théoriques dégagées des équations de tendance.
b) Figures between brackets are theoretical values as computed from trend equations.

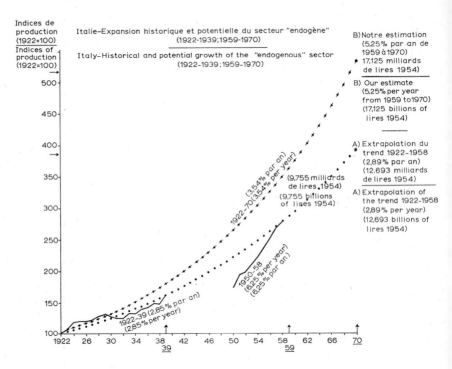

Indices de
production
(1922=100)
Indices of
production
(1922=100)

Italie–Expansion historique et potentielle du secteur "endogène"
(1922-1939;1959-1970)

Italy–Historical and potential growth of the "endogenous" sector
(1922-1939;1959-1970)

B) Notre estimation
(5,25% par an de
1959 à 1970)
17,125 milliards
de lires 1954)

B) Our estimate
(5,25% per year
from 1959 to 1970)
(17,125 billions of
lires 1954)

A) Extrapolation du
trend 1922-1958
(2,89% par an)
(12,693 milliards
de lires 1954)

A) Extrapolation of
the trend 1922-1958
(2,89% per year)
(12,693 billions of
lires 1954)

500
450
400
350
300
250
200
150
100

(3,54% par an)
(3,54% per year)
1922-70

(9,755 milliards
de lires 1954)
(9,755 billions
of lires 1954)

1950-58
(6,25% per year)
(6,25% par an)

1922-39 (2,85% par an)
(2,85% per year)

1922 26 30 34 38 42 46 50 54 58 62 66 70
            39   59

TABLEAU D – Italie – Projections à l'année 1970: D. Production du secteur agriculture, forêts, et pêche (en milliards de lires, aux prix de 1954)

TABLE D – Italy – Projections up to 1970 : D. Output of agriculture, forestry and fisheries (billion lires at 1954 prices)

Variables	Nature des projections / Nature of the projections	Valeurs absolues [b] / Absolute values				Indices (année de base = 100) / Indices (base year = 100)		Taux d'accroissement (% par an) [a] / Growth rates (% per year)	
		1950	1955	1959	1970	1959–1950	1970–1959	1959–1950	1970–1959
S	*Surface cultivée* (1.000 d'hectares) *Cultivated area* (1.000 hectares) Extrapolation de la tendance de la période 1950–1959: Extrapolation of the 1950–1959 trend: $S = 15.340,9 + 474,5 \log t; R = 0,969$ (128,6)	15.455 (15.340)	15.760 (15.710)	15.850 (15.815)	15.970 (15.970)	103,10	100,98	0,34	0,09
i/S	*Dépenses par hectare*, pour: engrais, insecticides et carburants (lires 1954) *Expenditure per hectare* fertilizers, insecticides and fuels (lires 1954) Extrapolation de la tendance de la période 1950–1959: Extrapolation of the 1950–1959 trend $i/S = 11.580,1 + 864,1 t; R = 0,963$ (86,0)	11.760 (12.444)	18.055 (16.765)	19.635 (20.221)	29.725 (29.725)	162.50	147,00	5,54	3,57
P_v/S	*Valeur de la production végétale, par hectare* (000 de lires 1954) Estimation fondée sur: a) une analyse rétrospective de la période 1950–1959: $P_v/S = 25,3 \, i/S^{\,0,135}; R = 0,837$ b) et l'hypothèse d'une élasticité décroissante de P_v/S par rapport à i/S (0,38, de 1959 à 1970) *Value of vegetal output per hectare* (1.000 lires 1954) Estimate based on: a) a retrospective analysis of the 1950–1959 périod $P_v/S = 25,3 \, i/S^{\,0,135}; R = 0,837$	107,4	141,6	150,9	170,0	140,50	112,66	3,14	1,09

Tableau D (suite) – Table D (continued)

Variables	Nature des projections / Nature of the projections	Valeurs absolues [b] / Absolute values				Indices (année de base = 100) / Indices (base year = 100)		Taux d'accroissement (% par an) [a] / Growth rates (% per year)	
		1950	1955	1959	1970	1959-1950	1970-1959	1959-1950	1970-1959
P_v Valeur de la production végétale / Value of vegetal output	b) and the assumption of a decreasing elasticity of $P_v/$ to i/S (0,38, from 1959 to 1970) $P_v = S \times P_v/S$	1.660	2.231	2.392	2.715	144,10	113,50	4,14	1,15
P_a Valeur de la production animale / Value of animal output	Extrapolation du taux d'accroissement de la période 1950-1959: Extrapolation of the 1950-1959 growth rate $P_a = 884 \times 1,03118^t; R = 0,932$ (0,043)	919 (912)	1.025 (1.063)	1.241 (1.202)	1.685 (1.685)	131,80	140,18	3,12	3,12
P_A Production agricole / Agricultural output	$P_A = P_v + P_a$	2.579	3.256	3.633	4.400	140,87	121,11	3,88	1,76
P_f Production des forêts / Forestry output	Estimation libre Free estimate	90	104	102	120	113,33	117,65	1,40	1,49
P_p Production de la pêche / Fisheries output	Idem Idem	30	41	48	60	160,00	125,00	5,36	2,05
P_2 Production totale / Total output	$P_2 = P_a + P_f + P_p$	2.699	3.401	3.783	4.580	140,16	121,07	3,82	1,75

a) Calculés par la formule: $M = C(1+i)^t$.
a) As computed from formula: $M = C(1+i)^t$.
b) Les chiffres entre parenthèses représentent les valeurs théoriques dégagées des équations de tendance.
b) Figures between brackets are theoretical values as computed from trend equations.

TABLEAU E – Italie – Projections à l'année 1970: E. Valeur ajoutée et productivité dans le secteur agriculture, forêts et pêche (en milliards de lires, aux prix de 1954)

TABLE E – Italy – Projections up to the year 1970: E. Value added and productivity of agriculture forestry and fisheries (billion lires at 1954 prices)

	Variables	Nature des projections / Nature of the projections	Valeurs absolues / Absolute values				Indices (année de base = 100) / Indices (base year = 100)		Taux d'accroissement (% par an) [a] / Growth rates (% per year) [a]	
			1950	1955	1959	1970	1959–1950	1970–1959	1959–1950	1970–1959
P_2	Production totale / Total output	Voir le tableau D / See table D	2.699	3.401	3.783	4.580	140,16	121,07	3,82	1,75
v_2/P_2	Rapport valeur ajoutée/production (%) / Ratio of value added to output	Estimation libre / Free estimate	(88,6)	(86,4)	(85,9)	(84,0)	(96,95)	(97,79)	(−0,34)	(−0,20)
V_2	Valeur ajoutée (au coût des facteurs) / Value added at factor cost.		2.391	2.937	3.251	3.850	135,97	118,42	3,47	1,55
v_2/a_2	Productivité du travail (000 de lires 1954) / Productivity of labour	Pour la réduction de l'emploi (a_1) voir le tableau B / For employment reduction (a_1) see table B.	348	453	528	700	151,72	132,58	4,74	2,60

[a] Calculés par la formule: $M = C(1 + i)^k$.

[a] As computed from formula: $M = C(1 + i)^k$.

TABLEAU F – Italie – Projections à l'année 1970: F. Stock et revenus des logements, valeur ajoutée des administrations publiques et impôts indirects (en milliards de lires, aux prix de l'année 1954)

TABLE F – Italy – Projections up to 1970 : F. Stock of and income from dwellings, value added of public administrations and indirect taxes (billion lires at 1954 prices).

Variables	Nature des projections / Nature of the projections	Valeurs absolues [b] / Absolute values				Indices (année de base = 100) / Indices (base year = 100)		Taux d'accroissement (% par an) [a] / Growth rates (% per year)	
		1950	1955	1959	1970	1959–1950	1970–1959	1959–1950	1970–1959
H/N_p N° pièces disponibles par personne	Extrapolation de la tendance de la période 1951–1959:	1,10 (1,10)	1,17 (1,20)	1,28 (1,28)	1,51 (1,51)				
Available rooms per capita	Extrapolation of the 1951–1959 trend: $H/N_p = 1{,}075 + 0{,}02083\ t$; (0,00124) $R = 0{,}988$					116,36	117,97	1,78	1,51
H Stock de logements (milliers de pièces) Stock of dwellings (1.000 rooms)		52.000	56.350	62.780	77.770	120,73	123,88	2,11	1,96
v_3 Revenus de logements	Evaluation basée sur un loyer moyen de 8.350 lires 1954 par pièce (compte tenu de la libéralisation totale du blocage des loyers en 1970)	330	355	400	650	121,21	162,50	2,16	4,50
Rentals	Estimate based on an average rent of 8.350 lires 1954 per room (taking into account total liberisation of rents in 1970)								

TABLEAU F (suite) – TABLE F (continued)

Variables	Nature des projections / Nature of the projections	Valeurs absolues / Absolute values				Indices (année de base = 100) / Indices (base year = 100)		Taux d'accroissement (% par an) [a] / Growth rates (% per year)	
		1950	1955	1959	1970	1959–1950	1970–1959	1959–1950	1970–1959
v_4/a_4 — Productivité du travail dans le secteur public (milliers de lires 1954) / Productivity of labour in the public sector (1.000 lires 1954)	Extrapolation de la tendance enregistré de 1950 à 1959 / Extrapolation of the recorded trend 1950 to 1959	682	729	836	1.045	122,58	125,00	2,31	2,05
v_4 — Valeur ajoutée des administrations publiques / Value added of public administrations.	$v_4 = a_4 (v_4/a_4)$	1.019	1.130	1.384	2.090	135,82	151,01	3,46	3,82
T_i — Impôts indirects (moins subventions) / Indirect taxes (less subsidies)	Estimation fondée sur la relation suivante, calculée pour la période 1950–1959: / Estimate based on the following relation, computed for the period 1950–1959: $T_i = 256{,}214 + 0{,}127 (v_1+v_2+v_3)$; (0,003) $R = 0{,}860$	1.357 (1.257)	1.494 (1.637)	1.895 (1.949)	2.985 (2.985)	155,05	153,16	4,93	3,98

a) Calculés par la formule: $M = C (1 + i)^t$.
a) As computed according to formula: $M = C (1 + i)^t$.
b) Les chiffres entre parenthèses représentent les valeurs théoriques dégagées des équations de tendance.
b) Figures between brackets are theoretical values as computed from the trend equations.

TABLEAU G – Italie – Projections à l'année 1970: G. Commerce extérieur, revenus nets de l'étranger, ajustement statistique (en milliards de lires aux prix de 1954)

TABLE G – Italy – Projections up to the year 1970: G. Foreign trade, net income from abroad, statistical adjustment (billion lires at 1954 prices)

	Variables	Nature des projections Nature of the projections	Valeurs absolues [b] Absolute values				Indices (année de base = 100) Indices (base year = 100)		Taux d'accroissement (% par an) [a] Growth rates (% per year)	
			1950	1955	1959	1970	1959–1950	1970–1959	1959–1950	1970–1959
M_{e1}	Importations de matières premières et de produits semi-finis Import of raw materials and half finished products	Estimation fondée sur la relation suivante (calculée pour la période 1950–1957): Estimate based on the following relation (computed for the 1950–1957 period): $M_{e1} = -194{,}0 + 0{,}1378\,v_1; R = 0{,}984$ (0,0103)	550 (518)	810 (866)	1.145 (1.150)	2.165 (2.165)	222,00	189,26	8,48	5,97
M_f	Importations d'autres biens et services Import of other goods and services	Extrapolation de la tendance de 1950 à 1957: Extrapolation of the 1950–1957 trend: $M_f = 492{,}2 + 91{,}873\,t; R = 0{,}984$ (6,886)	610 (584)	1.004 (1.043)	1.350 (1.411)	2.420 (2.420)	241,61	171,51	10,33	5,03
M	Importations totales de biens et services Total import of goods and services	$M = M_{e1} + M_f$	1.160	1.814	2.495	4.585	215,09	183,77	8,88	5,69

TABLEAU G (suite) – TABLE G (continued)

Variables	Nature des projections Nature of the projections	Valeurs absolues Absolute values				Indices (année de base = 100) Indices (base year = 100)		Taux d'accroissement (% par an) [a] Growth rates (% per year)	
		1950	1955	1959	1970	1959–1950	1970–1959	1959–1950	1970–1959
E Exportations totales de biens et services *Total export* of goods and services	Extrapolation de la tendance de 1949 à 1958: Extrapolation of the 1949–1958 trend: $E = 552,2 + 183,2\,t;\ R = 0,978$ (13,8)	1.027 (919)	1.732 (1.835)	2.871 (2.567)	4.585 (4.585)	279,33	178,61	12,09	5,42
B Importations nettes (—) ou Exportations nettes (+) *Net import* (—) or net export (+)	Estimation aléatoire Aleatory estimate	—133	— 82	+376	0	—	—	—	—
y_e dont: Revenus nets de l'étranger of which: Net income from abroad		[+14]	[+16]	[+79]	[+150]	[564,29]	[189,87]	[21,20]	[6,00]
d Duplications statistiques c) *Statistical adjustment* c)		—191	—167	—194	—275	—	—	—	—

a) Calculés par la formule: $M = C\,(1 + i)^t$.
a) As computed from formula: $M = C\,(1 + i)^t$.
b) Les chiffres en parenthèse représentent les valeurs théoriques dégagées des équations de tendance.
b) Figures between brackets are theoretical values as computed from the trend equations.
c) Calculés suivant le schéma de l'OECE.
c) As computed according to the OECE scheme.

TABLEAU H – Italie – Projections à l'année 1970: H. Consommation privée et publique (en milliards de lires aux prix de l'année 1954)
TABLE H – Italy – Projections up to 1970 : H. Private and public consumption (billion lires at 1954 prices)

Variables	Nature des projections / Nature of the projections	Valeurs absolues [b] / Absolute values				Indices (année de base = 100) / Indices (base year = 100)		Taux d'accroissement (% par an) [a] / Growth rates (% per year)	
		1950	1955	1959	1970	1959–1950 / Structure 1959	1970–1959 / 1970	1959–1950	1970–1959
C_p/N_p — Consommation privée, par tête (en 000 de lires 1954) — Private consumption per capita (1.000 lires 1954)	Extrapolation de la tendance de 1950 à 1958: Extrapolation of the 1950–1958 trend: $C_p/N_p = 154,4 + 1,036^t$; $R = 0,994$ (0,001)	158,3 (159,5)	191,4 (188,3)	219,5 (219,9)	324,0 (324,0)	137,87	147,34	3,63	3,59
C_p — Consommation privée totale — Total private consumption	Calculée sur la base de la population présente à mi-année (voir le tableau B) — Computed on the base of present population mid-year (see Table B)	7.376	9.194	10.782	16.750	100,00	100,00	4,31	4,09
a) Alimentation (tabac et boissons exclus) — Food (excluding beverages and tobacco)	Agrégation des estimations plus détaillées calculées à l'aide des fonctions et des élasticités (par rapport à la consommation totale par tête) dégagées d'une analyse des séries chronologiques et d'une analyse cross-section des budgets de famille [c]	3.442	4.173	4.872	6.700	45,19	40,00	3,94	2,94
b) Habillement — Clothing		906	1.008	1.156	1.900	10,72	11,34	2,74	4,62
c) Loyers — Rents		336	365	425	680	3,94	4,06	2,65	4,37
d) Biens durables — Durables	Aggregation of the more detailed estimates computed from functions and elasticities (to per capita consumption) from an analysis of time series and a cross-section analysis of family budgets [c]	196	309	422	885	3,91	5,29	8,90	6,97
e) Autres biens non-durables et services — Other non durables and services		2.496	3.339	3.907	6.585	36,24	39,31	5,10	4,86

TABLEAU H (suite) – TABLE H (continued)

Variables		Nature des projections / Nature of the projections	Valeurs absolues [b] / Absolute values				Indices (année de base = 100) / Indices (base year = 100)		Taux d'accroissement (% par an) [a] / Growth rates (% per year)	
			1950	1955	1959	1970	1959–1950	1970–1959	1959–1950	1970–1959
G/C_p	Rapport entre consommation publique et consommation privée / Ratio of public consumption to private consumption	Extrapolation du rapport G/C_p au cours de la période 1950–1958: Extrapolation of the ratio during the 1950–1958 period: $G/C_p = 14{,}2 + 0{,}295\,t; R = 0{,}820$ (0,073)	13,4 (14,5)	15,7 (16,0)	16,6 (17,1)	20,4 (20,4)				
G	Consommation publique [d] / Public consumption [d]		985 (1.069)	1.448 (1.471)	1.792 (1.844)	3.425 (3.425)	172,50	185,74	6,25	5,70
C	Consommation totale / Total consumption		8.361	10.642	12.574	20.175	150,39	160,45	4,64	4,39
C/R	Rapport consommation totale ressources disponibles (%) / Ratio of total consumption to available resources (%)		(81,0)	(78,6)	(77,7)	(75,9)				

[a] Calculés par la formule: $M = C (1 + i)^t$.
[a] As computed according to formula: $M = C (1 + i)^t$.
[b] Les chiffres entre parenthèses représentent les valeurs théoriques dégagées des équations de tendance.
[b] Figures between brackets are theoretical values as computed from the trend equations.
[c] Voir à ce sujet: SVIMEZ: 'Stime sui consumi privati in Italia nel prossimo decennio', Giuffré (1961).
[c] See SVIMEZ: 'Stime sui consumi privati in Italia nel prossimo decennio', Giuffré (1961).
[d] Calculée suivant le schéma de l'OECE.
[d] As computed following the OECE scheme.

TABLEAU K – Italie – Projections à l'année 1970: K. Investissements, variations des stocks (en milliards de lires aux prix de 1954)
TABLE K – Italy – Projections up to 1970 : K. Investment, changes in inventories (billion lires at 1954 prices)

	Variables	Nature des projections / Nature of the projections	Valeurs absolues / Absolute values				Indices (année de base = 100) / Indices (base year = 100)		Taux d'accroissement composée (% par année) / Growth rates (% per year) [a]	
			1950	1955	1959	1970	1959–1950	1970–1959	1959–1950	1970–1959
$\dot{K}_1$	Investissements neufs dans le secteur «endogène» / New investments in the 'endogenous' sector	(Voir le tableau C) (See Table C)	610	800	960	1.465	157,38	152,60	5,17	3,92
S_1/I_1	Taux de remplacement dans le secteur «endogène» (en % du stock de capital fixe) / Replacement rate in the 'endogenous' sector (as a percentage of the fixed capital stock)	Estimation libre / Free estimate	(2,92)	(3,24)	(3,75)	(5,0)	—	—	—	—
S_1	Remplacements dans le secteur «endogène» / Replacement in the 'endogenous' sector	Calculés sur la base des évaluations du stock de capital fixe dans le secteur «endogène» (voir le tableau C) / Computed according to fixed capital stock evaluations in the 'endogenous' sector (See Table C)	430	605	850	1.795	186,05	211,18	7,14	7,03
I_1	Formation brute de capital fixe dans le secteur «endogène» / Gross fixed capital formation in the 'endogenous' sector	$I_1 = \dot{K}_1 + S_1$	1.040	1.405	1.810	3.260	174,04	180,11	6,35	5,49
I_2	Formation brute de capital fixe dans le secteur agriculture, forêts et pêche / Gross fixed capital formation in the sectors agriculture, forestry and fisheries	Estimation libre / Free estimate	206	361	410	650	199,03	158,54	7,95	4,28

TABLEAU K (*suite*) – TABLE K (*continued*)

Variables	Nature des projections / Nature of the projections	Valeurs absolues / Absolute values				Indices (année de base = 100) / Indices (base year = 100)		Taux d'accroissement composé (% par année) [a] / Growth rates (% per year) [a]	
		1950	1955	1959	1970	1959–1950	1970–1959	1959–1950	1970–1959
$\dot{H}$ Construction, reconstruction de logements (000 pièces) (dans l'année) / Building and rebuilding of dwellings (in the year) (1.000 rooms)	Calculée sur la base de l'accroissement du stock de logement (voir le tableau F) / Calculated on the basis of the accrual to the stock of dwellings (see Table F)	n.d.	1.284	1.832	1.405	n.d.	76,69	n.d.	-2,49
$\dot{V}_H$ Valeur de constructions nouvelles (dans l'année) / Value (in the year) of new buildings	Estimées sur la base d'un coût moyen de 500.000 lires 1954 par pièce en 1955 et 1959 et de 700.000 lires 1954 en 1970 (compte tenu de l'amélioration progressive de la qualité et de l'équipement des nouveaux logements) / Estimated on the base of an average cost of 500.000 lires 1954 per room in 1955 and 1959 and 700.000 lires 1954 in 1970 (taking into account the progressive improvement of the quality of the new dwellings)	n.d.	642	916	984	n.d.	107,42	n.d.	0,66

TABLEAU K (*suite*) – TABLE K (*continued*)

Variables	Nature des projections / Nature of the projections	Valeurs absolues / Absolute values				Indices (année de base = 100) / Indices (base year = 100)		Taux d'accroissement composée (% par année)[a] / Growth rates (% per year)[a]	
		1950	1955	1959	1970	1959–1950	1970–1959	1959–1950	1970–1959
S_H Modernisation de vieux bâtiments	Estimée en raison des hypothèses suivantes: a) pourcentages de modernisation du stock de logement existant (au début de l'année): 2,1 en 1955 et 1959; 9,0 en 1970; b) coût moyen de modernisation: 50.000 lires 1954 par pièce en 1955 et 1959; 75.000 lires 1954 par pièce en 1970.	n.d.	59	63	516	—	—	—	—
Modernization of old buildings	Estimated according following assumptions: a) Percentages of modernization of the existing stock of dwellings (at the beginning of the year) 2,1 in 1955 and 1959; 9,0 in 1970. b) Average cost of modernization: 50.000 lires 1954 per room in 1955 and 1959; 75.000 lires per room in 1970.								

TABLEAU K (suite) – TABLE K (continued)

Variables	Nature des projections / Nature of the projections	Valeurs absolues / Absolute values				Indices (année de base = 100) / Indices (base year = 100)		Taux d'accroissement composée (% par année) [a] / Growth rates (% per year) [a]	
		1950	1955	1959	1970	1959–1950	1970–1959	1959–1950	1970–1959
I_3 Investissements bruts en logements / Gross investments in dwellings	$I_3 = \dot{V}_H + S_H$	288	701	979	1.500	339,93	153,22	14,56	3,96
I_4 Travaux publics [b] / Public works [b]	Estimation libre / Free estimate	195	239	313	500	160,51	159,74	5,40	4,35
I Formation brute totale du capital fixe / Gross fixed capital formation	$I = I_1 + I_2 + I_3 + I_4$	1.729	2.706	3.512	5.910	203,12	168,28	8,19	4,85
S Accroissement de stocks / Increase in stocks	Estimation basée sur l'hypothèse d'un accroissement des stocks égal à environ 30 % de l'accroissement du PNB de 1969 à 1970 / Estimate based on the assumption of a stock increase equal to 30 % GNP growth from 1969 to 1970	133	189	108	300	—	—	—	—

[a] Calculés par la formule: $M = C(1 + i)^t$.
[a] As computed according to formula: $M = C(1 + i)^t$.
[b] Exclus: le financement des constructions de logements et les investissements dans les secteurs transport et communication. – n.d. = données non disponibles.
[b] Excluding: financing of dwellings constructions and investments in transportation and communication. – n.d. = not available data.

CHAPTER 5

POSSIBLE ECONOMIC GROWTH IN THE NETHERLANDS

BY

J. SANDEE

Central Planning Bureau, The Hague, Netherlands

INTRODUCTION

Any economic forecast is based on assumptions about the forces operating in the future, and about the effects they will have. These assumptions are uncertain by nature, and make the forecasts uncertain as well, each to its own degree.

A forecast of possible economic growth in the Netherlands suffers from two main uncertainties: the usual uncertainty about the possible rise in productivity induced by investment, and an uncertainty that is specially important to countries with high import propensities, namely about the future behaviour of foreign demand. These two are of a different nature, for the first concerns the correct specification of an economic or even technical relationship (the production function) while the other is very much a matter of economic policies decided in foreign capitals. Together they rule the forecasts of supply and demand in the Netherlands economy.

Both problems will be discussed below, and only after that the actual forecast is presented, followed by an analysis of the effects of these uncertainties on it.

THE PRODUCTION FUNCTION

All production results from a combination of labour, capital and technology (if defined widely enough). In most branches of industry, a rise in employment is to be expected, the stock of capital will nearly always increase through investment, and technological insight can only be added to. Production will, therefore, rise as well, and little thought need be given to the special conditions obtaining in cases of stagnation or decline.

The Contribution of Labour

If employment increases a little, while capital and technology are assumed constant for a while, output grows with rising employment. The ratio of output increment to employment increment is normally called the 'marginal productivity of labour'.

Two widely different estimates of the marginal productivity of labour are encountered in practice. The first is based on deduction, which shows that the marginal producivity of labour can never differ very much from the cost of labour, i.e. wages. The other estimate is based on analysis of the short-term relation between average productivity and level of output, which leads to a marginal productivity of labour many times higher than wages.

The deduction that marginal productivity of labour approximately equals labour costs is simple enough, and rests on the assumption that employers either intuitively or by experience know marginal productivity of labour in their firms. If in any firm that productivity will be higher than the ruling wage, the firm will attempt to take on more workers, if need be at somewhat higher than usual wages, thus increasing its profits. Firms with a low marginal productivity of labour will do better to reduce their pay-rolls, in order to reduce their losses or even increase their profits. Frictions, ignorance and incorrect expectations of future conditions disturb this classical equilibrium, but taken altogether the marginal productivity of labour cannot differ too much from labour costs. As in the economy as a whole, labour costs, including fringe benefits, social security contributions and all, represent some 70 per cent of value added, the marginal productivity of labour equals approximately 70 per cent of the average productivity of labour.

However, when in the past output changed quickly in a cyclical upswing or decline, it could often be observed that employment changed by much less, say by one third to one half of the relative change in production. The marginal man would thus appear to produce two or three times as much as the average man. This statistical evidence is hard to reconcile with the classical theory above. Several elements of an explanation can be adduced, however.

During the downswing investment is low, and often insufficient to compensate the accelerated scrapping of equipment ('rationalisation') occurring in the later years of the downswing. During the upswing, investment is particularly brisk, and, moreover, particularly productive, as technological improvements discovered during the downswing can now be incorporated, while the downswing has shown up the less efficient lines of production which can thus be avoided. Thus, the contributions of capital and technology to the cyclical movements of production cannot be ignored, and only part of those movements should be ascribed to changes in the volume of labour. Besides, the latter may well change more than shown by employment statistics. Hours worked, for instance, usually not in evidence in older statistics, vary sharply with business conditions. Finally, the state of a depressed economy is marked by strong disequilibria rather than by the structural equilibrium required by the classical theory.

All these explanations add up to a certain reconciliation of the depression statistics and the deductive conclusion, although it would be much better if this reconciliation could be supported by appropriate statistical evidence. Few data on scrapping of equipment during a depression exist, however, and likewise little is known about the amounts of labour actually used. Even the improved statistics of the post-war period are defective in these respects and, besides, do not cover recessions of sufficient severity.

It may well be that the 'statistical', high marginal productivity of labour will fade away in future, as the cyclical evidence recedes into the past [1]). In any case, for the purpose of a medium or long term forecast the 'structural', low marginal productivity estimated from labour costs is the only one acceptable.

As the growth of employment in the Netherlands will remain rather small, it can be translated into a component of the growth of output by means of the marginal productivity assumed equal to labour costs. A one per cent increase in employment will thus on the average cause a 0.7 per cent growth of output. This simple expedient should not be used where employment expands much faster; the application of a partial derivative to finite differences has its limits.

The Rôle of Technology

Tinbergen was the first to introduce technical progress into a production

---

[1]) Short-term labour demand functions may continue to use a low elasticity of demand for labour. If full employment conditions remain with us for a further decade these functions may disappear as well.

function [2]), although the concept had existed already long before. The form Tinbergen selected was a simple trend inserted into a Cobb-Douglas production function. With constant labour and capital, output was supposed to grow by a small annual percentage; the effects of expanding employment and capital stock were simply added to this continuous growth.

Recently, an important refinement was suggested independently by Johansen [3]) and Solow [4]), namely that technical progress is introduced by means of investment. Both went as far as assuming, for the sake of computation, that this was the only way technical progress affected production.

This idea was not entirely new; Johansen lists several authors who stated it in words, if not in formulas. Both Johansen and Solow, however, studied in considerable detail the consequences for economic growth.

These consequences are not inconsiderable. If technical progress in production with existing capital goods is ruled out, all output growth must be ascribed to employment growth and investment. The relatively fast post-war growth in many Western European countries would then point at a very high marginal productivity of the gross investment in that period. There is little reason for this productivity to decline in future; further technical progress could even raise it. Changes in the rate of investment thus would strongly affect rates of output growth.

On the other hand, under the Tinbergen theory an important part of post-war growth should be imputed to the technological trend, and correspondingly less to investment. Future changes in the investment level would then affect future output growth to a much smaller extent than under the Johansen-Solow theory. This would be even more true if the post-war 'technological trend' were held to be particularly strong, on account of the war-time back-log being made up.

To take an example: if between the years 1953–1959 (two peak years for many countries) output rose by 5.0 per cent per annum and employment by 0.7 per cent per annum, while gross investment amounted to 18 per cent of the average national product, the share of employment would

[2]) J. Tinbergen: 'Zur Theorie der langfristigen Wirtschaftsentwicklung', Weltwirtschaftliches Archiv, 55 (1942) 511–549.

[3]) L. Johansen: 'Substitution versus Fixed Production Coefficients in the Theory of Economic Growth: A Synthesis', Econometrica 27 (1959) 157–176.

[4]) R. M. Solow: 'Investment and Technical Progress', in K. J. Arrow et al., editors: 'Mathematical Methods in the Social Sciences, 1959', (Stanford 1960), 89–104.

have been $0.7 \times 0.7 = 0.5$ per cent, and the remainder, or 4.5 per cent, would have to be distributed over investment and a 'technological trend'. If the latter is put at 1.4 per cent per annum, the effect of investment is supposed to have been 3.0 per cent of growth annually. The 'incremental capital-output ratio' corrected for employment changes would then be $18/30 = 6.0$. Under this hypothesis, a fall in investment by 6.0 per cent of national income would have reduced economic growth by 1.0 per cent. Should, however, no technological trend have been assumed, then the full 4.5 per cent of growth would have been ascribed to gross investment, and the incremental capital-output ratio would have been $18/4.5 = 4.0$. A fall in investment by 6.0 per cent (e.g. from 18 to 12 per cent) of national income would reduce output growth by 1.5 per cent.

The Nature of Technological Improvements

In most examples of technological improvements in literature, progress is realized through investment of appreciable magnitude. This is particularly true of instances given of automation. The 'disembodied' forms of technological progress (as Solow puts it) generally boil down, however, to labour saving methods coupled with a little investment. Instrumentation is of this kind. In a full-employment economy, the labour saved will after some time be employed elsewhere and contribute to output. This type of technological improvement can thus really add to growth. It is sometimes rather loosely stated that the introduction of the best practices known into all firms would improve average productivity of labour by 20 or 25 per cent. If all this were to be realized through labour saving, the 20 of 25 per cent of labour saved could, on being employed again elsewhere at its marginal productivity, produce 14 to 18 per cent more product. If after 15 years, say, a similar situation had arisen, another gain of 14 to 18 per cent could be obtained. A more continuous rationalization could, on the basis of these guesses, increase output by 1.0 per cent annually, the backward practices all the time being improved, while other practices would become backward through the evolution of modern methods.

This type of 'disembodied' progress should be distinguished from the usual phenomenon that even very modern equipment tends to become more productive during the first years of its existence. It is regularly reported that a steel mill or oil refinery planned for a certain output gradually improves its performance until considerably more output is obtained. While individual investors cannot count on such windfalls, for a growing economy as a whole it is a fairly certain source of extra output. It is, however, typically 'embodied' progress, bound up with the original investment and more or less proportional to the latter.

Wear-and-Tear

In the above considerations, no account is taken of wear-and-tear or obsolescence of capital. In this respect several hypotheses are possible. Solow assumes a fixed percentage of capital of all ages to be put out of use every year. Johansen discusses the same assumption, but also the fixed life-time hypothesis, and the hypothesis under which obsolescence always occurs before the technical life-time has run out. The latter hypothesis is linked to the special Johansen assumption that existing capital can be combined with labour only in a given proportion, and then yield a given product. Technical progress, embodied in new investment, then increases the marginal productivity of labour in the new processes to the point where it overtakes average labour productivity of some section of old capital, which then becomes obsolete and is withdrawn from use.

It is a peculiar result of the latter set of assumptions that obsolescence need not be taken into account when estimating incremental capital-output ratios. At the point of final obsolescence, the average labour productivity of the discarded equipment matches the marginal labour productivity in new equipment. A shift of labour from old to new plant thus will not affect output, and the whole production increment can be divided into the shares of the gross employment increment and of gross investment.

This is not so under the fixed life-time or constant-mortality hypotheses. The effect of the latter hypothesis on forecasts can be estimated as follows. A reasonable guess at wear-and-tear might be that 3.3 per cent of capital stops functioning every year, releasing 3.3 per cent of all labour employed, and reducing output by 3.3 per cent. The labour released, however, could be employed elsewhere at a marginal productivity of some 0.7 times the average productivity of labour, and thus contribute $0.7 \times 3.3 = 2.3$ per cent of output. The net loss of output through wear-and-tear would then be 1.0 per cent only.

This estimate would affect the incremental capital/output ratios derived above. If net growth, corrected for the contribution of increased employment, was 4.5 per cent annually, gross growth, taking into account the drag of wear-and-tear, would be 5.5 per cent, or one-fifth higher. As a result, incremental capital-output ratios would be about one-fifth lower.

The effects of the fixed life-time hypothesis would be somewhat smaller.

In the Netherlands, the development of investment and output will probably be so gradual that no explicit choice between hypotheses need be made.

EXPORTS

Netherlands exports grow because foreign imports grow, or because the share of the Netherlands in those imports rises. The former factor is many times more important than the latter.

The analysis of Netherlands exports in relation to foreign imports requires a suitable definition of the latter. Imports of far-away countries or of commodities the Netherlands hardly export should weigh relatively little. This definition has been attained by the device of re-weighting with Netherlands export figures.

For this purpose, a breakdown of world imports by countries and commodities is required. For recent years, important data for such a breakdown are regularly published by the United Nations and the Organisation for European Economic Cooperation. For older years, back to 1925, estimates were published by Tims [5]). The percentage increases of the various import flows (by countries and by groups of commodities) from one year to the next are weighted with the exports of the Netherlands, similarly broken down by destinations and groups of commodities. The weighted average increase thus obtained can also be interpreted as the increase Netherlands exports would have shown if the share of Netherlands exports in the various import flows had remained constant.

There is a striking resemblance between these re-weighted world-imports and Netherlands exports, as borne out by the diagram [6]). The small differences, mainly caused by fluctuations in world trade, are closely correlated with the degree of utilization of Netherlands productive

---

[5]) W. Tims: 'World Import Trade 1925–1957', The Manchester School of Economic and Social Studies, 28 (1960) 263–299.

[6]) Constructed by Mr. F. J. M. Meyer zu Schlochtern of the Netherlands Central Planning Bureau.

capacity. In the longer run, the divergence of the two curves is negligible, although foreign trade doubled in the period concerned. The same holds true for the cyclical fluctuations between the two wars.

This would be a firm foundation for export forecasts, if not world imports were not themselves highly uncertain. The usual relationship between imports and national products has been disturbed, at least in Western Europe, by an extraordinarily strong rise of imports in the post-

NETHERLANDS EXPORTS AND WEIGHTED
WORLD IMPORTS

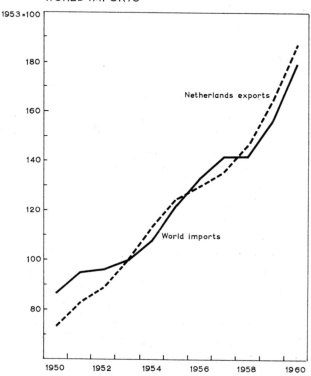

war years. To a large extent this must be ascribed to the reduction in barriers to imports, some of which dated back to the thirties. If this is the explanation, a return to the relatively unhampered trade of the twenties must be expected. As far as figures allow to form an impression of the distance still to be covered before the import propensities of the twenties will be restored, the outcome is that that distance is rather small. In most countries, the 'liberalisation' has already been consummated, and little can be expected anymore on this score.

This makes a reasonable guess of the growth in national output in the main countries of destination all the more important.

Such a guess must be based on the same type of considerations that serve to estimate possible growth of the Netherlands itself. The export forecasts, which are crucial to Netherlands development, are less important to other countries, however, and guesses based on supply only will be sufficient [7]).

In those countries where the growth of employment was small in recent years, little change need be expected on this count. For Germany, however, most analysts agree that a reduction of the rate of growth is quite possible, as employment cannot go on rising at the rate obtaining in recent years.

The contribution of investment to growth, if obtained as a residual, shows appreciable variations from country to country, with the United States lagging behind several European countries both in the size of investment in relation to national product and in the yield of the investment in terms of output growth. The United Kingdom, too, shows less rise in output than might be expected on the basis of its sizeable investment.

It is reasonable to expect that most of these differences will continue to exist as they must be based on structural differences which do not disappear very quickly.

The growth in output of the industrial countries where most of the Netherlands exports go would thus at best be equal to that in the last few years, with some deduction for Germany's slower growth of employment. Imports into these countries might well rise considerably less fast than in the past, as liberalisation has largely spent itself.

The less developed countries which take nearly one third of Netherlands exports normally purchase by way of imports whatever can be financed from the proceeds of exports, loans and grants. A further deterioration of the terms of trade of these countries would reduce their capacity to import. Much will depend on the willingness of both the United States and Europe to import raw materials. Here again, a simple extrapolation of recent export development is reasonable.

Altogether, the exports picture indicates a slower growth of exports in future, as liberalisation and German reconstruction will contribute less than before.

---

[7]) The additional complication of exports of other countries affecting their imports, thus creating a multiple set of interdependencies, could be solved by means of a system of fairly simple equations. There is little need, however, to go as far as that.

THE BASIS OF THE FORECASTS

The forecasts start from a more or less hypothetical input-output table for 1960, given below. The latest published input-output table of the Central Bureau of Statistics refers to 1957. This has been brought up to 1960 by means of provisional indices,[8] employing input-output relationships wherever possible, and the result has been condensed to yield a table of 4 branches of industry.

The main reason to select these branches, apart from tradition, was the specific character of each: agriculture with its shrinking labour force, manufacturing which will take most of the investment, services and construction that are more labour intensive, but with construction having a unique destination of its output. Services include transport and housing, but electricity and mining are brought under manufacturing.

This breakdown is about the minimum that would still be of some use. For specific issues, further breakdowns have been made. Investment in housing, for instance, has been estimated separately.

The fact that the 1960 'tableau' is more or less hypothetical detracts little from its usefulness as a basis of the forecast which is mainly concerned with growth, the 1960 figures serving as weights only. Exception to this unconcern about the accuracy of the starting point should be made for variables that fluctuate around zero, such as additions to stocks, including those of gold and foreign exchange. A high stock formation, as is believed to have existed in 1960, and a high surplus on the balance of payments, should not be prolonged indefinitely. This means that national expenditure (not including stock formation) should be expected to rise faster than resources. This difference affects the whole structure of the forecast for the next few years, while it is based on extremely scanty statistical data concerning the stock changes in 1960 (though also on somewhat better information regarding the balance of payments). It is interesting to find the scarcity of statistics on stock changes affecting the quality not only of short-term projections (which is obvious) but also of longer-term forecasts based on supposed conditions in a given year.

The input-output table as given on p. 172 is of the usual type. It should be explained, however, that imports and trade margins have been distributed by destination. The private consumption column thus includes

---

[8] By Mr. J. G. van Beeck of the Central Planning Bureau.

TABLE 1 – Estimated Input-Output Table for 1960 (billions of guilders at 1960 prices)

Inputs	Agriculture	Manu-facturing	Con-struction	Services	Exports	Private con-sumption	Govern-ment con-sumption	Investment in fixed assets	Stock increases	Total
Agriculture	0.92	3.54	—	0.04	1.50	0.82	—	—	0.10	6.92
Manufacturing	1.74	12.58	1.79	2.30	12.98	10.34	0.55	2.71	0.74	45.73
Construction	0.08	0.26	0.47	0.52	0.10	0.25	0.20	4.65	—	6.53
Services	0.30	2.22	0.54	2.54	5.91	10.21	0.47	0.91	0.01	23.11
Imports	0.25	11.09	0.79	2.28	0.43	2.35	0.35	2.24	0.30	20.08
Value added	3.63	16.04	2.94	15.43	—	—	4.05	—	—	42.09
Total	6.92	45.73	6.53	23.11	20.92	23.97	5.62	10.51	1.15	
Investment in fixed assets	0.41	2.98	0.15	5.21	—	—	1.76 [a]	—	—	10.51
Employment (million man-years)	0.45	1.39	0.38	1.66	—	—	0.50	—	—	4.38

[a] Government investment.

in the services row not only the services supplied as such, but also the trade margins on consumer goods, while in the same column a sizeable figure occurs for imports of finished consumer goods, and services, valued c.i.f.

The input-output table shows the flow of investment goods by origin: manufacturing industry (in particular the engineering industry), construction and imports. An additional row distributes investment by destination. Another row shows the distribution of employment (measured in man-years) over the 4 branches of industry, and the Government sector.

The same principles have been followed in the tables for 1965 and 1970 which present the forecast [9]). This forecast will now be discussed column by column.

AGRICULTURE [10])

Agricultural gross output is only partly limited by technology. In the somewhat longer run, the production of pork, eggs, vegetables or fruits can always be increased as fast as demand will allow. Even milk and beef output could be expanded, on the basis of more imports of fodder and increased application of fertilizer to grassland.

Demand, however, is not expected to grow particularly fast. Home demand suffers from a fairly low income elasticity for food (especially if only the raw material content of manufactured foods is taken into account), which may be aggravated by rising relative food prices. Exports are expected to do better, provided a liberalisation of European trade in agricultural products enables foreign consumers to profit from the higher productivity of Netherlands farmers.

While gross output is thus expected to grow at a modest rate, inputs of industrial products, such as fertilizer and tractor fuel, and of imports will tend to rise faster, because it is in this way that agricultural gross output can overtake purely technological progress. The latter will be a steady contribution to growth, but not a very large one, as agricultural practices in the Netherlands are already so near to the technological optimum that little can be expected from a further reduction of the distance to that optimum (which itself is shifting all the time).

---

[9]) The forecast tables were prepared by Messrs. J. H. van de Pas and A. R. G. Heesterman of the Central Planning Bureau, partly on the basis of earlier estimates by Mr. C. J. Schulze.

[10]) Partly based on indications by Mr. A. J. Sissingh of the Central Planning Bureau.

As inputs will rise faster than outputs, value added will tend to grow very slowly indeed. In current prices, agricultural net output may increase somewhat faster, especially if European liberalisation would improve terms of trade to the farmer. It is to be expected, however, that the agricultural income will lag behind the national product as a whole. The only way to keep per capita income in agriculture at par with overall per capita income is to reduce agricultural manpower. This is already happening at a satisfactory rate, which is expected to continue.

A reduction in employment coupled with an expansion of output is only possible through mechanisation and rationalisation. Some investment is therefore required, estimates of which have been based on expert opinion. Assuming the labour released by agricultural investment to show a marginal productivity in other pursuits only slightly below that of the average employed person, the yield of agricultural investment will be of the same order as that assumed for industrial investment. This does not include, however, the subsidized land improvement which is considered part of Government investment.

MANUFACTURING

Already before 1960, export of manufactures had overtaken private consumption (both at producers' prices), and in future years exports are expected still to grow faster than consumption. The export forecasts are based on the considerations given above, viz. a gradual and limited slackening of European demand and an extra-European demand continuing its present growth curve. Private consumption of manufactures will more or less follow the total consumption level, with some competition from imported consumer goods before 1965, as the Common Market facilitates the introduction of foreign products on the home market. After 1965, however, the latter trend is expected to be reversed, as continued high investment will enable home producers to compete on favourable terms with other European manufacturers.

Demand for manufactures is thus expected to grow about as fast as it did in recent years, and supply will be able to keep up with it, provided industrial investment is increased rather sharply.

The amount of investment required has been derived from the expected production increase and the rise in industrial employment. The latter is assumed to be exactly proportional to the growth of the total

TABLE 2 – Estimated Input-Output Table for 1965 (billions of guilders at 1960 prices)

Inputs	Agriculture	Manufacturing	Construction	Services	Exports	Private consumption	Government consumption	Investment in fixed assets	Stock increases	Total
Agriculture	0.98	3.87	—	0.06	1.88	0.90	0.01	—	0.10	7.80
Manufacturing	2.15	17.98	2.45	2.90	18.90	13.24	0.78	3.75	0.64	62.79
Construction	0.10	0.36	0.60	0.64	0.15	0.37	0.28	5.94	—	8.44
Services	0.33	3.09	0.70	3.20	7.38	12.35	0.65	1.20	0.02	28.92
Imports	0.31	16.19	1.07	2.89	0.65	3.60	0.40	3.16	0.24	28.51
Value added	3.93	21.30	3.62	19.23	—	—	4.32	—	—	52.40
Total	7.80	62.79	8.44	28.92	28.96	30.46	6.44	14.05	1.00	
Investment in fixed assets	0.43	5.50	0.20	5.56	—	—	2.36 [a]	—	—	14.05
Employment (million man-years)	0.41	1.50	0.43	1.88	—	—	0.52	—	—	4.74

[a] Government investment.

labour force. A small correction has been applied on account of the probable effective shortening of working time during the 1950–1965 period. The incremental capital-output ratios assumed for the two periods increase slowly from the level reached in recent years. This again makes for heavy industrial investment.

In the first period, industrial investment is supposed to rise much faster than industrial output, partly as compensation for the shortening of working time. This fast growth would continue the trend of the last few years, and would require a further transfer of finance from services to manufacturing. It remains to be seen whether this will be practicable. Should investment in manufacturing lag behind, the demand for labour in manufacturing will be strengthened. It is possible that industrial employment would then rise faster than assumed, and employment in services correspondingly slower. Investment in services could then increase somewhat more than assumed.

The current inputs of manufacturing will not all grow equally fast. As the pattern of industrial output broadens, inter-sectoral flows will show a relative rise. In the first few years imported raw materials and semi-manufactured products will also increase faster than gross output, continuing the 'liberalisation' trend of the fifties. After 1965, however, this movement will largely have spent itself and import substitution will begin to compensate the continuing rise of raw material imports.

Current inputs from agriculture (of which milk is an important component) will probably grow with the output of the agricultural products concerned, and thus lag far behind total industrial output.

CONSTRUCTION

On the demand side, the output of the construction industry is largely governed by investment. There is a long-run tendency for the share of construction in total investment to decline. In the sixties this tendency will probably be strengthened by the fast growth of investment other than residential construction, and by bottle-necks at the supply side.

On the supply side, the output of the construction industry depends on the availability and productivity of labour. The forecasts present about the maximum that can be reasonably expected on this count. Investment per person engaged will probably remain far below that in other sectors. Some improvement in gross output is to be expected from the increased use of ready-made components, supplied by the manufacturing industry or by imports.

SERVICES

Private consumption of services (including trading) is expected to rise somewhat less fast than total consumption. This is due to the replacement of services by durable goods, which is partly a matter of changing technology, and partly of rising relative prices of services. The strong increase of 'imported' services (mainly tourist expenditure) further reduces the share of home-produced services. This tendency is supposed to be particularly strong in the first half of the sixties.

Exports of services (including tourist expenditure in the Netherlands) on the whole has been less buoyant than exports of goods, and this difference is supposed to continue. Little is to be expected in this field from European integration, and shipping and air revenues do not present a particularly bright future.

Total demand for services is thus expected to stay behind that for manufactures, while at the same time new entrants in the labour force will be more attracted by services. This means that a greater part of the additional product can be supplied by increased employment, and less need will arise for investment in services. The latter will show a very slow increase, particularly in the first half of the period (as the level of investment in services reached in 1960 was already very high in relation to the output growth to be expected).

In these estimations of required investment, incremental capital-output ratios have been used that increase slowly from the level observed in the fifties, and all the time stay somewhat above those in manufacturing. The latter fact should favour the transfer of finance from services to manufacturing which will be necessary, especially before 1965. The possibility of substitution of capital for labour in services, together with the reverse substitution in manufacturing, has already been discussed above.

Current inputs into services will deviate little from simple proportionality.

EXPORTS

Individual export flows have already been discussed above, except the re-exports of imported commodities, a phenomenon that tends to increase in importance.

TABLE 3 – Estimated Input-Output Table for 1970 (billions of guilders at 1960 prices)

Inputs	Agriculture	Manufacturing	Construction	Services	Exports	Private consumption	Government consumption	Investment in fixed assets	Stock increases	Total
Agriculture	1.04	4.20	—	0.07	2.35	0.99	0.01	—	0.14	8.80
Manufacturing	2.66	26.25	3.36	3.65	27.26	17.64	0.83	5.34	0.94	87.93
Construction	0.11	0.50	0.77	0.79	0.20	0.50	0.31	7.67	—	10.85
Services	0.38	4.39	0.91	4.03	9.26	15.30	0.70	1.61	0.04	36.62
Imports	0.37	22.98	1.37	3.62	0.98	5.04	0.45	4.27	0.35	39.43
Value added	4.24	29.61	4.44	24.46	—	—	4.60	—	—	67.35
Total	8.80	87.93	10.85	36.62	40.05	39.47	6.90	18.89	1.47	
Investment in fixed assets	0.46	8.05	0.25	6.81	—	—	3.32 [a]	—	—	18.89
Employment (million man-years)	0.37	1.61	0.46	2.09	—	—	0.54	—	—	5.07

[a] Government investment.

Total exports should leave a reasonable surplus over imports. This is borne out by the following estimates of the balance of payments (in billions of guilders):

	1960	1965	1970		1960	1965	1970
Imports of goods and services	20.08	28.51	39.43	Exports of goods and services	20.92	28.96	40.05
Surplus	1.21	0.65	0.82	Net income from abroad	0.37	0.20	0.20
	21.29	29.16	40.25		21.29	29.16	40.25

The net income from abroad, never a very large figure, is not supposed to rise above the average level of the fifties, mainly because of the way in which the surplus on the balance of payments is employed. The latter is destined to make liquidity expand at the same rate as foreign transactions do, i.e., to add to the stock of gold and foreign exchange, and to assist countries in the process of economic development. Neither purpose promises much growth of the net income from abroad.

No change is expected in the average terms of trade.

PRIVATE CONSUMPTION

Total private consumption is the residual item of national expenditure (cf. Table 4).

Gross national saving reached 30 per cent of the gross national product in 1960, and is expected to remain at about that level. This leaves 70 per cent of the gross national product to be spent on government and private consumption.

GOVERNMENT CONSUMPTION

The greater part of government consumption consists of the services rendered by Government employees. The accounting convention followed here is that each of the three kinds of employees – civil, military and teaching – are assigned a 'real output' equal to their average salary in

TABLE 4 – Estimated Income and Expenditure

Domestic product:	Values at 1960 prices, billions of guilders			Index numbers, 1960 = 100	
	1960	1965	1970	1965	1970
Agriculture	3.63	3.93	4.24	108	117
Manufacturing	16.04	21.30	29.61	133	185
Construction	2.94	3.62	4.44	123	151
Services	15.43	19.23	24.46	125	159
Government	4.05	4.32	4.60	107	114
Total	42.09	52.40	67.35	124	160
Net income from abroad	0.37	0.20	0.20	54	54
Gross national product	42.46	52.60	67.55	124	159

	Values at 1960 prices, billions of guilders			Index numbers, 1960 = 100	
	1960	1965	1970	1965	1970
Gross investment in fixed assets	10.51	14.05	18.89	134	180
Stock increase	1.15	1.00	1.47	87	128
Balance of payments surplus	1.21	0.65	0.82	54	68
Total gross saving	12.87	15.70	21.18	122	165
Government consumption	5.62	6.44	6.90	115	123
Private consumption	23.97	30.46	39.47	127	165
National expenditure	42.46	52.60	67.55	124	159

1960. The number of employees is supposed to grow at approximately the same rate as the working population, while shifts between the three categories cause slightly different movements in the value figures shown.

This accounting convention should not be interpreted as inferring ever constant productivities in the three kinds of Government service. It is the same as that normally followed for the computation of gross national product in constant prices (in 'real' terms). Any other convention would have left the other estimates practically undisturbed, except that the savings ratio now kept around 30 per cent might be affected.

The remainder of Government consumption is much less important. In the first half of the sixties the increase will be rather fast, mainly as a result of increased military expenditure. This is supposed to come to an end before 1965.

INVESTMENT IN FIXED ASSETS

Total savings determine investment, after deduction of comparatively small amounts for stock increases and a balance of payments surplus.

Government gross investment is supposed to depend on the growth of the national product, with an elasticity of about 1.3.

The distribution of investment over the other branches is related to the growth of output and employment in the latter.

The effect of growing employment on output was estimated by assuming a marginal productivity of labour equal to the average wage, which itself was supposed to rise with average labour productivity. After deduction of this employment effect from total output growth the remainder was entirely attributed to gross investment. The analysis of output and employment growth and gross investment in the 1953–1960 period provided 'incremental capital-output ratios' between 4 and 5, slightly higher for services than for manufacturing. Both were supposed to rise a little during the sixties.

If now
I_{70} = gross investment in 1970
P_{70} = value added in 1970
L_{70} = employment in 1970
W_{60} = wage bill in 1960
κ = incremental capital-output ratio,

then
$$I_{70} = \kappa P_{70} \left\{ \left(\sqrt[5]{\frac{P_{70}}{P_{65}}} - 1 \right) - \frac{W_{60}}{P_{60}} \left(\sqrt[5]{\frac{L_{70}}{L_{65}}} - 1 \right) \right\}.$$

The 1960–1965 period presented some additional complications on account of the shortening of working time.

No correction was applied for changes in technological progress or wear-and-tear. Little is known about these factors, and the growth rates forecast for the sixties do not differ so much from those in the fifties that corrections would be needed.

Investment in housing has been treated separately. It is supposed to grow from 1.82 billion in 1960 to 2.00 billion in 1965, and 2.20 billion in 1970. The rather limited output capacity of the building industry discussed above makes a faster growth unlikely, although at this rate the existing housing shortage will continue for most of the sixties, while little headway can be made with slum clearance and other improvements.

STOCK INCREASES

These have been based on assumed optimum stock-sales ratios. As stock increases in 1960 tended to increase these ratios, the forecasts for 1965 are lower. It need not be explained why these estimates should not be thought of as exact forecasts applying to the year 1965 only.

UNCERTAINTIES

In the discussion above, several minor uncertainties have been mentioned already, and certain points of tension (e.g., the distribution of investment over manufacturing and services, and the output of the construction industry) have been indicated.

The main uncertainty in the entire structure of the forecasts, however, relates to exports. A rise in total exports of goods and services by 38 per cent between 1960 and 1965, and again between 1965 and 1970 will only be possible if European integration proceeds apace, if no recession occurs in Europe, if the American recessions do not increase in depth, in short, if the very favourable circumstances of recent years continue to exist. Should this happen, then a continued high savings ratio, and profitable investment opportunities will see to it that the national product continues to rise at the rate indicated.

Any interruption in exports, however, will immediately reduce invest-ment, and thereby the speed of further growth. It is difficult to forecast the exact shape of such a less than optimal development. There is not much need to do so either, as structural policies should be based on the high investment and fast growth assumption rather than on an assumption of stagnation or fluctuation. The damage that can be done by a pessimistic policy is much greater than that of a too optimistic policy. The forecaster should, however, bear in mind the essential uncertainty of his estimates, caused in this case by the uncertainty of foreign demand.

In comparison to this, the uncertainty in the production function, i.e., the uncertainty about the effect of investment on output capacity, is much less serious. Should less investment turn out to be sufficient, then the scale of investment can be reduced quickly enough (on account of the limits on export demand it will generally be impossible to increase output). Should more investment be required, then a new choice has to be made between future and present consumption. Within a fairly wide range of uncertainty such a choice remains technically possible.

CHAPTER 6

NATIONAL PRODUCT FORECASTS IN SWITZERLAND

BY

FRANCESCO KNESCHAUREK

*Professor at the Graduate School of Economics and Public Administration,
St. Gallen, Switzerland*

It has become almost a tradition to look upon Switzerland as a political and economic oddity. Although ranking among countries of economically the highest standing, Switzerland has still to be considered as a statistically underdeveloped area. This country does not even have an index of production. Moreover, national accounting is still in its very beginnings and official data for the Gross National Product have been published only quite recently. Only for the Net National Product at market prices – measured from the income side – have data been compiled back to 1938. Figures on Gross National Product are issued by the Federal Bureau of Statistics only since 1955. These figures, however, are so crude (some of the items on the expenditure side are merely residuals) that their value for analytical purposes is very limited. Since no production census has ever been taken in Switzerland, the Gross National Product cannot be split up into the different sectors of production. Similarly, nothing is known about the components of consumers' expenditures, as well as of investments in stocks, machinery and equipment: these items are only shown as residuals. Last but not least, one seeks in vain a general index of employment. Except for manufacturing industry (and even this index is questionable), figures on employment are not compiled in Switzerland, and no particulars at all are available for the important sector of handicraft and small business. The lack of information on the current employment situation in the Service Sector is annoying, since at present more than 45 % of the economically active population in Switzerland is in this sector. Estimates of the economically active population on the basis of the whole population at working age are subject to a considerable range of error since this ratio remains by no means constant, but fluctuates in the short as well as in the long term. Numerous well-intentioned attempts from the private side have already been undertaken to close these gaps in official statistics and on several occasions the author himself tried to contribute to these ends [1].

Detailed estimates however (that match the actual facts the best possible), cannot be made by a single scientist alone, but only by a competent and efficient research group. Because of statistical deficiencies only the most generalised forecasts can be made for Switzerland.

The Swiss Institute of International Economics and Marketing Research has recently launched an extensive research programme in its Department for market analysis and long range economic forecasting. Under this programme an effort is made (the devices of this programme consists in trying – as far as possible –) to split up the available official data in order to establish a more reliable basis for the analysis of the long range development of our country. This research programme, however, has only started yet, and reliable results will not be available for some time. Meanwhile, one can not do more than to work on a very crude model, which is based on the following generalised production function:

$$P = A \cdot p$$

P being the Real Gross National Product
A the economically active population, and
p the productivity of labour, i.e. the volume of GNP per head of active population.

This basic function is also applied to *changes* in the above mentioned variables.

Though this function may undoubtedly be called very 'naive', there is in Switzerland, for the time being, no other choice than to work with such an unambiguous but empirically verifiable model. Moreover, as the experience shows, even 'naive' models may furnish quite good forecasts. In the last resort, the reliability of a forecast depends to a large extent

---

[1] F. KNESCHAUREK: 'Volkswirtschaftliche Gesamtrechnungen als Mittel der Wirtschaftsanalyse und Wirtschaftspolitik', St. Gallen und Zürich (1958).

F. KNESCHAUREK: 'Die Kapitalbildung in der Schweiz 1947 bis 1950', Wirtschaft und Recht, Nr. 2 (1951).

F. KNESCHAUREK: 'Versuch einer schweizerischen Kreislaufrechnung', Schweizerische Zeitschrift für Volkswirtschaft und Statistik, Nr. 4 (1951).

F. KNESCHAUREK: 'Struktur und Entwicklung der aussenwirtschaftlichen Leistungsbilanz der Schweiz', Aussenwirtschaft Nr. 4 (1952).

on the 'prophetic' gift and the personal intuition of the author. Even the highly elaborated model is futile unless it bears the stamp of the logical thinking, the realistic approach, the practical experience and, last but not least, the intuition of the forecaster. The forecast, remaining coupled with the personality of the interpreting economist, its value cannot be assessed a priori on the 'implements' used.

The following schedule reveal the basic concepts on which the data of the above function have been estimated and projected:

Data:	*Underlying concepts:*
1. Active population	1.1. Analysis of the development of total population
	1.2. Analysis of the development of economically active population
	1.3. Analysis of the development of foreign workers in Switzerland
2. Productivity of labour	Refined extrapolation

ad 1.1. Already in 1950 the Federal Bureau of Statistics in Bern published an official estimate on the future development of the Swiss population, excluding, however, migration. Three possible ways of evolution have been chosen, which are based on different rates of births and deaths. Since these estimates date back to 1950 we can compare the forecasts with the actual development during the past ten years. Chart 1 clearly illustrates that the so-called 'Variant 3' suits accurately as a forecasting basis, since the actual development to 1960 nearly coincides with the figures estimated 10 years ago. Meanwhile, the question of prospective migration still remains open. A thorough analysis of the demographic evolution of the last 100 years reveals *regular immigration surpluses* during periods of general economic expansion, which – in the long run – tend to be in a fairly constant proportion of the expansion of the total population.

If we apply this empirical relation to our forecast, we arrive at the evolution of total population as given in Chart 2. For the last 10 years the figures largely coincide with actual development. The given forecast on the expansion of the Swiss population between 1959 and 1975 relies on these considerations. The actual figures are shown in Table 1, column 1.

ad 1.2. More intrinsic difficulties arise in forecasting the probable evolution of the economically *active population*, since the corresponding proportion to total population remains by no means constant. It changes in consequence of:

(a) shifts in the *age structure* of population, especially between the three age groups 1–19, 20–69 and 70 and more years;

(b) variations of the ratio between the economically active population and the population in working age.

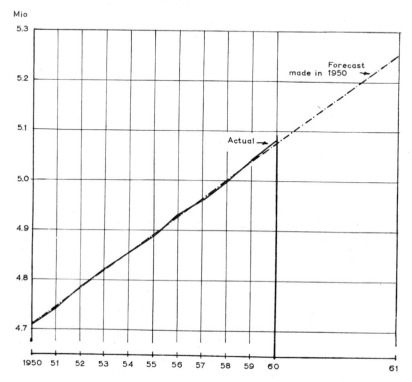

Chart 1.   Actual and forecasted development of Swiss population
(excluding migration)
(The forecast was made in 1950).

A careful analysis of the demographic evolution of Switzerland since 1880 leads to the conclusion that the proportion of the economically active population to total population tends to recede, although deviations from this trend happen to occur in course of time and economic growth [2]).

[2]) For further details cf. the following papers: F. KNESCHAUREK: 'Der Einfluss der Bevölkerungsentwicklung auf die Wirtschaftslage der Schweiz in den nächsten 10–15 Jahren', Industrielle Organisation, Nr. 2 (1956).

F. KNESCHAUREK: 'Das Nachwuchsproblem im Zuge der langfristigen demogra-

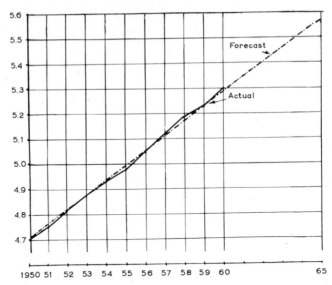

Chart 2. Actual and forecasted development of total Swiss population
(including migration).

The forecast of the economically active population in Switzerland until
1975 has been made on the basis of this analysis.

ad 1.3. A special problem arises from the unusually large number of
foreign workers in Switzerland. In 1960, more than 300,000 foreigners
were employed during the whole year: another 150,000 worked at seasonal peaks in the building industry, in farming and in the hotel industry,
returning to their countries at the end of the respective 'seasons'. The
importance of foreign labour in Switzerland is best illustrated by the fact
that the proportion of foreigners employed to the total economically active
population amounts on the average to 15% and rises at seasonal peaks
to 20% and more. There are sectors of our economy with 40% and more
foreigners employed!

This situation makes a forecast of the economically active population
exceedingly difficult. Thus, not only should the labour market of the
whole of Europe be analysed for this purpose, but also the long-term
growth perspectives of all those countries that compete with Switzerland
on the European labour market as well as those which act as suppliers of

phischen und wirtschaftlichen Entwicklung', Industrielle Organisation, Nr. 8 (1957).
     F. KNESCHAUREK: 'Bevölkerungsprognosen, Wirtschaftsentwicklung und Kon-
junkturpolitik', Industrielle Organisation Nr. 10 (1956).

labour. A preliminary analysis on this topic has been concluded recently.[3])

The estimates in Table 1, column 2 rely mainly on the results of the indicated study which is about to be further refined.

ad 2. As set out before, Switzerland has no index of production, and the GNP cannot yet be accurately split up into the different production segments. Therefore, as regards productivity changes, the forecaster is bound to rely on global data which are deduced from GBP per head of economically active population. Research work to differentiate this crude index is under way: the results, however, are still outstanding.

TABLE 1 – Data for the forecast of Swiss GNP until 1975

Year	Total population	Economically active population	GNP per head of economically active population Swiss francs at 1959 prices	GNP at 1959 prices (Millions Swiss Francs)
	(1)	(2)	(3)	(4)
1959	5,240,000	2,500,000	13,592	33,980
1960	5,292,000	2,528,000	13,850	35,000
1961	5,345,000	2,556,000	14,108	36,060
1962	5,398,000	2,583,000	14,380	37,243
1963	5,452,000	2,612,000	14,638	38,234
1964	5,506,000	2,640,000	14,910	39,360
1965	5,562,000	2,670,000	15,168	40,490
1970	5,848,000	2,815,000	16,405	46,180
1975	6,145,000	2,950,000	17,628	52,000
Index 1959 = 100				
1965	106.1	106.8	111.5	119.1
1970	111.6	112.6	120.6	135.9
1975	117.2	118.0	129.6	153.0

Therefore, the forecast on productivity development until 1975 had to be based on a trend extrapolation. The applied *post-war trend*, however, was not simply projected into the future but partially adjusted according to a careful analysis on the relationship between technical progress, investment and productivity of labour in Switzerland. These relationships furnished a number of additional clues to a more elaborate forecast of the future productivity trend.

---

[3]) Cf. F. KNESCHAUREK: 'Entwicklungstendenzen auf dem europäischen Arbeitsmarkt', Aussenwirtschaft Nr. 1 (1961).

F. KNESCHAUREK: 'Die Beschaffung von Arbeitskraften im westeuropäischen Raum im Zuge eines weiter fortschreitenden wirtschaftlichen Wachstums', Industrielle Organisation Nr. 3 (1961).

Now that all the available data are gathered, we arrive at the estimate of Swiss GNP until 1975. The calculated values are stated in Table 1, column 4. The corresponding diagram presents the final survey of the development since 1938 and the forecasted figures until 1975 [4]).

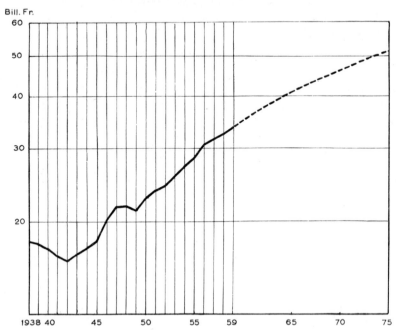

Chart 3. The actual development of Swiss GNP 1938–1959 and the projected development until 1975.

The prospective rate of growth of Swiss GNP reaches the average of 3% per year during the period 1959–1965 and recedes slightly between 1965 and 1970, to 2,8% per year.

At present, a more detailed forecast for the different components of GNP cannot yet be established. We will have for this to wait for the results of the research work under way, and we hope to get reliable figures till the middle of 1962.

---

[4]) The figures for 1938–1954 are based on own estimates. Cf. F. KNESCHAUREK: 'Die volkswirtschaftlichen Gesamtrechnungen als Mittel der Wirtschaftsanalyse und -politik', St. Gallen und Zürich, (1958) Anhang.

CHAPTER 7

EXERCISE IN FORECASTING
THE GROSS DOMESTIC PRODUCT OF
THE UNITED KINGDOM TO 1970

BY

B. M. DEAKIN

The Economist Intelligence Unit, London, England

Forecasts of economic aggregates rely largely on the philosophical determinist thesis that the future is governed by the disposition of determining forces and relationships which are extant in the present and which are therefore open to examination. As in determinist theory, it is held that there exist certain definable patterns of causal relationship which will hold good regardless of time and place. Hypotheses may be derived from these relationships and employed, in conjunction with knowledge of the general and of particular determinants, in order to construct estimates of what is likely to occur in the future.

In this exercise the past is examined for its value in exhibiting the pattern of causal relationships in the economic development of the United Kingdom. The past and the present are searched for the evidence which the general and particular economic determinants can provide concerning their likely future course. A study is made of the general determinants, such as the availability of labour and capital, and of the more particular determinants, such as the trend of consumers' expenditure, export of goods and services, net new domestic capital formation in relation to total capital stock, the productivity of labour and the average and marginal capital output ratios.

By the careful assembly of evidence and by checking one piece of evidence against another, a definable pattern of economic forces emerges; a pattern linked and made meaningful by the hypotheses derived from past experience and knowledge of economic causes and effects. This process would seem to be the essential basis for economic forecasting over any period of future years.

In studying economic trends and inter-relationships it seems at least possible that there may be certain long term economic trends and movements observable over a period of fifty to sixty years which may not be detectable over shorter periods of ten years or so. Conversely, an analysis over the shorter term will almost certainly reveal trends and relationships not observable in a long period analysis. For this reason it is held that in an exercise of medium term forecasting, such as this is, it is necessary to consider trends over both time periods.

In examining long term economic trends, and the theories which have been devised to account for them, an international approach becomes necessary due to the interrelatedness of national economies. The countries which enter international trade on any considerable scale are in some degree interdependent, and therefore world economic development is largely dependent on the progress of the main constituent units. Economic history in this century has shown this to be so and even relatively minor movements in activity in a major industrialised country have led to repercussions in other, trade-related, economies. There can be no doubt that this kind of interrelatedness will continue to exist in the future, though the degree of sensitivity of individual countries to outside changes in either direction clearly alters considerably over time.

In studying long term trends in world economic conditions evidence can be found for postulating the existence of a long wave cycle. This cycle has been studied and its pattern has been determined over a period of more than 150 years. It appears to have a periodicity of fifty to sixty years, though this is subject to qualification; major wars certainly modify the periodicity and are undoubtedly the chief extraneous influence.

A number of economists [1]) have studied the long-term cycles; the general theory of them is concisely set out below.

It is considered that the motive force behind the long-cycle changes is the movement of capital into real investment. The world economy appears to pass through alternating phases of capital hunger and capital satiety. A period of capital hunger is marked in the first instance by an active flow of investment funds into employment. This action will take place inside each economy and will also be manifest in the passing of investment capital between countries: largely represented by a flow of capital from the industrialised and developed countries to those less developed and those which are principally primary-producing. There follows an upswing in general economic activity and an absence of chronic unemployment. Such unemployment as does occur from time to

---

[1]) Principally N. D. Kondratieff, J. A. Schumpeter and Colin Clark; the latter's forecasts for 1960, made in 1942, involved the use of this type of theory.

time in these periods is explicable in terms of a temporary or local maladjustment often due to the redistribution of productive resources as the world economy moves into its expansionist phase. There will follow a long-term increase in the quantum of world trade, which will stem in the first instance from the international capital movements themselves and, later, from the flow of products from the newly developed resources.

In the decades of this century there has been a strong secular movement of labour away from primary production to secondary and, more recently, to tertiary production. In a period of capital flow this trend may be expected to accelerate and to tend to bring about both a rise in world prices, first of primary products and then of manufactured goods. As the supply of primary products is generally inelastic compared with that of the products of secondary and tertiary industry, the prices of primary products will achieve a greater gain and the long-term movement of the terms of trade will be largely governed by this action.

Interest rates in this positive half-cycle will tend generally to be higher than in the capital-sated period, as the demand for investment funds is higher and Government monetary action may be applied as it has been and is now in the United Kingdom and other industrialised countries, to reinforce the money market reaction to the high demand for funds.

It is not clear exactly how the expansionist phase comes to an end. The trade cycle, which is acting all the time on the long wave cycle – Schumpeter [2]) finds six such cycles in each full Kondratieff cycle – tends to have less power on the down-swing in expansionist periods than it does during contractionist half-cycles. It seems that a time comes when the forces which have been sustaining the long term demand for investment capital radically weaken, and thereafter the next downswing of the trade cycle appears to break through some previously effective barrier and to carry the world level of economic activity down to a much lower point. This action initiates the negative half of the long period cycle and the beginning of a twenty-five to thirty year period of capital satiety.

During the negative half cycle growth proceeds at a reduced rate and the period is characterised by a relatively slow flow of capital into investment, by sluggish capital movements between economies, and by chronic unemployment. The quantum of world trade tends to fall, prices to decline and the secular movement of labour from primary production into secondary and tertiary production proceeds at a reduced rate. The

---

[2]) JOSEPH A. SCHUMPETER: Review of Economic Statistics (May 1935).

relative price structure swings the opposite way: primary products declining in value against manufactures.

This, briefly, is the theory of long-term investment cycles.

Empirically, the long-term cycles run as follows:

(1) Expansionist phase, 1850 to about 1875;

(2) Capital-sated period, 1875 to about 1900;

(3) Expansionist phase 1900 to 1929;

(4) Marked contraction of capital flow began in 1930 and was interrupted by the second world war in 1939;

(5) Expansionist phase of great strength began immediately the war ended in 1945 and continues at the present time (1961).

N. D. Kondratieff of the Business Research Institute of Moscow, of which he was at one time the head, is the chief exponent of the long wave cycle theory, a description of which he published in 1925 [3]). He was first attacked by fellow Soviet economists and in later years in the official Soviet Russian Encyclopedia his papers on the long term cycles were dismissed as 'wrong and reactionary'. In 1930 Kondratieff was arrested and deported to Siberia without trial and his name is no longer mentioned in Soviet studies on business cycles. In the west Kondratieff's cycles play an important role in Schumpeter's system and have been studied and extended by Colin Clark in 'The Economics of 1960'. Some criticism of Kondratieff's work appears in the work of George Garvy [4]) who maintains that the theory is only applicable in terms of prices and interest rates. There is truth in this, but the data which Kondratieff uses were scant and necessarily so at the time he was writing. Statistics of macro-economic aggregates covering the period of the past 150 years remain scarce to-day, but some improvements have been made since 1925. The data on which Kondratieff based his theory are given in his second paper and are not repeated in detail here. They fall into two parts: price series and physical quantity series, the latter cover the production and consumption of commodities such as steel, cotton, coal, pig iron, wheat and coffee. No series on net domestic and foreign investment are given and were not then available. Some further data on capital formation in the United Kingdom in terms of constant prices are now available and are given in

[3]) N. D. Kondratieff: 'The Major Economic Cycles', Voprosy Conjunktury (Problems of Economic Conditions) *1* (1925) 28–79. A German translation appears in Archiv für Sozialwissenschaft und Sozialpolitik *56* (1926) 105–115.

[4]) George Garvy: 'Kondratieff's Theory of Long Cycles', Review of Economic Statistics (May 1943) 203–220.

a NIESR study [5]). These statistics are here adapted and grouped into the cyclical periods occurring between 1870 and 1913, a forty-three year period undisturbed by the powerful economic effects of major wars.

Capital flow in the United Kingdom, 1870 to 1913

1. NET DOMESTIC CAPITAL FORMATION (INCLUDING STOCK CHANGES) AND NET OVERSEAS LENDING

Cycle		Annual averages at constant 1912–1913 prices Pounds million	Per caput [a]) annual average (Pounds)
Positive (last 5 years)	1870–1874	135	
Negative (20 years)	1875–1879	83 ⎫	
	1880–1884	136 ⎪ 133	3.8
	1885–1889	166 ⎬	
	1890–1894	148 ⎭	
Positive (first 19 years)	1895–1899	209 ⎫	
	1900–1904	198 ⎪ 237	5.5
	1905–1909	242 ⎬	
	1910–1913 (4 years)	314 ⎭	

2. NET DOMESTIC CAPITAL FORMATION, INCLUDING STOCK CHANGES

Cycle		Annual averages at constant 1912–1913 prices Pounds million	Per caput [a]) annual average (Pounds)
Positive (last 5 years)	1870–1874	93	
Negative (20 years)	1875–1879	77 ⎫	
	1880–1884	90 ⎪ 76	2.2
	1885–1889	70 ⎬	
	1890–1894	69 ⎭	
Positive (first 19 years)	1895–1899	130 ⎫	
	1900–1904	153 ⎪ 119	2.7
	1905–1909	118 ⎬	
	1910–1913 (4 years)	65 ⎭	

[a]) Average population growth over this period was approximately 0.9 per cent per annum.

[5]) NIESR: 'National income and expenditure of the United Kingdom, 1870–1952'. JAMES B. JEFFERYS and DOROTHY WALTERS.

These later statistics generally bear out the Kondratieff theory. They show, in terms of five year averages, the sluggish flow of capital movements in both the domestic economy and in net overseas investment during the capital-sated period 1874 to about 1895 (covered by the five year annual averages from 1875–1879 to 1890–1894). This behaviour is characteristic of the negative half of the Kondratieff cycle; the average annual total capital flow into investment over the twenty year period 1875 to 1894 was £133 million (£3.8 per caput) in terms of constant 1912–1913 prices. After the lower turning point about the end of the century the annual average rate of capital formation in the capital-hungry positive half cycle was £237 million (£5.5 per caput) over the period to 1913 when the cycle was interrupted by the first world war. For net domestic capital formation alone the change in capital flow is similar but rather less marked on a per caput basis.

In this century the influence of major wars on the periodicity of the cycle has been great, and this influence has stemmed from the greatly decreased or even negative rate of capital formation. The second world war came when the capital-sated period, begun in 1929, was some ten years old. The war was world-wide and the destruction and erosion of capital (due to non-replacement and insufficient maintenance) during the six years of the war was very great: far greater it must be assumed than that which occurred in the 1914–1918 war. Statistics of capital in use at the beginning and end of the first world war are not available, but for the second world war Philip Redfern [6]) shows that the value of gross fixed capital in use was £38,235 million at the end of 1947 compared, in terms of constant prices, with £38,522 at the end of 1938. In net terms Redfern shows the value of capital at constant prices declined by 5 per cent in this period. At the lower turning points of the cycle gross domestic capital formation has fallen to low levels but has never fallen as low as is implied by these figures; in terms of 1913 prices gross domestic capital formation amounted to £83 million per annum on average over the years 1875–1979, and was £214.4 million in 1932. It can thus be seen that the influence of wars on these cycles is extremely potent.

Since 1945 a new expansionist period has clearly been in progress. In its early years particularly it was very powerful. The capital flow into investment was large and sustained and the international flow of capital was on an unprecedented scale. For the first seven or eight years of this

---

[6]) PHILIP REDFERN: 'Net investment in fixed assets in the United Kingdom 1938–1953', Journal of the Royal Statistical Society *118*, Part 2 (1955).

period the United Kingdom was on the receiving end of the large post-war international capital movements, but has since returned, in respect of some years and in small measure, to her former position as a net lender of investment funds. Unemployment has been very low in nearly every part of the world economy and, with the important exception of the United States at the present time, there has been an absence of chronic unemployment for over twenty years. The quantum of world trade has moved upwards. World prices have moved in favour of primary producers; the Korean war gave a particularly powerful impetus to this movement. There has been some reaction from it, but the trend continues generally to favour primary producers by comparison with the pre-war terms of trade.

Had there been no second world war the capital-sated period which began in 1929 would have run its expected course by about 1955, at which date a new expansionist phase would have begun. The expansionist half-cycle did in fact begin in full force in 1945 when the war ended. It was thus ten years before its time. In all the major industrialised economies capital assets were run down during the course of the war. In addition, there occurred, in many important manufacturing countries, quite extensive physical destruction of capital assets. It is obviously extremely difficult to assess the precise effect which these events have had on the long-term cycle. It is clear that the cycle has reversed itself prematurely, but what is uncertain is whether the current expansionist half-cycle will attain the pre-1930 average length of twenty-five years. It is primarily a question of whether the demand for new fixed capital needed to make up the loss of capital in the war years, plus the new capital formation required to advance output to meet the civilian demand deferred during the war years, sufficiently cancelled the degree of over-capitalisation present in the world economy in 1939. On empirical data the 1914 to 1918 war can be seen to have added about five years to the concurrent expansionist phase, and it seems likely that the much longer and more destructive second world war has had the effect of shortening by at least ten years the concurrent negative, capital-sated half-cycle. To allow this assumption is to postulate that in theory and in the light of experience the current phase of capital hunger will last until about 1970. This broad forecast of cyclical trends may be expected to vary in direct proportion to the severity of the economic effects of war on the major industrialised countries. The physical destruction of assets was far less important than the depreciation and non-replacement of assets and

the much lower net rate of both endogenous and exogenous capital formation; the latter being virtually nil or negative in many western countries
for the whole six year period. Relatively, the war effect on the United
States economy in respect of capital formation may be judged to have
been rather less severe than that on other major western economies, but
it should be stated here that the second world war induced other, more
lasting, economic consequences many of which are more important in
the United States than elsewhere. These consequences, which in the post-
war period have had the effect of increasing and sustaining total demand,
were not present when the last expansionist half-cycle was ending in the
United States in the late 1920's. Two of the most important of these
factors are as follows:

(a) The role of Government, and particularly that of the Federal Government,
has much increased in the economic sphere. As a purchaser of goods and
services the Federal Government accounted for about 10 per cent of the gross
national product in 1960 compared with just over 1 per cent in 1929. Much of
this large increase is due to expenditure on armaments and this is likely to be a
continuing and fairly stable element in the medium-term future of the economy.
It will not, however, counter a major decline in the private sector which
accounts for about 80 per cent [7]) of the gross national product.
(b) Since 1929 there has been a substantial shift in the pattern of distribution of
personal incomes. The proportion of total incomes below the $ 3,000 mark in
1929 was 64 per cent. In the same terms of constant 1953 dollars, the distribution
about the $ 3,000 level had virtually reversed itself by 1953: there being 65 per
cent above and 35 per cent below. On an alternative comparison [8]), 47 per cent
of all families had incomes in terms of constant prices of less than $ 4,000 in
1947, but this proportion had fallen to 35 per cent by 1959; and, at the upper end
of the income scale, families with real incomes of $ 8,000 and over increased
during this period from 14 per cent of all incomes to 24 per cent. In these
circumstances the savings ratio might be expected to rise. But this has not
occurred, because the propensity to consume has increased sufficiently to offset
the tendency for the larger income receivers to save a higher proportion of
income. Since the post-war spending boom ended in 1948, total personal saving
has remained at an average of about 7 per cent per annum of consumers' disposable income, and the increased propensity to consume of the new, very
large middle group of incomes is a powerful stabilising factor in the economy.
This has been demonstrated by the resilience, in the post-war recessions, of
consumers' expenditure which has levelled off at times but has not fallen in
spite of declining industrial production and employment at these times.

---

[7]) State and local government expenditures account for just under 10 per cent
of GNP.
[8]) Economic Report of the President transmitted to the Congress, (January 1961)
p. 51.

Over the twelve year period 1948 to 1960 the GDP of the USA has increased at an annual average rate of 3.4 per cent in terms of constant prices. In recent years there has occurred some decline in the rate of increase, which has been at the annual average rate of 2.7 per cent over the period 1954 to 1960; a full Schumpeter six year cycle and therefore a valid average to consider comparatively.

Due to the interrelatedness of the world economy and the economic power and world trade influence of the United States, it has been necessary to consider whether the long term cycle is likely to reverse prematurely in the USA and swing the world economy into the negative half-cycle before 1970. There has been some decline in the rate of growth of GDP in the USA, but powerful demand-support factors are operating and there would appear to be no sound reasons for supposing that the total direct and indirect economic influences stemming from the last major war are relatively less powerful in the US than in other major western economies.

Statistical data given earlier indicated that war effect on the rate of capital formation of the United Kingdom economy was very great, probably greater in relative terms than that occurring in the USA. The rate of increase of GDP of the UK has declined, in terms of constant prices, over the post-war period in a way similar to that in the USA: being 2.7 per cent per annum over the twelve year period 1948 to 1960 and 2.1 per cent over the six year period 1954 to 1960. Demand supporting factors similar to those indicated for the USA are also operative.

The long term cycle theory and its applications which have been examined in the first part of this chapter lead to the conclusion that the United Kingdom, together with other major trade related western economies, is passing through the latter part of an expansionary capital-hungry half cycle. A decline into the succeeding negative capital-sated half cycle is unlikely, for the reasons stated, to occur before 1970, though some levelling off as the top of the cycle is attained is likely to occur about that time or perhaps, in some economies, a little earlier. While this conclusion is imprecise and does not provide a definitive forecast of the GDP of the United Kingdom to 1970, it does provide a necessary context within which the medium term analysis of the main macro-economic variables may now be undertaken.

Over the period 1945 to 1958 the United Kingdom economy was almost continuously in a condition of inflation and consequent, directly related, foreign exchange crisis. Four years of acute crisis may be distinguished; 1947, 1949, 1951, and 1957. Superficially these crisis were due to lack of gold and foreign exchange but they were underlaid by a short-fall of supply, and particularly by a failure to supply export markets. All this was a reflection of the destruction and wastage of capital during the war years coupled with an inflated home demand, and the increased need to earn foreign exchange to replace the income from overseas assets sold during the war and to pay for higher imports due to adversely altered terms of trade. Production and productivity increased over the eight years to 1953 to meet these, the most urgent and essential, needs and domestic consumption was directly controlled during this period. Although consumers' expenditure was a relatively low priority and easy to recognise as such, a real dilemma was posed by the twin needs of increased exports and new investment in fixed capital. In the short term, exports often appeared to be the more acute need, yet in the not much longer term new capital investment and replacement was hardly less urgent, and up to about 1953 it was impossible to find sufficient productive resources adequately to satisfy both needs simultaneously. It is only in the last three years that both sectors have in varying degrees been able to make progress together without the need to impose sudden changes in the distribution of resources between them. The balance remains sensitive and many factors are capable of upsetting it.

Domestic consumption expenditures are still restrained in many ways by government action and could at any time be allowed to rise to claim such a share of available resources as would seriously interrupt the flow of resources into the more economically vital spheres of capital investment and exports. Industrial production, GDP and prices would, for a short time, rise vigorously and one is led to the conclusion that in the course of the last nine years the employment of monetary policy through fiscal measures, hire purchase controls and bank rate has assisted in achieving a balance which the economy had not previously experienced in the post-war period. It is also true that the experience thus gained should enable the balance to be maintained in the future. Monetary policy alone is sufficient to control the British economy so long as its fluctuations do not greatly exceed those which have occurred so far in the post-war period. But it is possible to envisage that more powerful forces may, in the future, create greater fluctuations and that these will be too great to be brought under control by monetary and fiscal measures alone. Generally it is from outside that the powerful disruptive forces emanate; but this has not always been so and may not always be so in the future. The delicate and vital balance between consumption, investment and exports can be, and has been, upset by maladjustments and maldistribution within the economy.

The trend and macro-pattern of the U.K. economy since 1948 is illustrated by the statistics set out in Tables 1, 2 and 3. When the pattern and distribution of the components of GDP are analysed in relation to trends and events since 1948, it is possible to define certain practical limits beyond which the balance of the British economic system as it is currently regarded is unlikely to be maintained, and these tabulations of data are the first steps in this process of exploring the limits. The pattern shown is one of a semi-controlled economy working up against its limits of capacity (except when controlled down below it by monetary policy and other official restraints) being drawn forward by the relatively weak pull of export demand while the authorities move regularly to prevent, successfully in recent years but less effectively in the early post-war period, the much stronger pull of domestic demand from forcing the economy forward against the limits of capacity thus causing substantial increases in both prices and imports. In the past three or four years the controls have operated in a climate in which the pull of export demand for British goods has grown sensibly weaker while domestic consumption and, to some extent, investment outlays are held down. A small amount

TABLE 1 – Gross Final Expenditure (Market Prices), 1948 to 1960 (constant average 1954 prices) (£'s million)

Year	Consumers' Expenditure	Public Authorities' current expenditure on goods and services	Gross fixed capital formation at home	Exports of goods and services (excluding income from abroad)	Change in stocks and work in progress	Total
1948	10,706	2,368	1,869	2,623	+ 235	17,801
1949	10,940	2,527	2,039	2,918	+ 35	18,439
1950	11,251	2,548	2,138	3,362	− 240	19,059
1951	11,091	2,754	2,140	3,415	+ 565	19,965
1952	11,032	3,049	2,149	3,384	+ 40	19,654
1953	11,494	3,142	2,382	3,373	+ 130	20,521
1954	12,056	3,139	2,588	3,619	+ 50	21,452
1955	12,638	3,065	2,716	4,103	+ 288	22,810
1956	12,768	3,078	2,850	4,320	+ 275	23,291
1957	13,052	2,982	2,967	4,409	+ 246	23,658
1958	13,387	2,960	3,007	4,267	+ 117	23,738
1959	13,928	3,012	3,188	4,398	+ 147	24,673
1960	14,415	3,100	3,486	4,621	+ 571	26,193

TABLE 2 – Shares in Gross Final Expenditure (Market Prices), 1948 to 1960 (Percentages based on constant average 1954 prices)

Year	Consumers' Expenditure	Public Authorities' current expenditure on goods and services	Gross fixed capital formation at home	Exports of goods and services (excluding income from abroad)	Change in stocks and work in progress	Total
1948	60.14	13.30	10.50	14.74	+ 1.32	100.00
1949	59.27	13.69	11.05	15.80	+ 0.19	100.00
1950	59.03	13.37	11.22	17.64	− 1.26	100.00
1951	55.55	13.79	10.72	17.11	+ 2.83	100.00
1952	56.13	15.51	10.93	17.23	+ 0.20	100.00
1953	56.01	15.31	11.61	16.44	+ 0.63	100.00
1954	56.20	14.64	12.06	16.87	+ 0.23	100.00
1955	55.41	13.44	11.91	17.99	+ 1.25	100.00
1956	54.82	13.22	12.24	18.55	+ 1.17	100.00
1957	55.17	12.60	12.55	18.64	+ 1.04	100.00
1958	56.40	12.47	12.66	17.98	+ 0.49	100.00
1959	56.45	12.21	12.92	17.82	+ 0.60	100.00
1960	55.03	11.84	13.31	17.64	+ 2.18	100.00
Average 1951-1960	55.70	13.40	12.16	17.66	1.08	100.00

TABLE 3 – Gross Domestic Product and Gross and Net Fixed Capital Formation, 1948 to 1960.
(GDP at factor cost; 1954 constant average prices for all aggregates) (£'s million)

Year	GDP at factor cost	Gross Fixed capital formation at home	% of GDP	Capital Consumption	% of GDP	Net new fixed capital formation at home	% of GDP	Gross Fixed Asset formation by manufacturing industry	% of GDP
1948	13,055	1,869	14.32	1,145	8.77	724	5.55	444	3.4
1949	13,459	2,039	15.15	1,171	8.70	868	6.45	502	3.7
1950	13,970	2,138	15.30	1,214	8.69	924	6.61	578	4.1
1951	14,416	2,140	14.84	1,256	8.71	884	6.13	611	4.2
1952	14,473	2,149	14.85	1,289	8.91	860	5.94	585	4.0
1953	15,044	2,382	15.83	1,342	8.92	1,040	6.91	568	3.8
1954	15,739	2,588	16.44	1,401	8.90	1,187	7.54	600	3.8
1955	16,310	2,716	16.65	1,455	8.92	1,261	7.75	665	4.1
1956	16,570	2,850	17.20	1,494	9.02	1,356	8.18	757	4.6
1957	16,863	2,969	17.61	1,538	9.12	1,431	8.49	792	4.7
1958	16,909	3,007	17.78	1,603	9.48	1,404	8.30	753	4.5
1959	17,311	3,188	18.42	1,670	9.65	1,518	8.77	716	4.1
1960	18,112	3,486	19.25	1,744	9.63	1,742	9.62	838	4.6

of unused capacity has arisen, though so far, because of some hoarding of labour, no significant rise has occurred in unemployment, which since 1945 has been at what is generally regarded as the lowest level consistent with workable mobility of labour [9]).

The analysis of total final expenditure at constant average 1954 market prices on Tables 1 and 2 shows the declining share of consumers' expenditure in the total and the rise in the shares accounted for by gross fixed asset formation and by exports. The comparison of net investment in fixed capital stock in relation to GDP over the period 1948 to 1960 shows a true annual average cumulative rate of growth of 2.69 per cent for GDP over the whole period. Similar calculations show annual rates of growth of 0.7 per cent for labour and 3.6 per cent for net capital stock (net of depreciation)[10]). The trends in these aggregates over the period 1948 to 1960 are summarised in the following table.

Growth rates [11]) *in the United Kingdom in GDP, Labour Force and Net Capital Stock, 1948 to 1960*

Year	GDP (Factor cost, 1954 average prices)	Numbers in civil employment	Capital stock [a] (net of depreciation)
1948–1952	2.8	0.6	3.0
1952–1956	3.6	1.3	3.7
1956–1960	2.1	0.4	4.0
1948–1960	2.7	0.7	3.6

[a]) Based on values of net capital stock at 1954 replacement prices.

The gross productivity of capital has clearly been declining, particularly over the last four years. This is illustrated further, in the next two tables, in terms of both average and marginal capital/output ratios.

---

[9]) Since 1945 the number of persons registered as wholly unemployed has never exceeded 1.75 per cent of the working population.

[10]) Regression line equations for period 1948 to 1960

GDP $\log Y = 0.01147 \quad x + 4.18976$

Civil Employment $\log Y = 0.003085 \quad x + 4.3641$

Net Capital Stock $\log Y = 0.015257 \quad x + 4.52661$

[11]) Calculated from least squares regression analyses for each factor.

TABLE 4 – United Kingdom Average Capital: Output Ratios, 1948 to 1960 (£'s million)

Year	1 Net Fixed Capital a) (1954 average prices)	2 GDP at factor cost (1954 average prices)	3 Average Capital: Output ratio
1948	27,536	13,055	2.11 : 1
1949	28,404	13,459	2.11 : 1
1950	29,328	13,970	2.10 : 1
1951	30,212	14,416	2.10 : 1
1952	31,072	14,473	2.15 : 1
1953	32,112	15,044	2.13 : 1
1954	33,299	15,739	2.12 : 1
1955	34,560	16,310	2.12 : 1
1956	35,916	16,570	2 17 : 1
1957	37,347	16,863	2.21 : 1
1958	38,751	16,909	2.29 : 1
1959	40,269	17,311	2.32 : 1
1960	42,011	18,112	2.32 : 1

a) Based on Redfern's figure for end-1947 of £ 38,235 million (1948 prices) for value of net capital stock (including dwellings excluding durable consumer goods). PHILIP REDFERN: 'Net Investment in fixed assets in the United Kingdom 1938–1953', Journal of the Royal Statistical Society *118*, Part 2 (1955).

TABLE 5 – United Kingdom Marginal Capital: Output Ratios, 1949 to 1960 a) (£'s million)

Year	1 Net additions to fixed capital (1954 average) prices)	2 Additions to GDP at factor cost: (average 1954 prices)	3 Marginal Capital: Output ratio
1949–1952	884.0	354.5	2.49 : 1
1953–1956	1,211.0	524.3	2.31 : 1
1957–1960	1,523.8	385.5	3.95 : 1
Average 1949 to 1960	1,206.3	421.4	2.86 : 1
Average 1953 to 1960	1,367.4	454.9	3.01 : 1

a) The statistics are averaged over four year periods to smooth very short year to year fluctuations in the ratio.

Increasing amounts of capital are required each year to produce each unit of output, while labour input has not greatly changed. The rising trend of the capital/output ratio since 1955 and the corresponding fall in the gross productivity of capital may be thought to be due in part to changes in the 'mix' of capital spending. On examination of a breakdown of the net capital stock by end-use given below, the reasons do not seem to lie so much in the direction of more social capital formation and more spending on fixed assets for the less productive nationalised industries, though this has occurred; for real investment in manufacturing business has increased its share of the total stock of capital and the decline in the ratio is therefore likely to owe something to the mis-judgements of investing businessmen. There has, in some years since 1955, been a small, marginal amount of under-capacity working, but even in years of capacity or near-capacity working, such as 1957 and 1959, the capital/output ratio has continued to rise, and the gross productivity of capital to fall.

TABLE 6 – Distribution of the Stock of Fixed Capital in the United Kingdom [a])

	Percentages based on Pounds million at 1954 average prices			
	1938	1947	1953	1959
Agriculture	0.2	0.7	1.3	2.1
Coal mining	0.3	0.4	0.9	1.7
Gas	1.1	0.9	1.1	1.2
Electricity	4.5	4.0	4.7	5.8
Railways	8.9	7.7	6.1	5.2
Shipping	2.9	3.2	3.0	2.9
Roads	2.9	2.7	2.2	1.8
Other public services (including buses, water, harbours and hospitals)	13.8	13.5	13.3	14.4
Dwellings (public and private)	41.0	42.0	40.6	37.4
Other manufacture and commerce	24.4	24.9	26.8	27.5
Total	100	100	100	100

[a]) Based on net fixed stock of capital first calculated by P. REDFERN: 'Net Investment in Fixed Assets in the United Kingdom', Journal of the Royal Statistical Society, (1955). Brought up to date by figures of net investment published in the National Income and Expenditure Blue Books.

The trend of declining gross productivity of capital clearly has its implications for the future. Colin Clark [12]) and others [13]) point to declining capital/output ratios in many countries, though not in the U.K., and the

---

[12]) COLIN CLARK: 'Growthmanship', Hobart Paper 10, Institute of Economic Affairs, London (March 1961).
[13]) DR. ODD AUKRUST: 'Productivity Measurement Review', published by OEEC (February 1959).

increasing importance of the technological or organisational factor in the production function. This factor is variously described; it obviously has something to do with Alfred Marshall's 'organisation' as a factor of production; it is also concerned with technology, and with human skill and education. It could be capital-saving but it is more likely that it would require new, additional capital in application. Clark maintains that growth in an industrialised country is not initiated by, or geared to capital formation but is primarily generated by technological and organisational factors which require new capital for their application. The human, technological and organisational factor cannot easily be measured or defined. Aukrust has made the attempt for the Norwegian economy and he rates its contribution to growth very highly [14]). If, as it seems, it is a factor which, although of increasing importance, cannot yet be measured satisfactorily in statistical terms, it cannot be analysed and its effect on important macro-economic aggregates cannot be assessed; therefore the possibility of forecasting it must accordingly be poor at present. In this analysis the technological factor is incorporated, as it must be, in the gross productivity time series, though two aspects of the factor should be distinguished; these are the technological advances which are incorporated in fixed plant and equipment installed both as replacement and as new additions, and in this sense the value of the embodied technological advance is reflected in the cost of the asset. The second sense in which the factor is undoubtedly important is the organisational one, where the techniques of production engineering and new management and organisational skills are applied to the production process, and in a period in which automation is increasing this aspect of the total technological factor is likely to be of increasing importance in productivity and growth.

Over the past twelve years the rate of increase of the gross productivity of labour in the U.K. has been falling while net new capital formation, measured either as a proportion of GDP or as an increment of net capital stock, has been rising. The productive value of labour and capital conjoined is increasing but at a relatively low and declining rate of increase. This fact is clearly of prime significance in forecasting the future trend of GDP and account is now taken of it.

The trend line fitted according to the equation shown is a quite accurate measure of the decline in the rate of increase of gross productivity

---

[14]) Aukrust maintains that between 1900 and 1955 this factor has contributed on average 1.8 per cent per annum to growth of productivity in Norway.

TABLE 7 – Trend of Actual and Calculated Gross Productivity of Labour in the United Kingdom

Year	1 GDP per head a) (Pounds)	2 Calculated b) GDP per head (Pounds)	3 % increase per annum Column 1	4 % increase per annum Column 2
1948	590	590	...	...
1949	604	604	2.4	2.4
1950	620	619	2.6	2.5
1951	633	633	2.1	2.3
1952	639	647	0.9	2.2
1953	661	661	3.4	2.2
1954	680	674	2.9	2.0
1955	695	687	2.2	1.9
1956	699	699	0.6	1.7
1957	709	711	1.4	1.7
1958	716	722	1.0	1.5
1959	729	733	1.8	1.5
1960	749	743	2.7	1.4
1965	...	782	...	...
1970	...	803	...	...

a) GDP at factor cost, average 1954 prices per head of total number in civil employment.

b) From a second degree least squares regression curve; equation $\log Y = 2.791641 + 0.0102225x - 0.0002287x^2$, where Y is productivity and x is time.

which has taken place over the period 1948 to 1960. If this trend continues into the future then the position in 1965 and 1970 will be very close to the figures shown for these years in Table 7 set out above. By 1970 GDP per head of the employed civil population will still be rising but at the very reduced rate of about 0.4 per cent per annum. This behaviour is not inconsistent with that which might be expected to occur towards the end of the positive half cycle of the long wave trend and, if these figures are applied in conjunction with demographic trends, this calculation will provide a projection of GDP (with adjustment to 1959 prices) to 1970, and this is given later in association with other projections and forecasts.

An alternative method of projecting, using similar data, is the construction of a scatter diagram showing GDP against numbers in civil employment. The co-efficient of correlation is significant at 0.9904, and the 1965 and 1970 forecast figures of civil employment may be written into the correlation formula to give a projection which is quite close to that obtained from the curvilinear projection of gross labour productivity trends in association with labour trends.

The gross productivity of capital has been shown to be declining, and increasing net new additions to capital stock are not sufficient in conjunction with the concurrent rate of technological advance to prevent a decline in the rate of increase of GDP per head of the employed civil population. In 1950 2.10 units of net, depreciated capital stock were on average required to produce one unit of GDP; in 1957 the average amount of capital required was 2.21 and in 1959, 2.32. Over this period the rate of increase of GDP per head fell: it was averaging about 2.5 per cent per annum in 1949, 1950 and 1951, it had fallen to about 1.0 per cent in 1956, 1957 and 1958 but showed some recovery in 1959 and 1960. Technological factors may further promote this very recent upturn, in addition, or perhaps alternatively, businessmen may improve, by better organisation and judgement, the output yield of existing capital and of the new capital they invest; but with the currently high interest rates any reduction from them will not tend to induce business men to be more discriminating in this respect, rather the reverse. On the basis of a projection of the average capital/output ratios for the period 1953 to 1960 it will be necessary by 1970, if GDP is to continue to grow at the rate of 2.7 per cent cumulative per annum, to devote approximately 25 per cent [15]) of the GDP to gross fixed asset formation at home compared with 19.25 per cent in 1960. Such an increase in capital formation could not be undertaken without very considerable disturbance to the balance of the United Kingdom economy. The economy is quite delicately balanced; of the shares in GDP and in total gross final expenditure (see Tables 1, 2 and 3) none has changed by more than four and half percentage points over the past ten years. The main change has been the rise of capital formation financed by increased personal savings and a reduction in the share of total consumer spending. The rate of personal saving is now relatively high: 6.8 per cent of total consumers' disposable incomes compared with 1.8 per cent in 1950. Some further increase in the share accounted for by gross fixed asset formation might be possible without severe inflation or grave disturbance to exports. Since 1951 a shift to gross asset formation at home of 3.95 percentage points has occurred. This shift has been financed

---

[15]) Approximately 14 per cent of GDP, compared with 9.6 per cent in 1960, would be accounted for by net additions to capital stock and 11 per cent by capital consumption, against nearly 10 per cent at present; over the past ten years the national depreciation provision has increased its share of GDP by about one percentage point.

by the very large increase in savings in the personal sector of the economy as shown above. Any further shift must be financed largely from the same source; it is unlikely that very large new capital programmes will be financed by Government from current tax revenues, or that company profits will expand under the pressure of increasing competition and provide much larger amounts of capital than at present. Over the next ten years therefore it will not be compatible with the essential balance of the economy to assume that a further shift to gross fixed asset formation of more than about 3 percentage points can be achieved, in view, particularly, of the present savings ratio and the extent of the rise in this factor since 1950. Such a shift in the use of resources, coupled with some improvement in the rate of increase of output per head through better technology and/or organisation and investment decision could continue the very recent upturn in the rate of increase in output per head and enable a return to be made to the cumulative average rate of increase of 1.95 per cent per annum in the gross productivity of labour which has, on average, occurred each year since 1948. The rate of increase of productivity need not necessarily be curvilinear and declining over the period 1948 to 1970; it may be linear, but there would seem to be no good reasons for believing that it will be any better than linear as measured over a period which included the relatively high rates of increase in productivity of the post war period.

The size of the population in civil employment in the future is largely governed by population changes forecast on the demographic basis of the age and sex structure of the present population. The official forecasts, based on the government statistics of population of working age i.e. 15 to 64, are 34,793 million by 1965 and 34,871 million by 1970 [16]). The population falling within this age range in 1960 was 34,184 million. The greatest increase is therefore to come in the period 1960 to 1965, and in the years 1965 to 1970 the population of working age will be virtually static.

Since about 1955, when there was a considerable increase in the number of married women at work, the proportion of persons in civil employment each year fluctuated narrowly around the 70 per cent level. There are very few, if any, untapped reserves of labour. The armed services are now run down to a level below which they are unlikely to

---

[16]) These forecasts may be modified when the results of the 1961 Census of Population are known.

fall unless there is disarmament. Unemployment is running at less than 2 per cent of the employed civil population. The school leaving age may soon rise to 16, although this effect will tend to be cancelled by people working beyond retiring age. For political reasons migration is unlikely to be an important economic factor over the next ten years. The number of married women at work has increased over the past nine years by an average of 130,000 per annum, but this rate has declined over the past four years to just over 100,000 per annum. The labour shortage, which is likely to continue and to become more acute as the total supply levels off for demographic reasons, will act to attract some more married women to join the labour force. The supply of labour from this source is clearly limited and it is proposed to project this sector at the declining rate of increase which can be observed over the past nine years. The stability of the percentage of the numbers in civil employment of total working population which is observable over the period 1955 to 1960 is the basis for the forecast of the employed labour force as a whole, related to growth of total population of working age, to 1965 and 1970.

FORECAST OF NUMBERS IN CIVIL EMPLOYMENT

(000's)

1960	24,187(a)
1965	24,800
1970	25,150

(a) Provisional

Hours worked have on average changed very little over the 1948 to 1960 period and no significant change is foreseen in the circumstances likely to prevail over the period to 1970.

The forecast rate of growth per annum of numbers in civil employment over the period 1960 to 1970 is 0.43 per cent, and over the period 1948 to 1960 the rate of increase was 0.71 per cent per annum cumulative. To 1965 an annual cumulative average rate of approximately 0.58 per cent is expected to occur and from 1965 to 1970 a rate of 0.29 per cent.

This concludes the medium term supply analysis and it appears that the factors of production which will be available over the next ten years are unlikely for the reasons given to be capable of maintaining the rate of increase of GDP that has obtained over the past twelve years. The labour force will increase less rapidly than before; the rate of increase in productivity has been declining in recent years and increasing amounts of capital input are required to produce additional units of output. If productivity continues its twelve year trend of declining rates of increase per annum, the GDP in 1970, after writing in the forecast labour position will be no more than £23,200 million in terms of 1959 prices. By writing the labour forecasts into the correlation formula [17]) for GDP against the number in civil employment the projection of GDP to 1970 at £23,500 million is very close to that given above. A straight line projection of the capital/output ratio on the base period 1953 to 1960 shows that a shift of about 5.75 percentage points to gross capital formation would have to be made to maintain the growth rate of 2.7 per cent cumulative per annum to 1970, which has been attained on average over the period 1948 to 1960. Such a shift of resources would not be consistent with the maintenance of balance in the British economy. On an examination of past shifts of this type and on past trends in savings in the private sector, it is judged that a shift of about 3 per cent could be made in the period to 1970 within the limits of balance and without undue disturbance, and this would be consistent with a growth rate of about 2.4 per cent per annum. The capital/output ratios referred to were based on the period 1953 to 1960; concurrently the gross productivity of labour increased on average by 1.59 per cent cumulative per annum. Therefore, if no improvement in the use of capital in conjunction with labour occurs, then increased capital formation on the scale considered feasible would allow a linear projection of productivity at the rate of about 1.60 per cent cumulative per annum to 1970. With a labour growth factor of 0.43 per cent cumulative per annum we get a GDP growth rate to 1970 of 2.05 per cent per annum cumulative. Gross capital formation is rising steadily as a proportion of GDP and as a percentage of existing capital stock, and a projection of this magnitude is consistent and compatible with economic balance and therefore feasible. This may be regarded as the lower point forecast of GDP to 1970. The upper point depends on the possibility of a considerable strengthening of export demand and on a consequential improvement of the capital/output ratio through an increase in the yield of the capital/labour/technology function. It cannot reasonably be foreseen that a return could be made to the higher rate of productivity increase which occurred in the period 1948 to 1953 when new capital, admittedly limited in supply, was applied, generally, to the more productive purposes under conditions of inflationary demand. On the other hand, the low rates of increase in the period 1953 to 1960 owe

---

[17]) $Y = 2.4317x - 40,699.5$, where Y is GDP and x is civil employment.

something to lengthy prior periods of restraint on capital formation and the official controls on consumers' spending. A rate calculated from a least squares regression analysis embracing both the best and the worst performances over this period sets, at 1.95 per cent per annum, a level towards which the relevant aggregates appear to be moving. When conjoined with forecast labour force growth to 1970 the rate of increase of GDP to 1970 is 2.38 per cent cumulative per annum. The projected capital/output ratio based on a regression analysis over the same period, 1948 to 1960, would be 2.46 in 1970 (2.32 in 1960) against 2.73 on an analysis based on the years 1953 to 1960. The former is consistent and compatible with the pattern of distribution of resources between consumers' expenditure, exports and gross fixed asset formation, whereas the latter is not compatible at any level of GDP growth above about 2.4 per annum. The question remains whether productivity can and will in fact regain a rate of increase approaching 2.0 per cent cumulative per annum. The answer must lie in part in the sphere of technology and its application to the production process, and in part in the future level of demand and competition which may, if high and strong enough, stimulate additional increases in productivity.

The United Kingdom economy is regulated down by monetary and fiscal controls on consumers' expenditure and capital investment in order to enhance the pull and influence of export demand. At any time additional domestic demand could be released by official action, but in such an event exports would be likely to fall and imports to rise, both to the detriment of the foreign payments position. This situation has been commonly seen over the past fifteen years, and no radical change can be envisaged. As it has happened in the post-war period, export demand coupled with a compatible domestic demand has in most years been sufficient to work the United Kingdom economy at near capacity levels; in some years, due to defective controls on domestic demand, quite severe inflation has occurred. At present some hidden, unused capacity exists in the form of hoarded labour and, if export demand were to strengthen, this amount of unused capacity would be brought into use. Considerable growth in the U.S.A. in the early post-war period and more recently in Europe has led to an expanding world trade and to a declining U.K. share of it which, nevertheless, has been sufficient to enable a 2.7 per cent annual growth rate to be maintained on average over the period 1948 to 1960. Unless the U.K. joins the European Common Market there is very little prospect that export demand and the current competitive position of the United Kingdom will improve sufficiently to bring about the reformation of the industrial structure and the dedicated application of technology to the production process which alone seems likely to raise productivity significantly above the levels forecast above. The forecasting of export demand and the likely economic effects of the United Kingdom joining the European Common Market are subjects which fall outside the scope of this chapter.

On the alternative consideration of a fall in demand for United Kingdom exports the authorities would be obliged to move to correct the position as they have done in the past and the cyclical behaviour which this action causes is likely to be seen in the future as it has in the past. No decline in the volume of international trade of a magnitude such as would render this corrective action seriously ineffective can be foreseen in the context of sustained growth in Europe, stability with reduced growth rates in the United States and a considerable volume of long term development elsewhere in the world financed by governments and international financial institutions.

A summary of the projections and forecasts made in this chapter is set out in the following table.

Summary of Projections and Forecasts of GDP of the United Kingdom to 1970

Projections and Forecasts	Cumulative annual average percentages	Value in terms of constant 1959 prices (Pounds million)
Projections		
1. Curvilinear (based on curve fitted to productivity trends 1948 to 1960, in association with forecasts of employed labour force)	1.16	23,200
2. Correlation (based on GDP and employed labour force in association with labour force forecasts)	1.20	23,500
Forecasts		
Lower limit	2.05	25,550
Upper limit	2.40	26,450

CHAPTER 8

OUTLINE OF A POSSIBLE TEN YEAR PROJECTION FOR THE BRITISH ECONOMY, 1960 TO 1970

BY

C. T. SAUNDERS

Director, National Institute of Economic and Social Research, London, England

INTRODUCTION

There are many different ways of thinking quantitatively about the future of the economy. Probably the most useful way is to set out a series of *objectives* which appear to the author both desirable and practicable, and to examine what instruments might be used to achieve these aims and what obstacles must be overcome. Publication and discussion of such objectives may help in a small way to stimulate their achievement.

This is not, however, the purpose of the present paper. The exercise carried out here is much more modest. It is essentially an *extrapolation* of current trends, allowing, however, for one important change: that Britain enters the European Common Market. It is *assumed* that otherwise the general environment in which the British economy has been operating during the past few years will not change at all radically, and that the reactions of producers and consumers to this environment will also be much the same as in the past. Thus no allowance is made for any substantial change in the terms of trade or in exchange rates. No provision is made for changes in the tax structure which would alter significantly either relative prices or the distribution of incomes after tax.

The British economy has been developing during the 1950's at a rather slow rate – slow in relation to certain periods of our history, slow in relation to growth in the major Western European economies, and slow in relation to what might be possible if the community were prepared to do what is necessary for more rapid progress. The present exercise, based on a rate of growth in total output of $2\frac{3}{4}$ per cent a year, can be regarded as a forecast by any reader who believes that in fact no radical change in trend is at all probable.

I should, however, like to record my own view that a change in trend – a substantial speeding up of the general rate of growth of the British economy – is both desirable and practicable. Indeed a critic may well take the view that a continued slow rate of growth, as assumed here, is the least plausible forecast: because the increase in the competitiveness of British industry required to restore balance of payments equilibrium will, it may be thought, never happen *unless* the rate of growth accelerates enough to stimulate faster technical development and to counteract the persistent pressure for increased money incomes. (The alternative possibilities are devaluation, which would radically change the assumptions; or a halt to the increase in competitiveness of other industrial exporting countries, upon which we can hardly base a projection). The National Institute of Economic and Social Research is, in fact, at present engaged on working out some of the implications of faster growth for the British economy.

Whether the present projection is considered probable or not, it may serve to bring to the surface some of the underlying trends in the *pattern* of the economy. Such changes in pattern would, mostly, be more marked if growth were faster. The modifications would not, of course, be exactly proportionate: some of the changes in pattern have the nature of 'time-trends' which continue over the years whatever the overall rate of growth.

The figure-work in this paper is so far as possible done in terms of the statistics and definitions used in the compilation of the official national accounts for the United Kingdom ('National Income and Expenditure, 1961', Central Statistical Office). Data for earlier years will be found in this source. Throughout the detailed statistical projections, an obviously spurious precision will be observed. The only reason for this is the need to balance figures for the sake of internal consistency. It will be clear, however, that the projections are in fact to be read only as orders of magnitude.

THE GENERAL RATE OF GROWTH

The indicator of the general rate of growth used here is the real gross domestic product per person employed. Productivity, rather than total output, is projected, and applied to a projected change in employment.

During the ten years 1950 to 1960, total output rose by 2.6 per cent a year, and output per head by 2.1 per cent a year. In the past five years, 1955 to 1960, total output was growing rather more slowly — at about

2.4 per cent a year – but the annual rate of growth of output per head was still 2.1 per cent; employment was increasing more slowly. (The years 1950, 1955 and 1960 can be taken as roughly comparable in terms of cyclical developments). The relevant figures are as follows:

	1950 to 1960 Per cent	Annual compound rate of increase 1955 to 1960 Per cent
Gross domestic product	2.6	2.4 [a]
Total employment	0.6	0.3
GDP per head	2.1	2.1

[a]) For the period 1955 to 1960 (but not for 1950–1960), there is a substantial discrepancy of evidence between the growth of output (at factor cost) calculated from statistics of final expenditure (showing an increase of 2.1 per cent a year) and that calculated from statistics of output (showing an increase of 2.6 per cent a year). (See 'National Income and Expenditure 1961' Tables 13 and 14). In the hope that the statistical errors are evenly distributed over both series, the mean of the two calculations is used here.

For the projection to 1970, we therefore adopt an increase in output per head of 2.1 per cent a year. During this period, the rate of increase in employment is likely to rise, mainly because of the entry into the labour force in 1961–1963 of the 'baby boom' of 1946–1948. At the same time, there has been a slow upward trend in the participation rate for women which is assumed to continue. The precise rate of increase in the labour force will, of course, be governed in part by the pressure of demand, as well as by demographic factors [1]). An average rate of increase of 0.7 per cent a year in total employment is adopted here.

From these estimates of productivity and the labour force, a rate of increase in total gross domestic product at constant prices of 2.75 per cent a year from 1960 to 1970 is taken as the starting point of the projection – an increase of 31 per cent in the ten years. A slightly faster rate of growth of total output than that experienced recently seems reasonably consistent with the basic assumption of no change in the general environment. Growth has been interrupted in the past ten years by deliberate

---

[1]) Alternative forecasts of the increase in the labour force from 1960–1965 are given in the National Institute Economic Review (July 1961) page 17. These are based on forecasts of the age structure of the population, with alternative allowances for the trend in participation rates and for migration. The range for 1960–1965 is between 0.9 and 1.3 per cent a year. From 1965 to 1970, the age structure forecast suggests a return to nearly the same rates of increase as in 1955–1960 (about 0.3 per cent a year).

checks imposed by government policy on the expansion of domestic demand – in 1951–1952, in 1956–1958 when there was a prolonged period of stagnation, and again in 1961. No doubt there will be further interruptions in the next ten years, but there is a good chance that the experience of the last ten will make it possible to correct them more speedily.

Imports

Before analyzing the consequences for different kinds of expenditure and output, we must consider the likely development of imports. For the past five or six years, imports have increased in volume much faster than national output [2]). From 1955, when this tendency towards a disproportionate rise in imports became evident, to 1960, the volume of imports of goods and services rose by over 4 per cent a year, while gross national product rose only by 2.4 per cent a year. The increase in import content was due to a number of causes, the most important being the rise in imports of manufactured goods and of oil; in these groups, imports rose conspicuously faster than total national expenditure, while imports of foodstuffs and industrial materials (apart from stock changes) rose no faster than domestic product.

Some of the disproportionate rise in imports was no doubt caused by the delayed effects of the general liberalisation of international trading. Some was due to a fall in import prices relatively to domestic prices; some was due to temporary shortages of competitive goods produced domestically. In 1960, the high level of imports was exaggerated – to the extent of perhaps $1\frac{1}{2}$ per cent – by abnormally large stockbuilding. There may thus have been temporary influences at work which will not persist. On the other hand, entry into the Common Market will clearly give a renewed stimulus to total imports, particularly of manufactures, and the trend towards the use of oil will continue. The trend to increasing expenditure on 'invisible' transactions in goods and services, mainly shipping and travel, must also be expected to continue (although it may be hoped that government overseas expenditure might be stabilised).

Thus it seems reasonable to suppose that total imports of goods and services will continue to rise faster than national output, although the

---

[2]) A more detailed analysis of these tendencies will be found in articles in the National Institute Economic Review (March 1959, March 1960 and May 1961). For a longer term analysis, see also M. FG. SCOTT: 'A Study of British Imports', (Cambridge University Press, 1962).

disproportion may not be so great as in the past five years. Hence the 2.75 per cent a year increase projected for total output is taken to be associated with a 3.5 per cent rise in total imports of goods and services. This rate of increase in imports would allow imports of foodstuffs and materials to increase at the same rate as the gross domestic product (as in the past few years) while imports of manufactures, and also of oil, could rise about twice as fast as the gross domestic product (admittedly somewhat slower than in the past five years). The plausibility of this projection for imports must be judged in the light of the projection for the balance of payments as a whole (dealt with below). Meanwhile, it may be noted that this projection implies a rise in the import content of total national expenditure (gross domestic product plus imports of goods and services) from 20.0 per cent in 1960 (about 19.7 per cent, if abnormal stockbuilding be excluded) to 21.2 per cent in 1970.

THE PATTERN OF DEMAND CHANGES

The assumed rise in output of $2\frac{3}{4}$ per cent a year, together with the rather faster rise in imports suggested above, would lead to an increase in the total volume of goods and services available for private and public consumption, investment and export of almost 3 per cent a year, or 33 per cent in the ten years 1959 to 1969. On this basis, we can proceed to calculate how the cake might be shared out. The results of the calculations, described below, are stated summarily in Table 1. The table also shows for comparison the corresponding changes in the past five years, 1955–1960, since we want particularly to examine how far the pattern as well as the rate of future changes might differ from those of the recent past.

Exports and the Balance of Payments

Perhaps the first test is to consider in what circumstances a rate of growth of national output of $2\frac{3}{4}$ per cent a year might be compatible with balance of payments equilibrium.

It has been suggested above that imports of goods and services might rise in volume by 3.5 per cent a year, or by 41 per cent from 1960 to 1970. In 1960, the current balance was in deficit by £ 344 million. It is clear that exports must rise substantially faster than imports, and, also, sub-

TABLE 1 – Projection of Total Supplies and their Disposal

	1960 £ million	Total 1955–1960	Total 1960–1970	Per annum 1955–1960	Per annum 1960–1970	1970 £ million
SUPPLIES (at factor cost)						
Gross domestic product	22137	10.9 a)	31	2.1 a)	2.75	29000
Imports of goods and services	5540	25.1	41	4.6	3.5	78000
Total supplies	27677	14.3	33	2.7	2.9	36800
DISPOSALS						
At market price						
Consumers' expenditure	16608	14.6	33	2.8	2.9	22065
Public authorities current spending	4189	0.4	25	0.1	2.3	5250
Gross fixed domestic investment	4103	30.6	28	5.5	2.5	5265
Exports of goods and services	5102	12.4	57	2.3	4.6	8000
Increase in volume of stocks and work in progress	591	86.1	—	13.2	—	300
Total expenditure at market prices	30593	15.1	33.6	2.9	2.9	40880
less taxes on expenditure	−3405 ⟩	23.1	33	4.2	2.9	⟨−4530
plus subsidies	489 ⟨					⟨ 450
Total expenditure at factor cost	27677	14.3	33	2.7	2.9	36800

a) As calculated from expenditure data. The gross domestic product calculated from output data shows an increase in 1955–1960 of 13.6 per cent or 2.6 per cent per annum (see page 216).

stantially faster than the increase of 2.3 per cent a year experienced in 1955–1960.

For calculating a more precise figure, Table 2 shows the expansion in exports required to obtain balance of payments equilibrium on our assumptions; 'equilibrium' is taken to imply a current surplus large enough to cover net long term investment and grants. For present purposes, the 'target' for this surplus is put at £ 200 millions. (A surplus of £ 200 millions, as recorded on the present statistical basis, would in fact allow for net long term investment and grants of perhaps as much as

£ 300 millions; over the past few years, there has been a consistent inflow of up to £ 100 millions a year in the 'balancing item' in the official balance of payments estimates and there is reason to believe that this includes a substantial amount of unidentified current transactions). This would allow for long term investment abroad to increase somewhat above recent levels, provided that the increased long term investment by foreigners in the United Kingdom is also maintained.

TABLE 2 – Projection of International Transactions   £ million

	1955	1960	1970 At 1960 prices
	At current prices		
Payments			
Imports of merchandise	3477	4077 ⟩	7800
Other goods and services	1051	1463 ⟩	
Property income	789	1194	1700
Current transfers	69	86	100
Net investment abroad (current surplus)	−166	−344	200
Total payments	5220	6476	9800
Receipts			
Exports of merchandise	3073	3711 ⟩	8000
Other goods and services	1119	1391 ⟩	
Property income	968	1373	1800
Current transfers and other Government receipts	60	1	—
	5220	6476	9800

As Table 2 shows, the projection for imports, together with the target current surplus, and with allowance for a continued fall in net receipts of property income, implies a rise in exports of goods and services from 1960 to 1970 by 57 per cent or 4.6 per cent a year. For our purpose, the projection is applied both to goods and to services (mainly shipping and travel earnings). In view of the wide range of uncertainty about international transactions and the terms of trade, even within the margins set by our general assumptions, such precise calculation is not really justified. It can be regarded only as one possible illustration of the scale of the problem.

As guides to the plausibility of these calculations, the following points may be noted. First, the rise of 4.6 per cent a year in 1960–1970 compares with a rise in the volume of total world trade in manufactures during the *past* five years (1955–1960) of just over 7 per cent a year. If the expansion of world trade in manufactures were to continue at this rate, the projection would still allow for a continued slow fall in the British share of world trade. In fact, however, there have been some temporary influences at work in the recent fast expansion of world trade, in particular the influence of liberalisation in various forms. Hence world trade may not rise so fast as 7 per cent a year in future and the projection for British exports may not be compatible with any further loss in the British share of world trade.

Second, the increase required in exports may be compared with the projected rise in output. The rise of 4.6 per cent a year in exports is substantially greater than the projected rise of 2.75 per cent in the gross domestic product and faster than the rise of 3.6 per cent [3]) in manufacturing output; the latter comparison is perhaps more relevant. This rising share of exports in output is a break with the recent past: in 1955–1960, exports rose at about the same rate (2.3 per cent) as the gross domestic product and represented a falling share of manufacturing output (which rose by 3.0 per cent).

Third, both the considerations set out in the last two paragraphs must be looked at in the light of Britain joining the Common Market. This implies – as pointed out in considering the future trend of imports – a big increase in trade with Continental Europe in both directions. It would be futile to forecast whether imports or exports will increase the most in British trade with Continental Europe, but any projection should allow for a large expansion of both. The projection of imports, described on page 217, does in fact allow for British imports of manufacturers, which will be most affected by entry into the Common Market, to rise about twice as fast as the gross domestic product – that is, by nearly 6 per cent a year. Our export forecast therefore does not *necessarily* imply a substantial gain in British competitiveness in relation to European industrial exporters. The plausibility of the export projection also depends on a steady expansion in British exports outside Europe. Western Europe as a whole (in 1960) accounted for only 29 per cent of total British merchandise exports. It is unlikely – unless British export competitiveness greatly improves – that the bulk of the required increase in total exports

---

[3]) This projection of manufacturing output is the figure implied by the sector breakdown of the rise in gross domestic product. For details, see page 231, and Table 7.

can be looked for in European markets. A gain in British export competitiveness is certainly possible – but it may be regarded as inconsistent with
the general assumptions underlying the present exercise.

Within these general assumptions, the export projection, as calculated
here, may be regarded as possible but not particularly probable. Balance
of payments equilibrium might, of course, be achieved in the right circumstances through a change in exchange rates, or by other special
incentives to export. But it is hardly possible in the present paper
to follow through in statistical detail the possible effect of such changes.

The weight of any export increase must fall on the industries which
have been experiencing an upward trend in the recent past. The rise in
the volume of exports by main commodity groups in 1955–1960 is shown
in Table 3. It is evident in particular that increases in the volume of
exports of at least 5 per cent a year will be needed in engineering products
if the annual increase in exports of goods and services is to reach 4.6 per
cent a year.

A very rough pattern for the future development of exports is also suggested in Table 3. This is based essentially on the assumption that the pat-

TABLE 3 – Projection of the Volume of United Kingdom Exports

	1960 £ million	Percentage increase				1970 £ million
		Total		Per annum		
		1955–1960	1960–1970	1955–1960	1960–1970	
Food, beverages and tobacco	197	18	63	3.3	5	320
Basic materials	126	15	63	2.8	5	205
Fuels	133	4	22	0.7	2	160
Manufactures						
Metals and metal goods	472	9	48	1.7	4	710
Engineering products	1572	18	65	3.4	5	2600
Textiles	261	−17	−10	−3.1	−1	235
Chemicals	317	55	115	9.1	8	680
Other manufactures	379	7	48	1.4	4	560
Total manufactures	3001	16	59	2.9	4.8	4785
Total exports a)	3555	14	57	2.6	4.6	5575

a) Including also postal packages, live animals.

Note: These figures are based on the Trade and Navigation Accounts, and thus differ
from those in Table 2 which are based on the Balance of Payments statistics.

tern of export change, as between industries, should be much the same as in the past five years, with rather greater rates of increase throughout (a slowing down of the rate of decline for textiles). Allowance is however made for a slight slowing down in the very rapid rate of recent expansion in chemical exports.

No importance can be attached to the particular figures but they illustrate a possible pattern of expansion. (Some specific figures must be adopted to allow, later in the paper, for an estimate of the pattern of change in industrial production).

Fixed Investment (Other than Housing)

The rapid increase in investment during the past few years has probably been enough to correct much of the obvious underinvestment of the early post-war period. Since 1955, total fixed investment has risen twice as much as output (see Table 1); excluding houses, investment has risen two and a half times as fast as output. The proportion of fixed investment (excluding houses) to gross domestic product has increased from 12.9 per cent in 1955 to 15.0 per cent in 1960.

Looked at in another way, the total amount of new capital assets installed (again excluding houses) during the six years 1955 to 1960 amounts to about £ 14.3 billions (1954 prices). Meanwhile the annual rate of output has risen (from end–1954 to end–1960, also at 1954 prices) by only about £ 2,500 millions. An apparent incremental ratio of gross investment to output of 5.7 is much higher than can be normal; it would still be very high if allowance could be made for scrapping of assets or for loss of efficiency through obsolescence or wear-and-tear. (A simular calculation for the ten years 1951–1960 shows an incremental ratio of about 5).

This is not to say that there is now a serious overall excess of productive capacity (although there is such an excess in certain industries including steel and motor vehicles, which are large investors and where the big investment projects of the last few years have provided, probably, enough capacity for some time ahead). Nor is it suggested that there is little scope now for modernisation or improvement of production facilities. There was, indeed, excessive pressure on capacity in some industries in 1954–1955, and there still is now in a few branches of capital goods industries. The implication is, however, that in the general environment in which the economy is now operating, and in view of the overall rate

of growth here assumed for the next ten years, the ratio of total investment in total output is not likely to rise very much [4]).

We propose therefore to project for most industries an increase in
gross investment equal to the rise in gross domestic product. There are
some public services, however, where the rate of investment may more
sensibly be taken as rising by rather more than 2.75 per cent a year: these
are railways, water supply, harbours and docks, public road passenger
services, air transport, roads, education, health services and miscellaneous
public services. This group together accounts now for 21 per cent of total
investment (excluding housing) and for them a 3.5 per cent a year increase
in investment is projected. In total, therefore, fixed investment (excluding
housing) is taken as rising by 2.9 per cent a year – very slightly increasing
its proportion of gross domestic product [5]).

The projections used are shown in Table 4. This includes a rough
division between investment in machinery, vehicles and construction
work, the assumption being that the relation between purchases of each
type of asset in each industry will be the same as in 1960. This implies
some change in the pattern of investment from the past five years. In
1955–1960, the biggest increases in investment were in construction work
and in vehicles. This was because of the surge of investment in distribution and some other services which invest chiefly in building and vehicles.
The projections imply a substantial slowing down of the increase in expenditure on building and vehicles, while the rate of increase in expenditure on machinery is roughly maintained.

Housing

Capital expenditure on dwellings (new construction plus major repairs)
has been fluctuating in the past five years, after a very large increase in

---

[4]) Mr. Barna has shown that the capital/output ratio in manufacturing industry in
Britain, in 1956, was about equal to that in Western Germany and the United States,
computed in a comparable way. (T. BARNA: 'Investment in Industry: has Britain
lagged?', The Banker, April 1957).

[5]) This projected investment would mean a gross total of assets installed (excluding houses) during the ten years 1961–1970 of about £ 39 billions; the annual rate
of output (gross domestic product) would meanwhile rise by about £ 4.5 billions (from
end-1960 to end-1970). The incremental gross investment/output ratio is still extremely
high — 8.6, before any deduction for scrapping, obsolescence, etc. But note that even if
investment remained at its 1960 level (£ 3.3 billions) throughout the ten years, the
incremental gross investment/output ratio would still be 7.3. Possibly, on this sort of
calculation, a *fall* in investment below current levels might seem the logical result.
But it hardly seems plausible on any other grounds.

TABLE 4 – Projection of Gross Fixed Domestic Investment

	1960 £ million	Percentage increase				1960 £ million
		Total		Per annum		
		1955–1960	1960–1970	1955–1960	1960–1970	
Plant and machinery	1463	19.7	32	3.6	2.8	1925
Vehicles	664	50.7	34	8.5	3.0	890
Industrial commercial etc. building a)	1223	48.7	35	8.3	3.0	1650
Total, excluding dwellings	3350	35.3	33	6.2	2.9	4465
Dwellings	753	14.2	6	2.7	0.6	800
Total investment	4103	30.6	28	5.5	2.5	5265

a) Includes transfer costs (the national accounts item called 'legal fees, stamp duties, etc.'). This item falls mainly on buildings, but some should in fact be attributed to dwellings.

1951–1954. Expenditure reached a record level in 1960, when 317,000 new houses were built in the United Kingdom, a gross addition to the stock of houses of about 2 per cent. Only a slight increase over the current level of expenditure [6]) would be needed to provide over the next ten years for the expected increase in households, for catching up the remaining deficiency in separate dwellings as compared with the number of households likely to need separate accommodation, and for replacing a fair proportion of the oldest existing houses. This would probably imply continued erection of a considerable proportion of new houses by local authorities at subsidised rents, although the rate of subsidy might fall as incomes rise. The projection (shown in Table 4) thus allows for only a small increase in capital expenditure on houses in the next ten years.

Increase in Stocks and Work in Progress

Investment in stocks and work in progress has been highly variable, and was particularly large in 1960 (nearly £ 600 millions). Over the whole

[6]) See L. NEEDLEMAN: 'A long-term view of housing', National Institute Economic Review (November 1961).

period 1950–1960, the average rate of investment was about £ 250 millions (at 1960 prices); this represents an annual addition to the total of stocks and work in progress of about 2½ per cent a year – about equal to the rate of growth of total output. Since the total value of stocks and works in progress is equal to about half the annual gross domestic product, the 'normal' increase in stocks is taken to be just over 1 per cent of the domestic product. For 1970, this gives a stock accumulation of £ 300 millions.

Total Investment and Saving

As a rough test of the balance of the national economy as projected for 1970, we can bring together the various elements of investment – in fixed assets, in stocks and work in progress, and in investment overseas. These together represent the total saving required (see Table 5).

TABLE 5 – Total investment

	£ millions (current prices)			Per cent of gross national product		
	1955	1960	1970	1955	1960	1970
Gross fixed domestic investment	2797	4103	5265	16.6	18.4	18.1
Increase in volume of stocks and work in progress	300	591	300	1.8	2.6	1.0
Overseas investment (net)	−166	−344	200	−1.0	−1.5	0.7
Total investment and saving	2931	4350	5765	17.4	19.5	19.9
Gross national product	16861	22316	29100	100	100	100

This general picture may be regarded as giving insufficient weight to investment and it certainly holds no more probability than a picture yielding somewhat higher investment. The implication of this projection, particularly of the small increase required in the total investment or savings ratio, while incomes rise considerably, is that the pressure to finance home investment and the foreign balance should somewhat diminish. This may be regarded as somewhat reducing the tendency to price inflation arising from pressures of home demand. But it does not necessarily ease the competitive effort required to maintain the balance of payments.

Public Authorities' Current Expenditure [7])

Since 1953, when it reached its peace-time peak, public authorities' current expenditure on goods and services has been fairly stable. The considerable fall in defence expenditure (now 38 per cent of the total) has been almost offset by the rising trend in civil expenditure – health services and education being the large individual items. Civil expenditure rose by 3.4 per cent a year from 1955 to 1960.

It is assumed that defence expenditure will remain about stable in volume while civil expenditure is taken as rising at about the same rate as in the past five years – which is slightly faster than the assumed future increase in total national output. This gives the following result:

	1960	1970	per cent change per annum	
	£ million 1960 prices		1955–1960	1960–1970
Defence	1597	1600	−3.6	—
Civil	2592	3650	3.4	3.4
	4189	5250	0.1	2.3

Consumers' Expenditure

For a statistical prediction of expenditure derived, like the present one, from a projection of output, some item must be taken as residual. Consumers' expenditure is so treated in this exercise. Several other items (e.g. imports) might equally – and in some circumstances, with greater realism – have been taken as residual. The half-realistic justification for treating consumers as the 'residual' claimants on the national product is that the Government, by manipulation of fiscal and monetary instruments, may aim at roughly adjusting consumers' resources and expenditure to maintain equilibrium.

---

[7]) This item of final expenditure, as defined in the national accounts, is the consolidated current expenditure of Central Government and local authorities on goods and services. It excludes their capital expenditure (which has been treated as part of total fixed investment). It also excludes 'transfer payments', such as National Insurance and National Assistance benefits and debt interest; these are not regarded as direct claims by the Government on the national product.

However, the projection of consumer expenditure, like that of the rest of expenditure, must be assessed on its own merits. Although the precise figure for consumers' expenditure is a balancing item, the projections for other items were framed so as to secure what seems a reasonable order of magnitude for the increase in consumption.

The projection so derived shows an increase of consumers' expenditure over the ten years 1960–1970 by 33 per cent, or 2.9 per cent a year. This is hardly greater than the 2.8 per cent a year rise during 1955–1960; it also implies – repeating the experience of 1955–1960 – a slightly rising share of consumption in gross national product. Population is likely to continue rising by about 0.5 per cent a year. Consumption per head would therefore increase by about 27 per cent, or 2.4 per cent a year. Not much importance need be attached to the exact figure. The significant point is the expectation that the level of consumers' expenditure will rise approximately in line with national output.

The Pattern of Consumers' Expenditure

The projection of consumers' expenditure for each of the main group of goods and services is set out in Table 6, together with figures illustrating the major factors taken into account in each case. The methods of projection are described in Appendix A.

The main factors taken into account were: the trend of consumers' expenditure on the group in the recent past, in relation to the increase in total consumers' expenditure in the period; estimates of expenditure and price elasticities [8] derived from data for the U.K., both before and after the war; and comparisons with expenditure patterns in other countries with different income levels. These are only very rough guides.

Although we are assuming a constant overall price level, some allowance is made (shown in table 6) for changes in *relative* prices of various categories of consumers' goods and services. Such relative price changes have had important effects on the pattern of consumption in the recent past and it would be unrealistic to ignore them for any projection. Broadly, it is assumed that relative prices of manufactured goods will continue to fall with rising relative productivity in the industries concerned, prices of motor vehicles and household appliances falling most; meanwhile relative prices of items including a large proportion of labour cost (fuel,

---

[8] The sources used are shown in the footnotes to Table 6.

TABLE 6 – The Projection of Consumers' Expenditure

	Exp. in 1960 £m. (1)	Estimated elasticities		1955 to 1960						1960 to 1970			1970
		Exp. (2)	Prices (3)	Volume change		Change in prices		Calculated change in volume % (8)	Change in relative price % (9)	Change in volume of exp.		Exp. at 1960 prices £m. (12)
				Total % (4)	P.a. % (5)	Actual % (6)	Relative % (7)			Total % (10)	P.a. % (11)	
Food	4,860	0.6	−0.1	10.5	2.0	+7½	− 4	+ 9	—	20	1.8	5,830
Alcoholic drink	1,001	0.7	−0.8	17.3	3.2	− 2	−14	+21	− 5	30	2.7	1,300
Tobacco	1,140	0.8	−0.6	11.9	2.2	+16	+ 4	+10	—	25	2.3	1,425
Housing (rent, rates & maintenance)	1,513	..	..	5.5	1.1	+36	+20	..	+10	10	1.0	1,670
Fuel and light	739	1.2	−0.6	19.5	3.6	+18	+ 5	+15	+ 5	45	3.8	1,070
Manufactured goods												
Clothing – footwear	289	1.0	− .3	19.1	3.6	+13	+ 1	+14	− 5	35	3.0	390
– other	1,343	1.4	− .3	19.3	3.6	+ 4	− 7	+18	− 5	48	4.0	1,990
Motor vehicles	586	..	..	71.4	11.4	+ 8	− 4	..	−10	110	7.7	1,230
Furniture and floor coverings	377	2.0	−0.6	15.9	3.0	+12	—	+29	− 5	40	3.4	530
Radio, electrical and other durables	400	..	..	20.7	3.8	—	−11	..	−10	40	3.4	560
Other household goods	543	2.0	−1.0	13.3	2.5	+11	− 1	+30	− 5	50	4.1	815
Books, newspapers and magazines	255	..	..	5.7	1.1	+31	+17	..	+10	10	1.0	280
Other manufactures	692	..	..	29.0	5.2	+ 3	− 8	..	− 5	66	5.2	1,150
Total manufactures	4,485			23.9	4.4	..	..	..	..	55	4.5	6,945

TABLE 6 – (continued)

	Exp. in 1960 £m.	Estimated elasticities		1955 to 1960					1960 to 1970			1970
				Volume change		Change in prices		Calculated change in volume %	Change in relative price %	Change in volume of exp.		Exp. at 1960 prices £m.
		Exp.	Prices	Total %	P.a. %	Actual %	Relative %			Total %	P.a. %	
	(1)	(2)	(3)	(4)	(5)	(6)	(7)	(8)	(9)	(10)	(11)	(12)
Vehicle running costs	445	..	..	66.8	10.8	+7	−4	..	—	110	7.7	935
Travel (public services)	573	1.1	−1.8	−1.1	−.2	+25	+11	−7	+5	20	1.8	690
Communications	138	2.0	−0.9	16.9	3.2	+41	+26	—	+5	50	4.1	205
Entertainments	251	1.0	−0.5	−12.3	−2.3	+39	+24	—	+5	20	1.8	300
Domestic service	86	..	..	−27.2	−4.9	+19	+6	$\Big\{$ ..	+5	−50	−4.1	45
Other services	1,268	..	..	10.6	2.0 $\big\}$	..	..	..	+5	20	1.8	1,520
Adjustments a)	109	..	..	12.9	2.4	..	..	..	..	20	1.8	130
Total	16,608	..	..	14.6	2.8	+12	—	..	—	33	2.9	22,065

a) Income in kind not included elsewhere, less expenditure by foreigners in U.K., plus expenditure abroad by British consumers.

Sources: 1955–1960 statistics from 'National Income and Expenditure 1961' (Central Statistical Office).

The sources of the expenditure and price elasticities are:

(i)   The principal source is 'Dynamic Demand Functions' by J. R. N. STONE and D. A. ROWE, (Economic Journal, (June 1958)) based on British time series for 1925–1938 and 1950–1956 and on household budgets for 1937–1938. These are supplemented by later unpublished calculations by D. A. Rowe.

(ii) 'Comparative National Products and Price Levels' by MILTON GILBERT and Associates (OEEC 1957) – elasticities derived from comparisons of real consumption levels between U.K., U.S.A. and Western European countries. This source is used only for travel and communications.

(iii) 'Consumers' Expenditure and Behaviour in the U.K. 1920–1938' by J. R. N. STONE, Vol. 1 (1954). This source is used for the expenditure elasticity for food.

(iv) 'International Comparison of Household Expenditure Patterns' by H. S. HOUTHAKKER, Econometrica (October 1957).

reading matter and most services) should continue to rise. The relative price changes used in the projections are probably rather smaller than might be expected.

Only a few substantial changes in the trend of expenditure arise from these projections. Perhaps the most significant are:

(a) a considerable fall in the recent very high rate of increase of expenditure on motor cars and their operation – from 11 per cent to 8 per cent a year.

(b) a rise in expenditure on public transport (which has been falling) and a faster increase than recently in expenditure on communication services. This expansion of demand might occur only if, as assumed, the rate of increase in the relative prices of these services slows down.

(c) a reversal of the fall in expenditure on entertainments (mainly the cinema) as the adverse effect of television moderates. But the rise in relative prices has been an influence on falling demand in the past, as well as the spread of television, and recovery may, as for public transport, depend on the price rise being slowed down.

Doubt surrounds the projection of a similar rate of increase to that of the past in demand for household appliances ('radio, electrical and other durables'). The recent expansion of demand has been due to the innovation effect e.g. television, as much as to a permanent high income elasticity. There is evidence that this innovation effect is markedly slowing down. The assumption made here, without firm basis, is that demand will now rise more rapidly for other appliances (e.g. improved heating equipment).

There is no evidence in the United Kingdom that expenditure on *services* as a whole has been increasing – or will increase – faster than expenditure on goods, either in volume or at current prices. Part of the reason may be the rise in relative prices of services, which is likely to continue.

THE PROJECTED PATTERN OF GROWTH

We now seek the implications of the projected expenditure pattern for the growth prospects of various industry groups. The method adopted is to divide each industry's output between the relevant expenditure headings (consumption, investment, exports, etc.); we then apply the expected rates of expenditure change in 1960–1970 to expenditure on the output of each industry (allowing also for import changes). This is hardly worth doing in great detail. It is unsafe enough to project domestic expenditure by detailed items; it would be futile to try to project exports in fine detail, and no more elaborate projection of exports is used than that shown in Table 3. The result of the calculations is shown in Table 7, and the method of calculation is outlined in Appendix B.

TABLE 7 – Projection of Output by Industry

	Percentage increases			
	Total		Per annum	
	1955–1960	1960–1970	1955–1960	1960–1970
Agriculture and food manufacturing a)	15	24	3	2
Fuel and power b)	5	20	1	2
Chemicals and allied industries	37	65	$6\frac{1}{2}$	5
Metals, engineering and vehicles	16	50	3	4
Textiles, leather and clothing	3	25	$\frac{1}{2}$	2
Other manufacturing	16	32	3	3
Construction	18	20	3	2
Services	15	26	3	2
Total gross domestic product	13.6 d)	31	2.6 d)	2.75
Total industrial production c)	14.5	38	2.7	3.25
Total manufacturing output	16.0	43	3.0	3.6

a) Including drink and tobacco manufacturing.
b) Mining and quarrying; gas, electricity and water.
c) All groups except agriculture (but including food, drink and tobacco manufacturing) and services.
d) This is the increase shown by *output* data. As pointed out on page 216, expenditure data show a much smaller increase in 1955–1960.

As compared with the assumed increase of 2.75 per cent a year in gross domestic product, industrial production is expected to rise by 3.25 per cent and production of other goods and services by 2.25 per cent (agriculture, transport, distribution, public administration, health and education and all other service trades).

Agriculture, and manufacture of food, drink and tobacco: the increases in output follow closely the increase in consumers' expenditure on these items, which is projected as slowing down slightly.

Fuel and power (mining and gas, electricity and water): the separate implications for coal production and other forms of energy have not been worked out. The maintenance of total coal consumption at approximately current levels, while electricity output continues to rise fast, would be consistent with these projections [9]).

Chemicals and allied trades (including oil refining): the rate of expansion for the industry as a whole has been more than twice as great as hat for total industrial production. This difference is expected to narrow, mainly because the very rapid increase in exports in the last five years – far more than the average for all manufactured goods – is taken as slowing down slightly.

Metals, engineering and vehicles: this very large group of industries, now accounting for half of total industrial production, is expected to expand somewhat faster than in 1955–1960, and well above the average rate for all industries. This is mainly because of the very large increase in exports required, which – if it occurs – must come very largely from this group.

Output of motor cars may expand over the ten years faster than the average of 50 per cent for the whole group, perhaps rising by 75 per cent. There seems no doubt that the capacity now in existence, or already planned to come into operation within the next two or three years, would support an increase in output of this order [10]). The same applies to the capacity for producing the major household appliances. Thus for two obvious growing points in the economy, capacity in total should meet likely demand throughout most of the sixties. But these are competitive industries, and are also subject to substantial short period variations in demand. Hence it is reasonable that capacity should be substantially in excess of the *average* level of demand. It is much more uncertain whether the less conspicuous potential growing points have been foreseen.

Textiles, leather and clothing: for this group, the projections imply an end to the decline of recent years and a moderate expansion in output. The reason for what may seem an over-hopeful forecast is that the fall in exports (now little more than 20 per cent of output) is taken as slowing down.

The clothing industry is not, of course, so much affected as the textile

---

[9]) For a more detailed study, see 'Energy and Expansion', National Institute Economic Review (September, 1960).

[10]) For detailed projections, see 'Prospects for the British car industry', National Institute Economic Review (September, 1961). On the 'central assumptions' made in that article, home demand for cars would more than double between 1960 and 1970 and exports would rise by more than three-quarters. At the same time, imports would also increase greatly. Total output would rise from 1.35 to 2.35 million cars a year. Capacity, now about 1.7 million, is already planned to rise to 2.3 million by 1965.

industries by exports, or by import competition. In the past five years, clothing output has indeed risen 13 per cent while textile output fell by 2 per cent. For the future, the projections imply a continued expansion of clothing, and a reversal of the decline in textiles.

Construction: the rate of expansion is expected to slow down slightly. In 1955–1960, the whole expansion was due to the increase in capital expenditure (nearly two-thirds of output); maintenance expenditure by consumers was stable, although this was about offset by increasing maintenance expenditure by business. For the next ten years, the increase in capital expenditure on construction is expected to slow down.

Broadly speaking, the projections suggest a somewhat more *even* pattern of expansion between the major industry groups than that in the past five years. This is, admittedly, the kind of result that should be treated with caution. It may well arise from the nature of the forecasting process, since it is easier to assume that everything will move alike than to foresee significant differences in the pattern of expansion. Moreover, it is easier to see how the more conspicuous advances of past years will settle down into normal rates of growth, than to forecast what new developments will follow them. The growing points and innovations of the future are not, unfortunately, to be disclosed by the analysis and interpretation of the past on which an exercise such as this must rest.

BASIS FOR THE PROJECTIONS OF CONSUMERS' EXPENDITURE

(Table 6)

The projection of the increase (33 per cent) in total consumers' expenditure at constant prices is given by the main calculation of the balance of resources and demand. For each item, a variety of considerations is taken into account. The following notes show the justification for each of the individual projections.

The general method is: (a) to consider such estimate as are available of income or expenditure and price elasticities; some are derived from time series, some from household budgets and some from international comparisons; they are recorded in colums (2) and (3) of Table 6 and the main sources used are shown at the foot of the Table; (b) to calculate roughly what change would have occurred in the volume of expenditure in 1955–1960 had these elasticities applied (column (8)) and to compare the answer with the actual increase during the period (shown in column (4)); if there is a significant discrepancy, a judgement must be made whether this represents a persistent tendency (e.g. a trend in 'taste') which can be expected to continue, or some temporary feature of 1955–1960; (c) to determine what appears a sensible increase in expenditure in the next ten years in the light of (a) and (b). Allowance is made for some future changes in relative prices (mainly a fall in relative prices of manufactured goods where relative productivity gains should be greatest, and a rise in services where the labour content is largest). The procedure was to consider each item of expenditure independently, the common factor being, however, the projected rise of 33 per cent in total consumers' expenditure. The first result of these independent calculations was a total of about 2 per cent in excess of the pre-determined total; a number of minor adjustments were made to remove this small gap.

Food

The large proportion of expenditure devoted to food (about 30 per cent) makes it important to consider it with some care, since an error in this item would lead to significant compensating errors in other forms of expenditure. Studies of food expenditure based on household budgets, on much of the pre-war historical data and on international comparisons confirm 'Engels' Law' propounded a century ago to the effect that as income rises the proportion spent on food declines. Most of these statistical studies show an expenditure elasticity of about 0.6, so that a rise of 33 per cent in total real expenditure would be accompanied by a rise in expenditure on food of about 20 per cent.

On the other hand, experience of the past twenty years in the U.K., the U.S.A. and some European countries, fails at first sight to bear out the general proposition. Thus in the U.K., the proportion of consumers' expenditure at constant prices devoted to food in 1956–1960 was exactly the same as in 1925–1929, although total consumers' expenditure per head had risen by more than one-third.

However, the experience of the past five years in the U.K., when food expenditure rose 10.5 per cent against a rise in total expenditure of 14.6 per cent, and when relative food prices hardly changed, suggests a tendency for food expenditure to revert to obedience to Engel's Law. This tendency has indeed been strengthened in the most recent period, when the proportion of food to total expenditure has moved as follows:

	At 1954 prices %	At current prices %
1954	31.0	31.0
1955	30.7	31.4
1956	31.0	31.6
1957	30.9	31.3
1958	30.5	30.6
1959	30.0	30.0
1960	29.5	29.3

This seems to justify going back to an expenditure elasticity well under 1 for projection – but only with a great deal of caution. There is no reason to expect any significant change in relative food prices. Hence we project an increase in the volume of food expenditure of 20 per cent over the next ten years, in relation to the assumed rise of 33 per cent in total consumers' expenditure.

It is important to observe that one of the main features influencing food expenditure has been the increase in its manufacturing and distributive content. Such investigations as have been made of the demand for food valued at 'farm-gate' (or c.i.f. import) prices, suggest that on this basis of reckoning the expenditure elasticity is much less than the elasticity at retail prices (the basis for the figure of 0.6 used here). An exceptionally rapid increase during post-war years in this manufacturing and distributive content, slowing down since 1954, may indeed explain the remarkably rapid rise in the volume of food expenditure until recently. The retail demand for food may be considered as consisting of two elements: a demand for basic foods, with an expenditure elasticity of much under $\frac{1}{2}$; and a demand for the manufacturing and distributive content of food as bought, with an expenditure elasticity of 1 or more. Even if demand for basic foods does not rise very much, the output of food manufacturing and processing industries may continue to expand almost as fast as the general average of manufacturing industry.

Alcoholic drink: Estimates of expenditure elasticity are very uncertain. Some pre-war data from household budgets suggest a figure well over 1, but these data are unreliable. Recent data suggest an elasticity of about 0.7. This kind of figure, together with the fall in relative prices, somewhat over-explains the actual rise in consumption since 1955.

Tobacco: The expenditure and price elasticities explain the increase in 1955–1960 fairly accurately and are adopted for the projection.

Housing (rent, rates and maintenance expenditure by occupiers): In the last five years, expenditure on housing at constant prices has risen only 5.5 per cent. The expenditure elasticity is generally found to be less than 1 but over 0.5, so that the increase in expenditure is small. However, very little is known about price elasticities [11]), which may have been a main determining factor; the relative price of housing, mainly because of decontrol of rents, rose as much as 20 per cent in the last five years. Unless the expenditure elasticity is put at well over 1, which is improbable, the price elasticity cannot be more than about –0.5 to explain the recent trend of expenditure.

For the future, an expenditure elasticity of 0.6 is taken, rather arbitrarily; this would give a 20 per cent rise in real expenditure, but because rents (and probably rates and maintenance costs) must be expected to rise relatively to other prices, the increase in expenditure is written down to 10 per cent.

---

[11]) An American study suggests that the price elasticities may be quite high. ('The Demand for Durable Goods', edited by A. C. HARBERGER, (1960)).

Fuel and light: The expenditure and price elasticities should have produced a rather smaller increase in consumption in 1955–1960 than in fact occurred. Temperature variations are important, but do not seem to account for the discrepancy. Recent data suggest that there is a significant upward time trend, which is taken into account in the projection.

Footwear: The expenditure and price elasticities do not fully explain the rise in expenditure in the past five years, but there was a particularly large increase in 1960. The elasticities shown are used for projection.

Other clothing: The expenditure and price elasticities explain the increase in expenditure in 1955–1960 and are adopted for the projection.

Motor vehicles: The expenditure figures cover purchases by the personal sector of new cars and motor cycles and net purchases by the personal sector of second-hand vehicles (mainly from businesses). Estimated business purchases of new cars are excluded.

Expenditure and price elasticities are not the most appropriate way of estimating expenditure on motor vehicles – or on other durable goods. A more satisfactory method is to consider consumers as buying a certain amount of 'car services' each year. To provide these services, a certain 'stock' of vehicles is needed, the value of the 'stock' being related not merely to the number of cars in use but also to their quality in terms of size and age. Changes in this 'stock' can reasonably be related to income and price changes. A given change in the 'stock' can then be related to purchases of new cars by making further assumptions about the rate at which old cars are replaced. Purchases of new cars, in turn, correspond fairly closely with the changes in the volume of consumers' expenditure as estimated in the national accounts (weights being assigned to cars in different size groups, and allowance being made for business purchases).

An explanation of the demand for cars in these terms has been made in the National Institute of Economic and Social Research [12]), with a series of alternative projections for 1970. These forecasts, when applied to the basic assumptions used in the present exercise, suggest that expenditure on motor vehicles would at least nearly double between 1960 and 1970 and might rise by 150 per cent. The differences between the alternatives depend on the assumptions about replacement rates, about the nature of the 'time trend' which historical analysis discloses and other highly uncertain factors. For the present projection, an increase of 110

---

[12]) 'Prospects for the British car industry', National Institute Economic Review (September 1961).

per cent is taken. In terms of the total number of cars in use, this would imply an increase from 5.5 millions in 1960 to about 12.5 millions in 1970 (approximately a car for 2 households in 3).

Furniture and floor coverings: The available estimates of expenditure and price elasticities are very uncertain and variable. They would indicate a much bigger rise in expenditure than actually occurred in 1955–1960. Although the fluctuations in the period are much influenced by changes in hire purchase terms, there is a suggestion of a downward time trend. The projected increase is therefore put fairly low.

Radio, electrical and other durable goods (i.e. household appliances): Expenditure on these items has been subject to a number of special influences apart from expenditure and price elasticities. The long term trend has been heavily influenced by the introduction and rapid growth of television – which now accounts, in terms of expenditure, for half the group; there has also been a rapid spreading of ownership of other major items, notably washing machines, which may not be closely related to the exact rate of increase of income. A very few major items account for most of the expenditure in this group – television sets, radios, refrigerators, washing machines and vacuum cleaners together make up over three-quarters; and the long term trend of expenditure on each of them is subject to different influences.

For four of these major items – those listed above, except radios – a special analysis has been made by the *National Institute of Economic and Social Research* [13]). The trend of demand is examined by reference to the spread of ownership between different income groups; the rate at which ownership seems to be approaching 'saturation'; the probable trend of replacement demand; the influence of relative price changes and other factors. The broad conclusion, looking a few years ahead, is that demand for these items will go on rising, but much more slowly (except perhaps for refrigerators) than it has been rising recently.

In each of these appliances, it seems that manufacturers' expansion plans have run well ahead of the long term trend of demand. This implies that the present highly competitive market will continue.

The long term trends of demand described above are based on a continuation of recent trends in relative prices. But the price elasticities are believed to be quite high (between 1 and 2) and a substantial reduction

---

[13]) L. NEEDLEMAN, 'The demand for domestic appliances', National Institute Economic Review (November, 1960).

in prices could raise the level of demand more than proportionately by speeding up the rate at which ownership rises, or by shortening the average life. Either the introduction of cheaper models, or the reduction of purchase tax, could achieve this result.

In considering demand for household appliances as a whole, it is obviously necessary to give a good deal of weight to the probable slowing down of the increase in demand for these major items. It is always possible, however, that demand for other items in the group will move forward to replace the bursts of expansion for those described above. Radiograms, electric blankets, dry shavers, electric irons and transistor radios are all items on which expenditure is now only about £ 5–10 million a year (as compared with £ 35 million on vacuum cleaners – the smallest of the four appliances described above). In some of the minor items there may be possibilities of great expansion. But it is more likely, perhaps, that expansion on consumers' 'capital' will be diverted to different categories altogether – e.g. to vehicles or to better methods of domestic heating.

For the projection, a rather optimistic view is taken. Expenditure on household appliances in total is taken as increasing by 40 per cent in 1960–1970 – only slightly more slowly than in 1955–1960 (3.4 per cent a year against 3.8 per cent). This is in fact likely to be achieved only by a very considerable expansion of sales of items which are now of very small importance, or by considerable reductions in prices (perhaps much bigger than the 10 per cent fall in relative prices which is projected).

Other household goods (household textiles, soft furnishings, hardware, matches, cleaning materials, etc.): The expenditure and price elasticities suggest a much larger increase in 1955–1960 than actually occurred. They are considerably written down for the projection.

Books, newspapers and magazines: No satisfactory elasticities are available. In 1955–1960, there was only a 6 per cent increase in real expenditure on the group as a whole; indeed the volume of expenditure has hardly increased in the last ten years. Although spending on books rose more than a quarter in 1955–1960, expenditure on newspapers and magazines was stationary. This was partly due, no doubt, to the appearance of rival forms of entertainment, but the very considerable (17 per cent) increase in relative prices must have had a great deal to do with it. (The item resembles the pure service trades, in which relative prices rose heavily and expenditure at constant prices fell. Like the service trades, the production of reading matter is very labour-intensive). A continued rise in relative prices must be expected, but the competition of television may now be approaching its limits, so a small (10 per cent) rise in expenditure is projected.

Other manufactured goods (chemists' goods, recreational goods and miscellaneous): No satisfactory elasticities are available. The same annual rate of increase as in 1955–1960 is projected.

Running costs of vehicles: No satisfactory elasticities are available. Expenditure on this item must be related to the stock of vehicles and is projected to increase (as in 1955–1960) at about the same rate.

Travel–public services: The only elasticities available are those derived from international comparisons. These suggest an expenditure elasticity of 1 or more, but a very high price elasticity. The latter could explain the slight fall in real expenditure in 1955–1960 when relative prices rose 12 per cent. (Relative prices have been rising only since 1956, and it was then that expenditure began to drop. From 1950 to 1956, when relative prices were stable, real expenditure was rising slightly). On the same basis, allowing for only a small further rise in relative prices, real expenditure might increase in 1960–1970.

Communications (postal, telephone and telegraph services): Again, the only elasticities available are those derived from international comparisons. These do not explain the quite large increase in real expenditure in 1955–1960 when relative prices rose more than for any other item. The increase, however, was mostly in expenditure on telephone services and must have been largely due to making up the shortage of equipment. As the expenditure elasticity is high (at 2.0), and as relative prices may not rise so much in future, a large increase in expenditure is projected.

Entertainment: In view of the impact of television, an expenditure elasticity cannot easily be calculated from post-war data; the pre-war expenditure elasticity was around 1. Relative prices rose heavily – enough to offset the effect of rising incomes. The fall in expenditure in 1955–1960 may be regarded as due to the special influence of television. There seems a reasonable chance that expenditure in cinemas (accounting for a quarter of the total) will not fall so quickly now that the rate at which television ownership expands is likely to slow down; and real expenditure on other entertainments may continue to rise slowly as it has done recently. Hence a small rise in expenditure is projected for 1960–1970.

Domestic service: There seems to be every chance that real expenditure (equivalent to the number of persons employed) will continue to fall and that relative prices will continue to rise.

Other services: The official estimates for these items are very uncertain, as are the methods of evaluating expenditure at constant prices. The category is very large, containing some items with high expenditure elasticities and others (e.g. funeral services) which are little affected by income changes. In 1955–1960, the increase in real expenditure on the whole class was distinctly less than the rise in total expenditure and a similar relationship is projected for 1960–1970.

Subsidies and taxes on expenditure: The original projection of the gross domestic product and total supplies was made on valuations at *factor cost.* But the projection of the different forms of final expenditure – including consumers' expenditure which is the residue (see page 227) – can be done satisfactorily only in valuations at *market prices.* Hence a preliminary estimate had to be made of the total yield of expenditure taxes and of the cost of subsidies in order to arrive at the precise figure for projected consumers' expenditure. Since over 80 per cent of the net incidence of expenditure taxes and subsidies falls on consumers' expenditure – falling in very different proportions on the different items – the projected change in the detailed analysis of consumers' expenditure had to be roughly anticipated.

When the detailed projection of consumers' expenditure at market prices was completed (see Table 6), it was possible to calculate the yield of taxes and cost of subsidies on each item. This was done by assuming that the ratio of expenditure taxes and subsidies to total expenditure on each item in Table 6 remained the same as in 1960 [14]), except that the ratio of subsidies (mainly on food and housing) would fall somewhat.

In essence, the assumption is therefore that expenditure taxes will remain constant at 1960 rates, but that the 'rates' of subsidy per unit of expenditure will fall slightly.

It was then necessary to ensure consistency of the detailed calculation of expenditure taxes and subsidies on consumption with the original rough calculation of total expenditure taxes and subsidies. The test was to see whether the implied residual figure for taxes on expenditure and subsidies on expenditure other than consumption appeared reasonable. The results are shown in the table below.

The calculated residue thus increases by 29 per cent from 1960 to 1970. This appears reasonable in the light of the projected rise in expenditure other than consumption and the preliminary calculations of the total therefore seems acceptable.

---

[14]) The national accounts show the estimated expenditure taxes and subsidies for each item of consumers' expenditure.

Net total of Expenditure Taxes less Subsidies £ million

	1960 £ mn.	1970 £ mn.	Per cent change
Preliminary estimate of total	2916	4080	+40
Falling on consumption (detailed estimates)	2450	3480	+42
Residue falling on other expenditure	466	600	+29

It will incidentally be noted that the net total of expenditure taxes less subsidies is shown as increasing somewhat faster than total real consumers' expenditure. This is chiefly because the major expenditure taxes are of two kinds: the excise taxes on drink and tobacco – items with expenditure elasticities of less than 1; and the purchase tax, falling mainly on items originally regarded as 'luxuries' and for which expenditure elasticities are well over 1. (Local rates, treated as an expenditure tax, are another example of the first group, and the taxes on hydrocarbon oils another example of the second group). On balance, the greater than average rise in expenditure on the 'luxuries' more than offsets the effects on the tax yield of the less than average rise in expenditure on drink and tobacco.

PROJECTION OF THE GROWTH PATTERN BY INDUSTRIAL SECTORS

This appendix shows how the projected changes in expenditure are roughly converted into output changes in the major industrial groups (as summarised in Table 7). The general principle is to apply the projected expenditure changes to the output of the most appropriate industry groups. This necessarily leads to considerable errors: first, because the expenditure headings cannot as a rule be accurately identified with particular industry groups; second, because the calculations would not allow for changing import proportions. In the hope of getting a rather more accurate answer, the procedure is first applied to the actual data for 1955—1960; the obvious discrepancies resulting from the procedure in that period can be considered, and corresponding adjustments made to be projections where desirable [15]).

The procedure is described below (as worked out for each industry in the following table):

Column (1): The allocation of the output in 1955 of each industry, between the various forms of final expenditure, is set out. The figures are taken from 'Input-Output tables for the United Kingdom, 1954' (Board of Trade and Central Statistical Office, 1961), Table 8. The original figures relate to 1954, but no correction is made for any change in shares in 1955. The allocation covers both direct and indirect uses of the output of each industry.

Column (2): Increases in the volume of final expenditure in the period 1955–1960 (as shown in the national accounts) are then applied to the most appropriate industry (e.g. consumption of clothing to textiles, leather and clothing; the weighted average of consumption of vehicles

---

[15]) The calculations could, of course, have been done more scientifically by applying 1954 input-output coefficients – the only ones available – to the 1970 bill of goods (after testing the success of these coefficients for predicting outputs in 1960 from 1960 expenditures, and after making any corrections required). This would have had the advantage of including more accurately the secondary effects an outputs of changes in final expenditures. This method was not adopted because the cruder method used seemed adequate in view of the low degree of detail in the projected bill of goods and the need to consider empirically each of the adjustments.

*Expenditure and Output Changes by Sector in 1955–1960
and Projections for 1960–1970*

	Allocation of output 1955 per cent	Change in expenditure 1955–1960 per cent	Output in 1960 (Total output in 1955 = 100)		Allocation of output in 1960	Change in expenditure 1960–1970 per cent	Output in 1970 (Total output in 1960 = 100)	
			Calculated	Adjusted			Calculated	Adjusted
	(1)	(2)	(3)	(4)	(5)	(6)	(7)	(8)
Agriculture and food, drink and tobacco								
Consumption	95	11	105	109	95	21	115	—
Government	—	—	—	—	—	—	—	—
Investment	—	—	—	—	—	—	—	—
Stocks	1	—	1	1	1	—	2	—
Exports	4	18	5	5	4	63	6	—
Total	100		111	115	100		123	124
Fuel and power [a])								
Consumption	62	20	74	70	67	45	97	—
Government	10	—	10	9	9	25	11	—
Investment	14	—	14	13	12	28	15	—
Stocks	−1	—	−2	−2	−2	—	3	—
Exports	15	4	16	15	14	22	17	—
Total	100		112	105	100		143	120
Chemicals and allied industries								
Consumption	45	15	52	55	40	33	53	—
Government	12	—	12	13	9	25	11	—
Investment	10	31	13	14	10	28	13	—
Stocks	2	—	4	4	3	—	3	—
Exports	31	55	48	51	38	115	82	—
Total	100		129	137	100		162	165
Metals, engineering and vehicles								
Consumption	21	50	31	30	26	90	49	—
Government	17	−20	12	11	9	10	10	—
Investment	28	40	39	37	32	33	43	—
Stocks	—	400	1	1	1	—	3	—
Exports	34	16	39	37	32	61	51	—
Total	100		122	116	100		156	150

[a]) Mining and quarrying; gas, electricity and water.

	Allocation of output 1955 per cent	Change in expenditure 1955–1960 per cent	Output in 1960 (Total output in 1955 = 100)		Allocation of output in 1960	Change in expenditure 1960–1970 per cent	Output in 1970 (Total output in 1960 = 100)	
			Calcu-lated	Ad-justed			Calcu-lated	Ad-justed
	(1)	(2)	(3)	(4)	(5)	(6)	(7)	(8)
Textiles, leather and clothing								
Consumption	61	19	72	69	67	45	97	—
Government	4	—	4	4	4	25	5	—
Investment	3	31	4	4	4	28	5	—
Stocks	3	—	3	3	3	—	2	—
Exports	29	−17	24	23	22	−10	20	—
Total	100		107	103	100		129	125
Other manufacturing								
Consumption	51	18	60	59	51	49	73	—
Government	10	—	10	10	9	25	11	—
Investment	17	31	22	22	19	28	24	—
Stocks	2	—	4	4	3	—	3	—
Exports	20	7	21	21	18	48	27	—
Total	100		117	116	100		138	132
Construction								
Consumption	23	—	23	23	19	15	22	—
Government	12	−10	12	12	10	28	13	—
Investment	63	29	81	79	67	23	82	—
Stocks	−1	—	1	1	1	—	2	—
Exports	3	—	3	3	3	(50)	4	—
Total	100		120	118	100		123	120
Services (including public administration etc.)								
Consumption	61	6	65	69	60	18	71	—
Government	16	5	17	18	16	33	21	—
Investment	6	31	8	8	7	28	9	—
Exports	17	(10)	19	20	17	(50)	26	—
Total	100		109	115	100		127	126

and radio, electrical etc. goods to metals and engineering, etc.). In some cases, there is no such obvious correspondence. For example, for the output of chemicals, allocated (mainly indirectly) to consumption, the indicator used is total consumers' expenditure. Again, total investment is used as an indicator for the small output allocated to investment of the chemical, textile, 'other manufacturing' and service industries.

Column (3): We then estimate the change in output from 1955 to 1960, for each form of final expenditure and in total, resulting from the application of the expenditure changes to each industry.

Column (4): The resulting total output index for each industry shown in column (4) can then be compared with the *actual* index of output. For example, the calculated total output index for chemicals in 1960 comes to 129 (1955=100), but the output index in 1960 was in fact 137. There are various reasons for this kind of discrepancy, and only a *pro rata* adjustment can be made. In most industries, the tendency of this procedure is to over-estimate the rise in output, but for some – including 'services' – the procedure under-estimates it. A possible explanation is that the 'service' content of each line of output has been increasing, but much more refined work would be necessary to establish such an explanation.

Column (5): From column (4), we can thus arrive at an estimated percentage allocation of output between final uses in 1960. This cannot be at all accurate, but at least affords a somewhat firmer base for projection than the output allocation of 1954.

Columns (6) and (7): We then apply the projected increases in expenditure for 1960–1970 (taken from various tables in the paper) to the estimates of the output allocation of 1960. This results in a calculated increase for 1960–1970 in the total output of each industry group. (Note that in each industry except 'services', it is assumed that investment in stocks will in 1970 represent 2 per cent of total output; this is consistent with the general assumption about aggregate investment in stocks).

Column (8): When added up, with 1960 net output weights, the calculated increases in output from column 7 result in an increase of gross domestic product by 35 per cent between 1960 and 1970. But the basis of the whole exercise is an increase in output of 31 per cent. A main reason for the difference is probably that imports are projected to increase faster than gross domestic product. Adjustments are then made to bring the total increase in output back to 31 per cent, taking into account the corresponding adjustment required to reconcile the output increases in 1955–1960.

CHAPTER 9

PREFACE TO THE OSLO CHANNEL MODEL
A SURVEY OF TYPES OF ECONOMIC FORECASTING
AND PROGRAMMING

BY

RAGNAR FRISCH

Institute of Economics, University of Oslo, Norway

FIRST STAGE: THE ON-LOOKER APPROACH

The most primitive approach to medium and long term forecasting is a mechanical *trend extrapolation* for some specific variable which one may be interested in, or a mechanical trend extrapolation made separately for each of a number of variables.

Such a rough procedure may be of some use in very simple problems where accuracy is not essential and where the growth process of the phenomena in question is conspicuously stable. An example in point might be the extrapolation of the total population figure in an area where no immigration or emigration is likely to take place and the age composition and birth and death forces have been very stable in the past and are likely to remain so. Another example is an extrapolation of the 'development' of the national product in a stagnant economy where no economic reforms or other economic initiative are likely to occur.

In most cases, however, a more refined approach is needed. One will attempt to extrapolate *simultaneously* several demographic or economic variables, tying them together in their mutual dependency through a more or less elaborate dynamic model. Cases in point are population forecasts built on the classical interrelations between birth and death forces, immigration and emigration rates etc., or the extrapolation of the configuration of an economy built on some growth model of an aggregated or of a more sectorized sort.

The essential point in forecasts of these sorts is that the future course of any specific one of the variables – or constants – considered will throw light on the course of the others. All of the variables and constants should therefore be considered simultaneously. The essential point in this connection is not whether a magnitude is assumed to be variable or constant in the future, but whether it is deemed necessary to include it in the model or not. A magnitude has to be included in the model either because we like to forecast it for its own sake or because we need to do it since it is structurally connected with one or more variables which we like to forecast for their own sake.

Forecasts of this sort have methodologically something in common with the simultaneous smoothing of geodetic observations which are by definition connected by the geometric properties of the triangulation network used. Stochastic theory tells us that such a simultaneous smoothing will give higher precision than that obtained by smoothing each element separately. And for many practical purposes it is, of course, essential that the smoothed magnitudes correctly satisfy the definitional relations, and perhaps certain other relations.

In one respect the problem of demographic and economic forecasts differs, however, from that of the simultaneous smoothing of geodetic observations. In the forecasts many of the elements, which mutually influence each other, are not actually observed, but must be guessed at.

This leads logically to an analysis which does not yield one definite forecast but rather yields a number of *alternative* forecasts, each of them being derived from a specific combination of assumptions regarding the future course of some of the elements that are structurally tied together.

To make such alternative forecasts in the most effective way one must begin by analyzing carefully the number of degrees of freedom in the dynamic model used. And this being done, one must transform the relations of the model in such a way that the future course of all the unknowns is expressed in terms of the evolution – or levels – of the elements in a *basis set*. This basis set must contain some (inside the model independent) elements – variables or constants – equal in number to the number of degrees of freedom in the model. And this set should be chosen in a particular way, namely such that alternative values of these basis variables can generate the variety of forecasting alternatives (probable or improbable) in which we are most interested. All this can be thrown into more precise stochastic statements which it is, however, unnecessary to go into details about here.

The most plausible forecasting alternatives will be those which correspond to *alternative guesses* at the basis elements in this set up. Through the basis elements the alternative forecasts are systematized.

The simplest example of this sort of analysis is an economic forecast based on a growth model which is so aggregated that the time evolution of its variables is determined by a few elements such as the capital-to-output ratio and the savings rate, and on a guess at the (perhaps constant) magnitudes of these few elements. And, lest we forget, on a scrutiny of the existing initial conditions.

One feature which is common to all these analyses that aim at systematizing alternative guesses, is that the attitude of the analyst is simply that of an on-looker. He simply tries to guess at what will happen without making any systematic attempt at finding out what somebody – the Government or a private organization or a coalition of private organizations – *ought to* do if they want to influence the course of affairs [1]).

In forecasts of the on-looker type a very serious problem is produced by what may be called the *publication effect*. In a free – or semi-free – market *economy* where private institutions and individuals are in the main left free to act according to what they think are their own interests, it will frequently happen that the very publication of an on-looker forecast will start a chain of reactions that *work counter* to the realization of the published forecast. This is an additional factor which often considerably increases the difficulty in a free or semi-free economy of making on-looker forecasts that do not deviate too much from subsequent observations.

Whether such deviations are nationally desirable or not is another question. In a semi-free economy where Government publishes economic targets – a situation which already goes beyond the on-looker attitude, cf. the second and the third stage below – the authorities may try to anticipate the reactions of the free part of the economy and not publish the goals they actually want to reach but something different which they calculate will enduce – through the publication effect – the free part of the economy to act in such a way as to lead the economy towards the goals which the authorities desire. When the free sector discovers this policy, it may take account of it and try to figure out what the true goals of the authorities actually are. The authorities may in turn try to take account even of this aspect of the behaviour of the free part of the

---

[1]) The on-looker may, of course, take a decision model of the kind discussed under the third stage below and use it, not for a policy oriented comparison of alternative choices of values of instrument variables, nor for a full-fledged programming, but simply for his on-looker purpose. He would then insert for the instrument variables his *guess* about the probable actions of Government. This procedure, however, will not change his on-looker attitude.

economy. And so on. This may start an endless game and supergame between the authorities and the free part of the economy, which raises a far-reaching question of public honesty in a semi-free economy. This aspect will not be discussed here.

In a more authoritatively steered economy the publication effect operates in a different setting. It may here be used to stimulate the efforts of institutions and individuals for fulfilment of national targets. This stimulation should not be carried so far as to cause an overfulfilment which entails a non-optimal allocation of national resources. But, of course, any overfulfilment which is made possible solely through a more effective utilization of allocated resources or an intensification of labour input or of the alertness and co-operative attitude of management will be only to the good.

SECOND STAGE: THE AD HOC INSTRUMENT APPROACH

Once the emphasis is shifted from the on-looker viewpoint to that of influencing the course of affairs, the analytical picture changes. Certain elements – variables or constants – will now attract particular interest, namely those which can be fixed in a rather direct way at will, at least within certain limits. They may be termed the parameters of action or the instruments or the *decisional elements*. In the most primitive version of this influencing-the-course-of-affairs approach one may perhaps not get so far as to discuss a complete model with a well defined number of degrees of freedom. One may not get further than simply picking ad hoc one or a few relations which connect some variables one would like to see evolve in a certain way, with some other variables which appear to be susceptible of direct control, at least to some extent.

The inadequacy of such an approach is obvious: In this analysis one is not even able to indicate which combinations of instrument fixations are in fact *feasible* from the viewpoint of the totality of all the realistically relevant relations that prevail in the economy. Before an analytical tool for describing this feasibility is available, no practically useful results can be produced. An ad hoc and haphazard fixation now of one instrument now of another – each time with some specific target in view – may indeed lead to quite unexpected, even chaotic, results, producing extreme tensions and contradictions in the economic structure. An ad hoc instrument approach to forecasting and programming is, therefore, warranted only as a very first and tentative preparation for a *further analysis* that does lead to a precise dynamic model with a well defined number of degrees of freedom.

THIRD STAGE: THE FEASIBLE INSTRUMENT APPROACH

In the ad hoc instrument approach there was no coherent model. In the most refined form of the on-looker approach a coherent model was used, and in the feasible instrument approach a coherent model is also used but there is a difference.

When the emphasis is shifted towards the viewpoint of influencing the course of affairs and it is wanted to carry the analysis through in a logical way with emphasis on the feasibility of instrument selections, the principle for the selection of basis variables will be different from what it is in the on-looker approach. One will now try to select as basis elements as many as possible of the elements that have the character of instruments.

As a rule one will not be able to find a sufficient number of instruments to cover all the degrees of freedom in the model. This means that one or more *exogenous* elements will have to be left in the basis set. And the time evolution of these exogenous elements will have to be guessed at. For each such guess one may consider several alternative fixations of the decisional elements, each such fixation leading to a well defined forecast for the evolution of all the variables considered. In this way one will be able to systematize the possible alternative projections which it is worthwhile to consider in a study of ways and means to influence the course of affairs.

If the problem is coded for an automatic computer in such a way that the assumptions about the exogenous and the decisional elements can easily be changed, it will be a simple matter to run a whole series of alternative projections. One will be able to play national economic simulation games much in the same way as the military strategists play battles and even wars on the electronic computer.

During the last generation the shift from the on-looker viewpoint to the decision viewpoint has become more and more prevalent in economic thinking all over the world as witnessed, for instance, by the world-wide United Nations survey 'Evaluation of long-term economic projects', E 3379, 1960, produced in response to resolutions by the Social and Economic Council and the General Assembly. In most countries this shift in viewpoint is, however, based on a sort of half-logic which I have never been able to understand and which, I think, will never be able to yield fundamental solutions. On one hand one still retains the on-looker view-point, and tries to make projections on this basis (growth models of the current types). And on the other hand one will *afterwards* try to use such projections as a basis for decisions. How can it be possible to make a projection without knowing the decisions that will basically influence the course of affairs? It is as if the policy maker would say to the economic expert: 'Now you expert try to guess what I am going to do, and make your estimate accordingly. On the basis of the factual information I thus receive I will then decide what to do.' The shift from the on-looker view-point to the decision viewpoint must be founded on a much more co-herent form of logic. It must be based on a *decision model*, i.e. a model where the possible decisions are built in *explicitly* as essential variables. A more recent United Nations publication, 'Industrialization and Pro-ductivity', Bulletin 4, April 1961, moves away from this sort of half-logic and begins to approch the programming problem on a more rational basis.

One basically important aspect of this more rational approach to a study of feasible instrument choices is the need for *continuous co-operation* between the responsible authorities – whether Government or private – and the analytical experts. Only through such a co-operation with dem-onstration of alternatives will it be possible to map out to the authorities the feasible alternatives and to help them understand which one – or which ones – amongst the feasible alternatives are the most desirable from their own viewpoint. To develop a technique of discussing feasible policy alternatives in such a scientific way is one of the most burning needs in economic policy making to-day. This applies no matter whether the country has a democratic political structure of the Western type or an authoritarian structure or one of the mixed forms which are typical, for instance, for the developing countries of Asia and Africa that have only recently gained their independence.

Such a scientific approach to economic policy making is not least needed in connection with the activities which are now being organized in practically all the materially developed countries of the West in order to aid the materially underdeveloped countries towards an economic take off. The interest in the West in this great cause and the enthusiasm in the developing countries themselves are some of the really comforting aspects of the world of to-day. But this activity has its real dangers. It may lead to a headlong plunge without a sufficiently careful study of how the development – and the aid to development – should be undertaken. Such a plunge may do more harm than good. Crucial questions which must be seriously considered in this connection are: What *sorts of investments* will be the most profitable ones from the national viewpoint? The manner and directions of capital utilization is probably an even more important problem than the lack of capital in the developing countries. And not to be forgotten is the parallel problem of what sorts of economic policies for the *current account* activities are most conducive to the goals one has in mind. A sensible answer to these questions depends not only on a careful study of the special conditions and traditions of the developing countries themselves and on a genuine co-operation with the national leaders in the developing countries – an aspect of the problem which is so obvious that hardly anybody can overlook it – but it also depends on a really effective technique of medium and long range economic forecasting and programming, and this aspect of the problem is far from being generally recognized. Here is where enlightenment on a scientific technique for discussing feasible alternatives in national economic policy making is indispensable. Techniques of the on-looker or ad hoc instrument kinds are inadequate.

Even a scientific technique for discussions on feasible alternatives is only a preliminary step towards rationalization of economic policy making. But it is at the present stage indispensable as a move in the right direction. It will pave the way and educate the public and the authorities towards an understanding of what is really needed: the optimalization approach to economic policy making.

FOURTH STAGE: THE OPTIMALIZATION APPROACH

When the effort to map out a spectrum of feasible alternatives has gone on for a while, the conclusion will inevitably force itself upon the public and the authorities that the number of feasible alternatives is so great that it is impossible to keep track of them simply by listing them and looking at them.

It will then be understood that one needs an analytical technique for picking that one – or those – alternatives that are in some sense of the word the *optimum* ones.

This leads directly to the problem of *mathematical programming* applied to economics. Not only to economic programming in individual enterprises, but to economic programming regarding measures to be taken in the economic system at large. We need mathematical optimalization at the national – or even international level.

The Preference Function

Any such programming technique must be based on a definition of the nature of the preference function to be applied in national – or even international – economic policy.

This admittedly is a difficult problem that needs to be studied in all seriousness. During the last years I have worked so much both on the theoretical and on the practical aspects of this that I have been able to reach a rather definite opinion. I am convinced that the preference function problem for an economy at large can be solved when it is approached in an intelligent and cautious way.[1a]) Some details of an interview technique to be applied in this problem is discussed in several Oslo memoranda, in particular in [2] and [24].

The preference function cannot be formulated in one stroke. It can only be done through a series of attempts based on continuous co-operation between the responsible authorities and the analytical experts. A series of tentative solutions with different alternative formulations of the preference function (and of some of the bounds in the problem and other side conditions) is needed. In a sense we are thus back again to a study of alternatives, but they are now alternatives on a higher level in the hierarchy of analytical techniques.

This aspect of the problem assumes a specific significance in the democratic societies of the Western kind. Experience has shown that the *long term* rate of growth in the Western economies lags considerably behind that of the Soviet Union. In the cyclical ups and downs in the West there may be certain – perhaps relatively short – phases where the *actual* rate of growth comes at least near to that in the East (Western Germany, France and Italy in recent years). But such rates cannot be sustained as a long term tendency. We know too well that at times there is a frightening decline nearly to stagnation (the United States and Great Britain). A high long term growth rate can only be sustained through some form of national planning. Still better, of course, would be rational planning on a many-country level, for instance on an all Western Europe level, if an agree-

---

[1a]) This opinion is based not least on extensive interviews with leading policy makers.

ment about genuine economic planning at this level could be realized.

In an ideal Western form of planning – nationally or internationally – the way in which the preference function is fixed plays an absolutely fundamental role. In the Western kind of democracy the preference function cannot and should not be formulated *by dictate from above*. All layers of the population should participate in shaping its final form. How can this be done?

The solution must be that different political parties and different organizations which are engaged in economic questions at a national level formulate – in co-operation with analytical experts – the particular preference functions they want to suggest (and the particular extra conditions they want to impose on the problem). The optimal solution for economic policy measures which emerges from such a setting of the problem should be computed by the experts. And it should be published and *made the object of a public debate.*

It is impossible for the general public to see and understand all the direct and indirect repercussions of a specific economic policy measure or a set of such measures. Therefore when the public debate gravitates around such a specific measure or set of measures – as has practically always been the case in the West – the debate must be confused and superficial and ineffective. But the results of an optimal solution – arrived at by a conscientious and sound analysis by the experts – can be described in understandable terms. In particular the long term rate of growth which emerges from such a solution will be a fundamental feature easily understood.

Such solutions will have a power of persuasion enormously superior to lengthy verbal arguments. *It is therefore alternative optimal solutions and not alternative specific measures that should form the object of public debate.* On the basis of such discussions the responsible democratic authority should make the final choice of the preference function (and the particular extra conditions to be imposed).

From the viewpoint of public understanding the situation under such a system would be much the same as when there is a public debate, say, on the organization of a new social security scheme. In many such questions heavy actuarial computations are involved of which the general public understands nothing. But this does not prevent the enlightened layman from forming a very definite opinion on what the *results* of the actuarial computations *mean* from the viewpoint of social welfare and social justice in general.

To carry such techniques of analysis and debate over into the field of optimum choice of economic policy making at the national level is the crucial problem of the Western democracies to-day.

This is what I would like to call *liberty-planning*. It is planning under liberty, and at the same time it is planning *for* liberty because the safe-guarding of a long term substantial rate of economic growth is a sine qua non for the continued existence of the Western democracies in a world of economic competition from the East.

Three Alternatives for the Future

The development of these techniques of analysis has such an enormous perspective for the Western democracies and such a basic meaning for the role which we as social scientists and social technicians are called upon to play in the history of the human race, that I must add a few words.

Seen in wide perspective there are three alternatives for the future.

The first alternative is what was at least until recently the Chinese thesis, namely that an atomic war might after all be an efficient way to get rid of the West. Of the enormous Chinese population at least one or two hundred millions would probably be left.

The second alternative is the Soviet thesis that atomic war must by all means be avoided not only because of its unbelievable horrors but also because it is entirely unnecessary. It suffices to let the West continue in its stubborn planlessness. It will then rapidly be lagging behind econom-ically and will in due time fall from the tree like an overripe pear. This is their basic philosophy of peaceful coexistence.

The third alternative is that the West will at the last moment wake up and understand the situation in the world to-day and see the need for rational economic planning.

On the whole and as a general tendency the thinking and efforts of the West to-day are actually directed towards things which, as I see it, only constitute wrinkles in the surface of the problem. This even applies to its military alliances and it certainly applies to its efforts in the econom-ic field. In this respect there is not a great deal of difference between countries with conservative Governments and countries with so-called socialist Governments.

This general tendency is clearly exemplified in the agreements and activities of the six common market countries. The general philosophy here is to revive what might be called the unenlightened financialism.

That is to say a laissez faire regime with free markets, free opportunities for big business, the private profit motive as the guiding criterion for what are the best investments and so on. This unenlightened financialism was the system that some centuries ago, at the end of the age of enlightenment, replaced absolute monarchy, e.i. replaced what might be called enlightened despotism. The unenlightened financialism which superceded the enlightened despotism was supposed to work so automatically that it did not need any enlightenment. To-day the tendency in the West is to revive this unenlightened financialism and only make it applicable within larger and larger geographical areas.

There are perhaps some tiny signs that point in another direction. In the recent declaration of Punta del Este in Uruguay signed by all the states in the organization of American states (the Council of American states) – including the United States – some reference is made to economic planning, and in the coming negotiations between Great Britain and the six countries of the Common market there is perhaps a slight possibility that some very mild sort of economic planning may be considered. I have indeed been told that in Brussels the bureaucrats of the Commission of the European Economic Community are not as convinced of the wisdom of unenlightened financialism as most of the politicians are. But these various manifestations of a tendency towards some sort of Western planning are as yet only very tiny beams of light. The massive background of the economic efforts of the West to-day is still a stubborn insistence on unenlightened financialism.

It is my deepest conviction that if this situation continues, the West will be hopelessly lost in its competition with the East. The outcome will be the end of the Western kind of democracy.

If it is to be at all possible to save the Western democracies, we must find a way to safeguard the freedom and ethical and moral dignity of the individual in the true spirit of the age of enlightenment and at the same time achieve full and effective use of all resources, natural resources as well as human know-how. This goal can never be reached through unenlightened financialism, but it has become technically possible since the advent of the electronic computer and the econometric methods. These aids to analysis have removed at least what was previously a technical obstacle to the third alternative. The question is whether the West will use these technical tools intensively and in a truly rational form of liberty-planning with emphasis not only on pecuniary measures of output, national income etc., but even more on *social goals*. This implies inter alia breaking the power of private finance to exploit humans – in materially underdeveloped and highly developed countries alike – .

This is the perspective in which we should view our role as social scientists and social technicians. And this is the spirit in which my own labours and those of the Oslo Economic Institute have in all humility been guided in the last 10 or 20 years.

These various aspects of the optimalization approach I must consider in some detail.

A Few Historical Remarks

As far as I know the first elaborate attempt at discussing economic programming for the economy at large along the lines of the feasible instrument approach and the optimalization approach was the one contained in my memorandum 'Price-Wage-Tax-Subsidy Policies as Instruments in Maintaining Optimal Employment' (UN Document E|Cn. 1| Sub. 2|13, 18 April 1949) to the United Nations Sub-Commission on Employment and Economic Stability.

It is pathetic to think of the way this attempt was received at that time. But it is encouraging to think how much the atmosphere has changed since then, even though it has not yet changed as much as is needed for the survival of the democracies of the Western type.

My attempt at that time was built on what I called the Submodel. Its mathematical structure was prepared in advance in the Oslo University Institute of Economics and it was quantified by the use of Norwegian data. The data were far from being as good as I had wanted, but they could at least serve as an illustration of the type of analysis which I then thought – and still think – is absolutely necessary for reaching real solutions of problems for the economy at large, national and international. The mathematical model had 14 degrees of freedom. It was later published in Metroeconomica, cf. [18].

Naturally I did not dare to reveal this mathematical background to the Commission at that time, but I had brought along extensive mimeographed tables to display what sorts of feasible policy alternatives were available, and also to show examples of optimal solutions.

I tried, of course, to present the idea as simply and briefly as possible, but even so it was quite obvious that the members of the Commission got more and more into a state of panic in the face of such terrible waste of the Commission's precious time. And they felt great relief when I had finished my exposé.

This reception of the first attempt did not stop the efforts of the Oslo University Institute of Economics towards developing practical forms of programming techniques for the economy at large. Through generous grants from the Rockefeller Foundation and Norwegian sources – which I gratefully acknowledge also in the present connection – we have been able to continue the work.

As the years went by I not only found it necessary to concentrate on effective forms of the economic models and on the processing of the actual data needed and on a technique for co-operation with responsible authorities – one Norwegian Government member gave a considerable amount of his time for experiments along this line [2]) – but I also was led to consider further developments of computational techniques particularly adapted to the kind of mathematical programming problems encountered in our research.

The outcome was the multiplex method which has by now stood the acid test of solving big linear programming problems on an electronic computer at very low cost. In this connection I feel it a pleasant duty to give credit to the highly competent and constructive contribution made by Mr. Ole-Johan Dahl, mathematician and coding expert connected with the electronic computer of the Norwegian Defence Organization.

In a series of problems each involving approximately ten thousand coefficients (the big number of coefficients was due to the necessity of considering the dynamic repercussions over a number of years) the actual computing cost by the multiplex method on our Ferranti Mercury Computer turned out to be approximately one tenth of the cost estimate received from a big European computing office using the revised simplex on IBM 704. For other types of problems the comparison may, of course, give a different result.

The principles of the multiplex method were first published in Sankhyā [3]. Subsequently other authors – obviously without knowledge of the multiplex method – have worked along similar lines. In a new and fertile field it would indeed be strange if valuable ideas should not occur to several researchers nearly simultaneously. Without attempting anything like a complete bibliography I may mention the works of J. B. Rosen and G. Zoutendijk [4].

Prior to the elaboration of the multiplex method I had published

---

[2]) He has now consented to the disclosing of his name. It was Mr. Trygve Bratteli, then Minister of Finance, now Minister of Transportation.

what I called the double gradient form of the logarithmic potential method. I used this method successfully on small problems. I abandoned, however, this method because I felt that it could not easily be mechanized for automatic computation. Recently the logarithmic potential idea has been taken up again and incorporated in a modified form in the method of Georges R. Parisot [5]. I have not tested Mr. Parisot's method numerically and will, therefore, reserve final opinion on the practical usefulness of his method. In this connection mention should also be made of the works of Tomasz Pietrzykowski [6].

The multiplex method has also been worked out for the case of linear bounds and a mixed linear and quadratic preference function with negative definite quadratic form. This was reported on at the Tokyo Meeting of the International Statistical Institute [7], and elaborated upon in a subsequent memorandum [8]. This version only involves very little additional cost as compared to the strictly linear case. A rather non-technical description of this version was given in the volume in honour of Professor Johan Åkerman [9]. We have also in an experimental way used the multiplex method on much more general cases. This is reported on in [10].

The real difficulties in the programming problem that emerges from a use of the Oslo Channel Model reside in the fact that we must be prepared to handle extremely general situations: mixed linear and quadratic preference function (which is mathematically equivalent to a singular quadratic part in the preference function), the non-concavity of the preference function and the non-convexity of the admissible region. Without these complications the problem is reasonably simple and may be attacked in a number of different ways. But when these complications are introduced, it seems next to impossible to develop a complete and explicit mathematical theory. At best it may take perhaps a generation before we get such a solution. But time is pressing for a solution because the problem has such immediate and important practical implications. At the present stage we must therefore make a dash forward, relying to a considerable extent on a heuristic, intuitive and empirical approach ('empirical mathematics'), but trying of course to push the exact mathematical criteria as far as possible in every direction where exact criteria seem practically and computationally feasible. This is the spirit in which we have tried to use the multiplex method on the most difficult cases.

To a considerable extent our work has been inspired by a desire to aid the underdeveloped countries, cf. [11] and [12]. I shall not go into detail regarding the extensive literature on economic development which has appeared during the last years. Many references can be found, for instance, in the book by Gerald M. Meier and Robert E. Baldwin [13]. I would also like to mention the interesting brief survey given by Dr. Ibrahim H. Abdel Rahman, Director General of the Institute of National Planning, Cairo, [14].

I shall now proceed to summarizing what I think are the main types of problems we encounter when we face the tremendous task of optimal economic programming in all its complexity.

The Deterministic vs. the Stochastic Approach

The *probabilistic* or, if you wish, *stochastic* aspect of programming is important. I am convinced of the ultimate usefulness of this approach, but I have a feeling that at the present stage the minimum factor for programming at the national – or even international – level is a comprehensive analytical scheme where there is a *great number* of aspects included. We therefore have to economize on forces by provisionally neglecting the probabilistic refinement and reason as if we have certain structural equations to work with. In other words we assume that these structure equations themselves are constant. We must do the best we can and in the first approximation aim at a deterministic, i.e. a non-stochastic model. This is the viewpoint adapted in the sequel. Subsequently this deterministic model can offer a grip to probabilistic analyses.

Decision Models vs. Growth Models. Common Sense

The distinction between what is essentially a *growth* model and a *decision* model is important.

When I speak of a growth model I am not referring particularly to its dynamic character, because a useful decision model is also essentially dynamic, but I think of the rather too passive attitude to economic growth which is displayed in the use of the Western type of growth model approach, characterized by such simple notions as the general savings rate, capital to output ratios, marginal productivity of capital etc. without explicit introduction of the *decisional parameters* that will basically influence growth. The explicit introduction of these parameters in an operational way is what characterizes a decision model. We have to consider *a great number* of such decisional parameters, for instance those characterizing many different types of investment and their relations to the current account activity of many different domestic sectors. These remarks will apply in all countries, less developed and more developed.

The need for introducing explicitly the decisional parameters in the analysis is most acute in a short range (say annual) or a medium range (say five or seven year) plan. In very long range (say twenty or fifty years forecasting) the future looses itself so much in the haze that we have to rely to a large degree on guesses of a growth kind. For instance what can we say to-day of the possibility of bringing to the blue-print stage certain bold ideas that linger in the heads of some prominent physicists? What can we say about the possibility of arrival of some ideas that are not yet in these heads? Here we can only guess about growth rates. But for the bulk of day to day planning work which is concerned with decisions between tangible and precisely formulated technical and economic alternatives the decision model viewpoint is absolutely fundamental .

A few remarks about the common sense of decision models might be appropriate.

A realistically constructed decision model is nothing more than systematized common sense. No sensible decision model builder believes that he can embrace everything and in an exact way. But he does know that it is possible through aggregations and approximations and simplifying assumptions to say something useful about a lot of things that are *relevant* and *too numerous* and related in *too complicated* ways to be grasped by simple talking. Through the models he will be able to build a useful plan-frame. Or several plan-frames one on each aspiration level in the hierarchy of problems.

To a large extent effective programming is an *art*, not a science. Creative intuition and practical sense wil always be needed. What scientific programming does is not to do away with these mental powers but to push forward by leaps and bounds the *frontier of demarcation* where we *have to* start using our intuition and practical sense. This is really what scientific programming does.

But are the data available and are they accurate enough? If they are not, can this fact be overcome by disregarding the consistent and quantitative reasoning by means of a model and using instead loose (and at times conveniently inconsistent) talking and strong convictions? Sometimes one gets the impression that some people think so. By running a number of solutions with randomly disturbed coefficients in a decision model we can get some idea of the stability significance of the solution.

The List of Economic Aspects

Compartmentalization According to Aspects

Economics in general and economic planning in particular is concerned with many different aspects of the economy. The following is a list of examples of what I mean by aspects:

1. *Goods* (material goods and services). Classified in a number of categories, agricultural products, industrial products etc.

2. *Power*, classified according to source such as coal, heavy oil, electricity (hydro or thermal), atomic energy etc.

3. *Transportation*. Classified in categories such as rail, road, shipping, air etc.

4. *Training, research and innovations.*

5. *Investment projects* as distinct from current account activity.

6. *Subsidiary vs. basic activity.* In investment or on current account. 'Induced' investment or 'induced' current account activity.

7. *Time range*, i.e. distinction between short, middle and long term.

8. *Primary and secondary importance.* From the viewpoint of what goal?

9. *The regional aspect* of interflows and planning. The territorial viewpoint. All national vs. local government decisions. Location problems for industry.

10. *Price problems.*

11. *Private finance and banking.*

12. *Public finance and money.*

Possibly some more examples could be added, but those given are the most important ones for discussing the type of administrative and practical planning difficulties I want to emphasize. (They are even illustrative of the organization of pure research work).

Since it is obviously impossible for any single human brain or any single team of administrators or policy makers to embrace all the above 12 aspects simultaneously, some sort of division of labour has to be made. This raises the organizationally and administratively very troublesome problem of compartmentalization. All the 12 aspects are, of course, in reality interrelated, and decisions regarding any of them will have important repercussions on the setting of the problem for the others.

At every turn of the road a co-ordination problem thus arises which cannot be solved simply by asking the people to 'get together' and make their actions consistent. Nor can it be solved simply by appointing some new minister or committee of co-ordination. However honest and co-operative and enthusiastic the individual compartment leaders and the co-ordinators are, they will find themselves in a bureaucratic maze when they simply 'get together'. And so everybody is by the very nature of things driven into a compartmental way of action which is very detrimental to the purpose of the nation as a whole. In hard reality the solidarity of the whole does not permit splitting it.

Extremely enlightening examples of this are to be found in the history of planning in Soviet Russia. In the period before 1957 compartmentalization was done according to types of (material) goods, i.e. according to the above aspect No. 1. There was one all-Union central ministry for each group of goods. Because of frequent uncertainties of supply from other ministries each minister was tempted to set up his own ministerial factory for the component parts he needed. This led, of course, to inefficiencies of various sorts. There were also bureaucratic delays in settling questions with enterprises scattered over the whole nation. This motivated the abolition in 1957 of the central ministerial system and the introduction of a territorial system, i.e. a system compartmentalized according to the aspect No. 9 above.

But this reform only replaced certain kinds of difficulties by others. Professor Vasiutin, head of Gosplan's division for medium and long term planning, who gave a lecture in the Oslo University Institute of Economics in September 1961, told for instance with a good sense of humour how enterprise directors may have concealed their real productive capacity and material reserves in order not to get caught when they had to fulfil the region's productive targets.

The difficulties encountered in the regional compartmentalization have recently, I understand, released a desire to revert at least partly to principles of a more all-Union character.

Both in the goods-ministerial system and in the territorial system there were, of course, big difficulties in making the material balances really *balance*. Even several rounds of iterations with conferences and 'co-ordinations' frequently led to serious inconsistencies (for the solution of which big stocks had to be maintained).

So in whatever way one tries to solve the compartmentalization problem one runs into trouble.

These examples from the Soviet Union are not quoted in a critical spirit. They only depict certain general types of difficulties which are inherent in any human economic system. They are also present (but more concealed, which is even worse) in a free market economy. The growth rates achieved in the East and in the West over the last generation prove beyond doubt, I think, that at least from the viewpoint of economic growth the Eastern system with all its obvious difficulties is by far superior to the Western.

The answer to the troubles – whether in the Soviet Union or in any other country that wants to introduce an element of planning in its economy – is to base the planning work on a well designed decision model with built-in regional distribution and automatic consistency making of the material balances. Or rather to build the work on several such models on different aspiration levels. And subsequently to issue instructions in the form of a co-ordinated system of success indicators (which must go beyond the fixation of transaction prices, cf. the section on Prices on p. 267.

Even when the problem is approached through one or more decision models, it is, of course, necessary to compress it into a manageable form. But this compression does not proceed by compartmentalization according to the above 12 aspects, but in another way.

There may be alternative ways to compress the problem. The following is the way I suggest. It leads to the Oslo Channel Model [3]) for which the present paper may serve as a preface.

In the first place I distinguish between the *selection problem* and the *implementation problem*. To the latter sphere belong the aspects 10–12. They are approached only after an optimal solution of the selection problem is available. All the other aspects are covered simultaneously in the selection decision model.

Selection and Implementation

A selection model is primarily useful for the purpose of describing a

---

[3]) The term channel model was suggested by Dr. Ibrahim Abdel Rahman. It was originally used for a simpler model applied to the Egyptian economy: The Cairo Channel Model.

constellation of the *volume figures* or the figures *in actual technical units* which has been realized or might be realized or one would like to see realized, provided one can find ways and means (institutional, administrative and financial) of bringing this constellation about.

In theory it would, of course, be possible to include also all these ways and means explicitly in the same programming analysis, but such a set-up would only be a formalistic one without much chance of leading to practical results at the present stage. It is more practical to separate the selection problem and the implementation problem [4]. It is primarily in the selection problem that the biggest advantages of a precise quantitative analysis can be gained. In the implementation problem we must rely to a much larger extent on economic intuition and practical sense.

Another reason why it is a practical approach to separate the selection and the implementation problem is that the selection problem can be studied without stating a priori the kind of *economic institutions* (competitive markets or central controls etc.) one is prepared to accept.

After the selection problem has been solved, one will take up the implementation problem. If on scrutiny one should find that practical difficulties of implementation under an existing institutional, administrative and financial set-up make it impossible to reach the high goals – for instance a rapid rise in national product – which have emerged as feasible from the selection viewpoint, two ways are open: either to try to change the institutional, administrative and financial structure so as to make the high goals attainable, or to insist that this structure is not to be changed and that one will therefore have to acquiesce to the lower goals. In the latter case the computation of the difference between the two results will furnish a sound piece of information.

Prices as One of the Implementation Instruments

In a free market economy the price system is the pivot around which the 'balancing' of the economy turns.

There is one strong point in favour of this sort of balancing: In

---

[4] There is perhaps a chance of proceeding *part* of the way towards the programming solution of the implementation problem by considering the interplay between *real* flows and *financial* flows. A research project in this direction, the refi-project (re = real, fi = financial) is going on at the Oslo University Institute of Economics, but I shall not be concerned with this here

its pure form it does not give the statesman or the economist any head-aches. They do not need to think. The ship is steered *automatically* whither the wind blows. If there is a shortage, the prices rise and if there is an excess supply, the prices fall. And that is that.

But the moment the statesman – with the help of the economist – starts formulating *preferences* regarding the goals to be obtained – the course which the ship ought to follow – then the headaches begin. How can the 'bad effects' of price changes be corrected? Will a certain pattern of price changes or price stabilities be conducive to the goals one would like to see attained? If so, is it possible to influence the prices, say by direct controls, in the desired direction? Or is it just as well to give up all goals – such as for instance a high rate of economic groth – and only try to secure the stability of all prices except one, and throw all burden of variation on to this one – the interest rate – ?

The enormous literature on prices in the Western economies, from abstract philosophizing about justum pretium to learned books on 'how to avoid inflation', and the endless discussions amongst Soviet economists on how the prices 'ought' to be fixed, cf. [15], indicate the complexity of this matter.

From my long-time study I have reached three rather definite conclu-sions:

First, in any economy where one formulates preferences about the goals to be attained – and I think there is no modern society which does not have aspirations in this direction – it is *impossible* to leave the prices alone. They have to be 'tampered with'.

Second, even the strictest direct control over prices in all parts of the economy is *not sufficient* to steer the economy in a desired direction. Other types of controls or success indicators have also to be ap-plied.

Third, the system of actual transaction prices to be used in order to steer the economy in a desired direction cannot successfully be fixed by ad hoc considerations. This will inevitably lead to all sorts of irrational-ities and inconsistencies. They can only be fixed after a system of shadow prices has been found through the optimum solution of a selection deci-sion model which is formulated in *technical units only*, without the use of the price concept. Cf. pp. 272–78.

The actual practice in the Soviet Union has not yet passed beyond the ad hoc approach. But such economists as *Nemchinov, Kantorovich, Sobolev* and *Novozhilov* are pressing for a really rational solution through mathematical programming [5]). I am convinced that in this connection linear programming is inadequate. The programming technique must mathematically be of a much more general kind. Cf. pp. 272–78 and pp. 259–62. I am also convinced that the actual transaction prices cannot simply be put equal to the shadow prices obtained from an optimal solution. They must be worked out by taking account of the shadow prices but they must be of a much more differentiated nature where many sorts of detailed implementation considerations will have to be taken account of so as to make the actual transaction prices useful for micro-planners.

The Investment Projects

In a decision model it is absolutely inadequate to consider 'investment' as some sort of aggregated figure (perhaps to be compared with some other aggregated figure such as 'saving'). To work with such aggregated concepts would be evading the real problem of economic policy discussions. One of the most crucial aspects in a truly decisional analysis of the national economy is precisely to find out what *sorts* of investments to make. Practical planners are every day feeling the embarassing problem of picking amongst a great number of investment projects. A comparison between *different categories* of investment must, therefore, stand in the center of the analysis.

An investment project is defined through a description worked out according to a scheme with thorough specification of the data which are required to find out what the repercussions on the economy will be *if and when* it is decided to start the project.

The data contained in the project description can only be concerned with the repercussions that are *directly visible* and therefore can be given by the technicians connected with the elaboration of the project. The infinite variety of indirect repercussion will only appear when the project – with explicit formulation of the two alternatives: acceptance or rejection – has been incorporated in a decision model that has been solved by the overall planning experts.

---

[5]) Cf. p. 209 of [15]. Quite recently Mr. Tom Kronsjö, a Swedish guest associate in the Oslo University Institute of Economics, has translated from Russian into English the curriculum for economics students in Leningrad University as well as that for economics students in Moscow University. This material gives an overwhelming impression of the amount of mathematics in general and mathematical programming in particular which is now required in economics in these universities. This material has been issued as two memoranda from the Oslo Institute. Cf. [22] and [23]. Also [25].

There are four types of data to be included as direct repercussions in a project description.

First, a parameter that indicates the size of the project and its phasing, i.e. the year when it might be *started*.

Second, a set of coefficients describing the *carry-on-activity*, i.e. the investment inputs that have to be made into the project in the course of the construction period.

Third, a set of coefficients describing the effects which the project will have on the *capacities of production* when the fruits of the projects – if and when it is started – begin to emerge. It is essential to take account of the time shape of this capacity effect.

Fourth, a set of coefficients describing the *infra*-effect of investments, i.e. the effect which an investment project may have on the coefficients of the model.

Details about the current account inputs and outputs that will be connected with projects when it has reached the *state of operation* will depend on many things that cannot be finally decided upon until after a complete and overall programming solution has been obtained (unless one is prepared to make many simplifying assumptions). Final details about current account operations can therefore not be given in the project description but special types of information about this should be given.

All these aspects of the investment problem are discussed in detail in [16].

Rational planning at a national level can, of course, not consist simply in applying mathematical programming techniques to a decision model built on *any* given list of investment projects. For the possibility of obtaining a really high value of the preference function it is essential that investment projects of the right kind are *available*.

To increase the chance of having valuable projects included in the list of projects which is taken as a datum in the mathematical programming, the planning authorities should issue ahead of time what may be called a *project guidance* [6]). But this being said, I want to add that it is dangerous to go too far in this direction. We must rely on the creative imagination of all layers of the whole population. And for best results the project-makers should not be put in a Procrustean bed. Everybody should be encouraged to bring forth new ideas however wild they may look. But a collection of ideas is certainly not *enough*. One will need a systematic

---

[6]) Built on what project properties have proved useful in previous complete solutions or in solutions of pilot investigations.

method for distinguishing between what is valuable and what is useless from the viewpoint of the preferences of the policy makers. Only scientific programming can provide such a criterion.

For several reasons it is wanted to consider not only a detailed list of specific projects but also groups of projects, i.e. aggregation of projects into *channels*, each channel being defined by certain average project characteristics, cf. [16] and footnote 3 on p. 266.

Regional Aspects Described through a Pattern of Centres

In a concrete and realistic form of national planning it is impossible to disregard the regional aspect. The aims of national planning will indeed always to a smaller or larger degree be concerned with the development of certain underdeveloped parts of the country. And we have to consider the fundamental problem of an optimal development of the *transportation network* and the *location of industry*. And this in turn is connected with all sorts of micro-regional problems involving such questions as social layers, housing problems, shopping and entertainment centres, commuting lines between living place and working place etc.

In national planning all these problems must be seen in their connection with the goals set for the development of the nation as a whole. The way in which the macroaspects of these various questions can be co-ordinated is discussed in the next section. In the present context I shall only consider the question of how a 'region' can be defined and in what way the various regions should be included in the model.

I have no faith in a planning system where each region – defined in a more or less conventional way – is left free to submit, according to its own ideas, a suggestion for a plan – investment plan and|or plan for current account operations – within its border, and a subsequent attempt at 'co-ordinating' these regional plans at the top level by trial and error or rounds of 'iterations' by consultations between the top level and the regional authorities. For effective planning one must *start* by a rather definite *frame* to be prescribed for the subsequent detailed regional – or even enterprise – plans to be prepared at the lower levels. And this top level (necessarily aggregated) plan frame must be worked out by a simultaneous and explicit programming technique. This requires a specific definition of the concept of a region.

Abstractly any point within the border of a country can, of course, be defined in an exhaustive and non-overlapping way by indicating its latitude and longitude. And in abstracto one may think of a sort of a super model where each such point is included with all the economic variables which one may think of as pertaining to this point.

But this is sheer formalism. To approach the regional problem in a practical way we must start by considering a certain *pattern of centres*. The centres should not be defined by conventional administrative geographical borders but be built on a consideration of the *economic significance* of each centre.

The centres may be large or small depending on the level of aggregation to which the decisional model in question pertains. In a model with high aspiration there may even be a pattern including a variety of both large and small centres. But in all cases the model must build on a *list of centres* that are so to speak authorized for inclusion in the model in question. This pattern may in very ambitious regional development planning call for a consideration of *alternative* patterns of centres. We face here a sort of a superlist of alternatives somewhat similar to the list of alternative investment projects among which a choice has to be made. But each optimal solution will have to be made on the basis of a *given* list of well defined centres.

The interflows between these standardized centres can, I think, best be characterized by four types of variables: Variables describing the flow of *goods* (material goods and services) inside the centres and between the centres, the *power* distribution within the centre and between the centres, the *local transportation* (rails, roads etc.) within the centre and the *intertransportation* between the centres.

The *capacities* of production of each goods category within the centre as well as the capacities for power distribution and goods transportation within the centre and between the centres at the *beginning* of the planning period as well as the technical coefficients that describe the possibilities of increasing these capacities through the adoption of one or more of the investment projects in the available list of projects, and the various other dynamic repercussions of such an adoption, will be data for the analysis, cf. pp. 269–71.

These various aspects are all included in a systematic way in the structure of the regional interflow table (Table 1) given below.

Optimal Selection and Material Balances under a Given Pattern of Centres and a Given Aspiration Level

The precise structure of the regional interflow table which I advocate, is

TABLE 1 – Regional interflow table in technical units.

Figures on any given row are measured in a given technical unit		Receiving centres and sectors																Final deliveries				
		0				1				2				3				Private consumption on current account $i = \ldots$	Government consumption on current account $j = \ldots$	Gross investment in fixed real capital	Net increase in stocks at the centre	Grand total (Actual production at the centre)
		Goods	Power	Local transportation	Intertransportation	Goods	Power	Local transportation	Intertransportation	Goods	Power	Local transportation	Intertransportation	Goods	Power	Local transportation	Intertransportation					
Delivering centres and sectors	0 Goods																					
	0 Power																					
	0 Local transportation																					
	0 Intertransportation																					
	1 Goods																					
	1 Power																					
	1 Local transportation																					
	1 Intertransportation																					
	2 Goods																					
	2 Power																					
	2 Local transportation																					
	2 Intertransportation																					
	3 Goods																					
	3 Power																					
	3 Local transportation																					
	3 Intertransportation																					

given in Table 1. This table assumes that all the flows are defined in *technical units* only, with no explicit introduction of prices. Possibly some sort of conventional 'prices' may have to be introduced in order to define volume figures in an aggregate or average technical unit to be applied on any given row in the table. But such 'prices' intervene in a very *weak* form which will not influence the result of the solution in a basic way.

The upper left part of the table – its main part – consists of a square matrix with the same nomenclature vertically and horizontally. But so far as the contents of the cells are concerned, there is a difference. It is assumed that the items on a given row are measured in the same technical unit, but this unit may be completely different as we go from one row to the next. This means that a horizontal summation on any given row in the table is possible. But a vertical summation in a column has no meaning.

The nomenclature – the same vertically and horizontally – has as its *primary* principle of classification the list of geographical centres. The 'centre' No. 0 represents the Rest of the World, i.e. this 'centre' is only a balancing account giving a summary of the flows to and from the overall national economy (comprising all the concrete centres Nos. 1, 2...) and the outside world.

The *secondary* principle of classification in the nomenclature is a classification representing the economic nature of the flows. It is divided in four main categories.

The first category is what I have for brevity termed goods, with the understanding that it means goods produced in the centre in question. The breakdowns in this category will have to be made according to whatever kind of 'goods' it is deemed relevant and efficient to include in the concrete situation to which the model is to be applied. This breakdown will include material goods and whatever services it is deemed relevant to include (apart from power, i.e. energy production and transmission and transporting of material goods).

The second category is concerned with power. It is deemed necessary to consider this explicitly as a separate category since it is so fundamental from the viewpoint of the geographical distribution of the centres. This applies both to the production of power and to its transmission. Conceptionally this category includes both actual power production at the centre and whatever energy is 'imported' (as 'competitive imports', cf. below) into the centre from other centres. The energy distribution within the centre of all the energy which the centre has at its disposal is also included in the power category. The distribution of this total energy to the various activities within the centre is recorded separately for each activity as is obvious from the structure of the table. If one wants a concrete interpretation of the 'import' of energy into a centre, one may think of the power production plant in a given centre as having a 'branch office' in each of the other centres, this 'branch office' delivering the energy to the centre where the 'branch office' is situated. The 'imports' into a centre will be expressed by a negative number and the 'exports' by a positive number on the row of this centre. Since there is a breakdown also for receiving centres, the table will give a complete picture of the energy flow from any given centre to any other centre. This interpretation of positive, negative or zero numbers under the power category will also apply on any row under the above first main category: goods. The breakdown within the power category will reveal the various forms of energy. Here electric energy will, of course, be the main form which can be carried from one centre to another.

An exactly analogous interpretation – with positive, negative or zero figures – applies to the third and fourth category comprising the transportation of material goods. Since here local and intercentre transportations are concretely of so different forms (trunk roads as distinct from side roads etc.) it was deemed useful to separate them as two main categories: local transportation and intercentre transportation. The breakdown within each of these main categories will concretely be roads, rails, transportation by barges on rivers and canals etc. For each such special transportation breakdown the conceptual handling of the items on a given specialized row will be precisely the same as everywhere else in the table. I use the terms 'local' and 'inter' because they are phonetically easier to distinguish than 'intra' and 'inter'.

As explained above there will exist capacity bounds for all the current account productions and all the power and transportation flows between centres. And the changes in these bounds that will be produced by investments are explicitly taken account of.

On any given row – whether representing a main category or a special breakdown – there are a number of items to the right of the square matrix (that has equal vertical and horizontal nomenclature). This right hand part of the table represents *final deliveries* from the activity which is represented by the row in question.

These final deliveries comprise the following four main categories.

First, private consumption broken down in whatever household groups ($i = 1, 2 \ldots$) which it is deemed relevant to consider.

Second, government consumption broken down into whatever government activities ($j = 1, 2 \ldots$) one wants to consider.

Third, the use of goods and services as inputs for gross investment purposes. If the table is used to report statistically the flows that take place in a given period, such as a given year or a given month, the items under this category will depict the gross investments *actually* made according to already decided upon, i.e. already-committed-to, projects. But if the table is used to depict the logical relations between repercussions of *possible* investments that enter into a comprehensive model for decisional analysis, the composition of the items here will need a breakdown for each one of the investment projects in the list of projects to be considered, see pp. 269–271 above. And each of these items will have te be expressed by the carry-on-structure for the project in question. Details about this are given in [16].

Fourth, the net increase (positive, negative or zero) of stocks of material goods within the centre.

In distinction to the final deliveries described under these four categories, all other deliveries may be termed *cross deliveries*.

Since the delivery items on any given row in the table may be positive, negative or zero as explained above, the grand total sum on this row will give the *actual production* within the centre (of goods, power, local transportation or intertransportation as the case may be).

The *total net exports* (positive, negative or zero) of a given kind (a kind of goods, a kind of power etc.) from a centre to activities in other centres is the sum of all the items on this row which are inside the big square matrix, except the items belonging to the vertical part of the table which represents the centre itself as a receiving centre.

If it is wanted to, we may for any particular kind of activity, say electricity production and transmission, extract from the big table a smaller (square) summary table showing for this special kind the delivery from any given centre to any other. A positive figure in a cell in this summary table would indicate that there is a net delivery *from* the centre whose name indicates the row and *to* the centre whose name indicates the column. A negative figure in the cell would indicate a net flow in the opposite direction.

The *preference function* for a decisional analysis based on the above set up would have to be expressed in terms of the various activities expressed in *physical units*. This is the most concrete and most relevant formulation of the preference function in a selection problem.

It will in point of principle depend on the size of the variables in each point of time within the horizon one wants to consider. A discount rate may or may not be used. If it is used, this rate would have nothing to do with an interest rate that emerges in a credit market, but would only reflect the time preference of the policy maker whoever he may be. Cf. the remarks on liberty-planning on p. 257.

The big table here described includes – if the table is taken as the basis for a decision analysis – in *explicit* form and *simultaneously* all the aspects 1–9 listed above on p. 264.

Indeed, the aspects 1, 2 and 3 are obviously included, and the aspect 4 is included provided it is taken as a breakdown under the first main category. Further the aspect 5 is obviously included.

The aspect 6 emerges automatically in the decisional analysis since all the activities are considered simultaneously in their mutual relationships. It seems difficult to give a precise meaning to the words 'subsidary' and 'basic' except through this decisional analysis. If it is wanted one may, of course, use a numbering that distinguishes between what one might be tempted to call basic and subsidiary. But this would be completely unnecessary and would only create headaches in classification because the distinction may be difficult in border cases and furthermore there may be activities that are 'subsidiary' in relation to some activity but 'basic' in relation to some others.

The aspect 7 is also automatically taken account of since the decisional analysis would be completely dynamic, distinguishing for any variable its size in the different points of time.

The aspect 8 is included automatically. It is simply depicted by the size of the variable as it emerges from the optimal solution.

The aspect 9 is obviously included.

The aspects 10–12 will not be further discussed here since they belong to the implementation problem, not to the selection problem which forms the object of the decisional analysis built on the above big table.

In practice the number of centres and other breakdowns will, of course, be much larger than what can be contained in a simple sheet table like Table 1, but for a discussion of the principles this single sheet table is useful.

In a separate chapter below some introductory remarks are made on the precise way in which the decisional analysis is built up. For simplicity this discussion is confined to the case of a single centre. This may then be looked upon as a nation (or any lower order geographical region) which is in relation with the rest of the world.

The Pyramidation Problem in the Decisional Structure

By the pyramidation problem I mean the general problem of the extent to which it is possible to decentralize the decisions, i.e. the problem of the optimum number of levels on which the decision making machinery is to be organized. This pyramidation viewpoint may be applied to any of the aspects that are brought out explicitly in the big table above (types of commodities, types of investments, geographical regions etc.). It is therefore a viewpoint different from that of the 'aspects' discussed pp. 264–66.

At the present stage and for some time to come it will, I think, be impossible to include the pyramidation problem explicitly in the model – which, of course, would have been the ideal solution – . We have at present to approach the problem by some kind of *simulation* technique. For instance in such a way that a number of competent (mixed economic and mathematical) groups are organized, each group representing a specific decision making unit in the general game. Each group would have to be allocated sufficient machine time on a good sized computer. An over-all central group would formulate rules and criteria which each special group would have to abide by. Within the confines of these specified rules and criteria each group would act in a perfectly selfish way. The global constellation which emerged from such a game would be studied in its desirable and undesirable features, and a new attempt would be made at reformulating the rules and criteria for the special game-groups in such a way that the resulting *global* constellation of the economy could conform better to that constellation which has emerged as the optimal one from the selection viewpoint in the economy as a whole. The pyramidation problem would then appear only as one aspect of the implementation problem.

Moving Planning

In my work in underdeveloped countries like India and Egypt as well as in separate publications I have for several years advocated what may be termed moving (or sequential) planning, cf. for instance [17].

This simply means that each year we work out a new dynamic optimum decision analysis for the planning horizon (say five or seven years) which is adopted, taking account of whatever fresh information has become available. This means inter alia that in the plan which is worked out in any given year, we have to include in the set of *non decisional* elements (i.e. in the set of already-committed-to elements) those things that were *decided upon* in the analysis made preceding year.

Professor Vasiutin in his lecture in the Oslo Institute in September 1961 told us that this idea of moving planning has been introduced in the actual planning work in the Soviet Union since last year.

THE OSLO CHANNEL MODEL FOR A SINGLE REGION

Simplifications are Possible

The analytical model based on Table 1 is extremely general and in this general form it gives a clear picture of the manysidedness of the problem as it exists in the real world. The logic of the interrelations is displayed by the table.

In a situation where it is not needed to consider all the relations in their full complexity or it is not possible to do so because of lack of data, there is no difficulty in using the general set up in Table 1 as a *machinery to generate simpler models*. Table 1 will then show in what *direction* from the realistic complexity the simplification is made.

It is even possible to carry the simplifications through so drastically that we are left with only a small macromodel with a few variables, but then, of course, also with a drastic loss of details.

As time goes on, one may want to and be able to extend and complete such an extremely simplified analysis. If so, it is essential to keep the general Table 1 in mind. The extension of the analysis can then proceed in an orderly and co-ordinated fashion so that the simple analyses *converge* towards a really satisfactory solution of the complete problem. For this purpose it is desirable to use a notation in the simplified problems which conforms as much as possible with the general notation.

To describe briefly the system of notation I have found it useful to standardize, it will here be sufficient to consider the case of a single region.

The Single Region Interflow Table

Table 2 indicates the notation to be used in the case of a single region.

This interflow table applies for any given year t. The flows in this table are expressed in value figures so that also *vertical* summations are possible. This permits us to introduce certain balancing principles in the table. But the change in interpretation which is necessary to come back to figures measured in the technical units used in Table 1 is obvious. We then simply have to drop the row Residual input in Table 2 as well as the idea of vertical summations.

The upper left $n \times n$ matrix of Table 2 represents the cross deliveries on current account. The element $X_{hk}{}^t$ represents the deliveries from sector h to sector k on current account ($h = $ sec, $k = $ sec, $sec = $ 'sector'). These elements form a square matrix. If we only consider the deliveries of each sector to other sectors and disregard what the sector may deliver to itself, we will have

$$X_{kk}{}^t = 0 \qquad\qquad \text{for } k = sec \qquad\qquad (1)$$

But this property will vanish if we aggregate sectors of bigger interflow table. In order to assure generality we will, therefore, in general not make the assumption (1).

The other rows in Table 2 – outside of its square part – record the values of the following technical inputs.

Primary input (labour etc.) is represented by other affixes h ($h = $ prim, prim $= $ 'primary'). To these affixes does not correspond any receiving sector. These affixes $\underline{h}$ may be used to designate special types of labour (for instance skilled, semi-skilled, unskilled etc.), or productive input from salaried personnel etc. If only one category of these affixes $\underline{h}$ is considered, it may be denoted $h = W$ ($W = $ 'Wages').

A final group of technical input affixes h represents complementary imports ($h = $ comp, comp $= $ 'complementary') broken down, perhaps, according to country of origin if the case may be. If only one category of these affixes h is considered, it may be denoted $h = B$ (the letter B standing for complementary imports). Complementary (as distinct from competitive) imports mean imports that in practice cannot be produced domestically, at least not in the planning period.

The elements on the row *residual input* ε in Table 2 absorb all 'inputs' needed to make the column sum for a receiving production sector equal to its row sum. Concretely speaking this corresponds to (2), and this breakdown applies also to ε under other receiving categories.

Net taxes, direct and indirect (subsidies reckoned negatively). Import and export duties. $= T$

Net unilateral transfers (interests, dividends, gifts etc.). Positive for the sector of origin. $= \tau$

Depreciation on the fixed real capital used in the production sectors or by private consumers or by Government or used directly in the investment channel activities etc. Also depreciation on commodity stocks used for the same purposes. $= D$

Non distributed profits: Net column savings, after all taxes, unilateral transfers and depreciation on fixed real capital and on stocks. $= e$

$$\text{(2)}$$

Total residual input $= \varepsilon = T + \tau + D + e$

There are columns for delivery on current account to private consumer groups ($i =$ hous, hous = 'households'). They represent *commercialized* deliveries on current account.

There are also columns for deliveries on current account to Government groups ($j =$ gov, gov = 'Government'). They represent *non-commercialized* deliveries on current account.

Finally there are columns for inputs for *investment* purposes, also inputs into stocks of goods – the stocks being denoted L and their changes $\dot{L}$ – and deliveries to exports. All these columns are in obvious conformity with the columns of Table 1 except that the column for export in Table 2 represents a *summation* in Table 1 over all the columns pertaining to the 'centre' No. 0.

The export figures in Table 2 – denoted A – are, in conformity with Table 1, reckoned *net*, that is to say as gross exports of h-goods minus competitive imports of goods belonging to the h–category. The introduction of this net figure defined as a difference conceals in Table 2 – interpreted as a table in value figures – a statistical problem which is a bit troublesome because of the difference between f.o.b. and c.i.f. prices and the way in which import and export duties are reckoned etc. These questions are discussed in some detail in [19], but are not further considered in the present paper.

As the analysis is extended in the direction of a regional analysis, we must build up separate columns for net exports for a number of different regions, cf. the remarks on p. 276 on total net exports and on the (square) summary matrix.

From such data we may derive a *multicompensatory trade matrix* with the various types of programming and optimalization problems which I have discussed earlier, particularly in 1947, cf. [20].

These earlier analyses were a desperate attempt to persuade those responsible for the organization of international trade to consider not only the obviously beneficial specialization effect of international trade, but also the equally – nay more – important *payment* effect. The latter will periodically, and even chronically, produce a strangulation effect through an international scramble for liquidity if the problem is not faced square in its matrix form and with the inescapable programming problem that emerges from the matrix form.

It is tragic to see how the conservative or labour Governments persist in neglecting this matrix aspect of the payment effect, and concentrate on the specialization effect which they believe can be solved by such a naively simple measure as to lower import duties and introduce other forms of liberalization. In this connection I would like to quote a note added in the spring of 1958 to the 1959 edition of the 1947 paper: 'The developments of the last years show, I believe, that a study of the trade relations as a matrix is more needed than ever before. And action on this basis is vitally important. We are facing a downward spiral and an international scramble for liquidity that cannot be eliminated by conventional monetary weapons. International co-ordinated action of a new type is immediately needed'.

In this connection the calculations of Tibor Scitovsky (based on data by P. J. Verdoorn) are extremely enlightening. His conclusions in [21] are that the gains through specialization are 'ridiculously small'. Even though the data here included may not be too good and the calculations are audacious, these results tend, I believe, to illustrate the underlying fundamental fact which I tried to bring out in the 1947 paper.

The total of all deliveries which are not deliveries to receiving sectors, is called *final* delivery and denoted $X_{h*}{}^t$. This symbol is not used in the inner of Table 2.

For each delivering production sector the grand total in the row, i.e.

$$X_h{}^t = \sum_{k=\text{sec}} X_{hk}{}^t + \sum_{i=\text{hous}} C_{hi}{}^t + \sum_{j=\text{gov}} G_{hj}{}^t + J_h{}^t + \dot{L}_h{}^t + A_h{}^t \,(h=\text{sec}) \,(3)$$

will express the actual domestic (homeproduced) product in sector h.

The sum of the two last elements in (3), namely

$$\varDelta_h{}^t = L_h{}^t + A_h{}^t \qquad (h = \text{sec}) \tag{4}$$

is the *product balance* for sector h. From the selection viewpoint it is a simplification to consider this as a single figure without using the breakdown (4).

The primary inputs delivered to the various receiving categories k, i, j, J, L and A express the *actual* deliveries to these categories. For instance, the services of private domestic servants in households will appear in one of the $C_{hi}{}^t$ items. The grand total row sum for a primary factor, namely

$$X_h{}^t = \sum_{k=\mathrm{sec}} X_{hk}{}^t + \sum_{i=\mathrm{hous}} C_{hi}{}^t + \tag{5}$$
$$+ \sum_{j=\mathrm{gov}} G_{hj}{}^t + J_h{}^t + \dot{L}_h{}^t + A_h{}^t \quad (h = \mathrm{prim})$$

will, therefore, represent the *total income received* by the primary factor h, (not to be confounded with the disposable income, which is income after direct taxes and direct subsidies).

The primary factors delivering categories ($h = \mathrm{prim}$) need not be in a one-to-one correspondence with the household groups ($i = \mathrm{hous}$). But the total income of the primary factors will by definition correspond to the total income of the households. That is, we have by definition

$$\sum_{h=\mathrm{prim}} X_h{}^t = \sum_{i=\mathrm{hous}} R_i{}^t \tag{6}$$

The definition of gross national product is as follows

Private consumption on current account	$= \sum_{i=\mathrm{hous}} (R_i{}^t - \varepsilon_i{}^t)$
Government consumption on current account	$= \sum_{j=\mathrm{gov}} (-\varepsilon_j{}^t)$ (7)
Gross domestic investment	$= J^t + \dot{L}^t$
Net increase in the countries' net creditor position (including net gains on foreign transactions) = the sum in the A column	$= E^t$

Total = GNP^t = gross national product

This sum is identical with the sum of the elements in the heavy hexagonal frame in Table 2.

By introducing in (6) the expression of $J^t + \dot{L}^t + E^t$ as the row sum on the row for the residual input – cf. Table 2 – it is easy to see that the gross national product can also be expressed as a total of gross incomes [7]).

The corresponding *net* concepts are obtained by subtracting *depreciation D* on the capital goods (fixed capital and stock of goods) which are used in the various activities. In the interflow Table 2 these depreciation items are included as input items, namely in the residual input, cf. (2), and hence are included in the value figures which express the sector products $X_h{}^t$ [8]).

The *domestic* product concept (gross or net) as distinct from the *national* product concept is obtained by not including gifts and net current account profit elements on financial transactions with the rest of the world. These elements are in Table 2 included in the residual inputs, namely as a part of the item τ_A. Cf. (2). These items would have to be deducted from E^t in (6) if we wanted the domestic concept instead of the national concept. The problem of the actual statistical measurement of and the manner of handling the T_A and τ_A items is discussed in some detail in [19].

In the A column the elements on the rows for primary factor input will contain such items as direct exports of labour, if any.

On the row for complementary imports – possibly broken down in subcategories – the row sum for the elements to the left of A column is entered negatively in the A column, so that the complete row sum for complementary imports becomes zero.

The sum of the grand total column sums in the table must, of course, be equal to the sum of the grand total row sums, i.e. – cf. (6) –

$$\sum_{k=\text{sec}} X_k{}^t + \sum_{i=\text{hous}} R_i{}^t + J^t + \dot{L}^t + E^t = \tag{8}$$
$$= \sum_{h=\text{sec}} X_h{}^t + \sum_{h=\text{prim}} X_h{}^t + J^t + \dot{L}^t + E^t$$

For forecasting and programming methods of the more elaborate type, and, indeed, for all model building for the economy as a whole, it is absolutely necessary to co-ordinate the *absolute* figures (in value units or technical units) in an interflow table of the kind as Table 2 or the more general kind (Table 1). But one should not try mechanically to transform any of these tables into a table of *coefficients* simply by expressing the items in each column as a fraction of the *total column sum*

---

[7]) We get: $\text{GNP}^t = \sum\limits_{i=\text{hous}} R_i{}^t + \sum\limits_{k=\text{sec}} \varepsilon_k{}^t + \varepsilon_J{}^t + \varepsilon_L{}^t + \varepsilon_A{}^t.$

[8]) The increase L_h of the stock of h-goods is *net* in the sense that the actual use of h-goods from stock for delivery to the various receiving categories are included as negative items in L_h, but *gross* in the sense that depreciation on the stock of goods is not subtracted. Cf. the remarks on depreciation in the text above and in (2).

in question and considering these coefficients as an expression for some sort of technical structure of the economy. This is an impossible approach in a decisional analysis. It evades an important aspect of the problem: the *substitution effect*. In the big Table 1 which considers also the distinction between centres, this is particularly striking. A very important aspect of the decisional analysis is precisely from what particular centre it is most economical to haul the material goods needed as inputs in a given activity. Similarly for substitution between different kinds of energy, etc.

The substitution effect is in the Oslo Channel model taken account of by considering what is called *ring structures*. This is discussed in detail in [16].

In the appended numerical Table 2 are given the actual flows in value figures for Norway 1956. These data are processed mainly by Mr. Kåre Edvardsen, working under the supervision of Mr. Tore Johansen, both research associates in the Oslo Institute of Economics. Part of this work is based on data processed by Mr. Arne Dag Johansen, also a research associate in the Institute.

In the numerical work a number of people in the Norwegian Central Bureau of Statistics have offered valuable advice which is here gratefully acknowledged. They are in particular Robert von Hirsch, Erik Homb, Anne Margrethe Martens, Arne Syversen, Reidar Øines and Thorleif Øines.

LIST OF REFERENCES

[1] RAGNAR FRISCH: 'A Reconsideration of Domar's Theory of Economic Growth', Econometrica (July 1961).
[2] RAGNAR FRISCH: 'Practical Rules for Interview Determination of One-sided and Two-sided Preference Coefficients in Macroeconomic Decision Problems', Memorandum of 25 June 1959.
[3] RAGNAR FRISCH: 'The Multiplex Method for Linear Programming', Sankhyā, The Indian Journal of Statistics, Calcutta (1957).
[4] J. B. ROSEN and G. ZOUTENDIJK in The Rand Symposium on Mathematical Programming, Santa Monica, California (1959).
[5] GEORGES R. PARISOT: Doctoral thesis 1961 at the Faculté de Sciences de l'Université de Lille. Published by IBM (International Business Machines).
[6] TOMASZ PIETRZYKOWSKI: 'Application of the Steepest Ascent Method in Convex Programming', Warszawa (1961) (typewritten).
[7] RAGNAR FRISCH: 'Quadratic Programming by the Multiplex Method in the General Case Where the Quadratic Form may be Singular', The International Statistical Institute's 32 Session 30|5–9|6 1960, Tokyo.
[8] RAGNAR FRISCH: 'Mixed Linear and Quadratic Programming by the Multiplex Method', Memorandum of 27 August 1960.

[9] RAGNAR FRISCH: 'Mixed Linear and Quadratic Programming by the Multiplex Method', in the volume in honour of Johan Åkerman (March 31, 1961), Lund, Sweden.

[10] RAGNAR FRISCH: 'The Multiplex Method used for Maximizing a Very General Function under Very General Side Conditions.' Memorandum of 9 October 1961.

[11] RAGNAR FRISCH: 'Planning for India: Selected Explorations in Methodology', Indian Statistical Institute, Calcutta (1960).

[12] RAGNAR FRISCH: 'Speed with Safety Through National Planning', L'Egypte Contemporaine, Cairo (October 1960).

[13] GERALD M. MEIER and ROBERT E. BALDWIN: 'Economic Development, Theory, History, Policy', New York and London (1957).

[14] IBRAHIM H. ABDEL RAHMAN: 'Education for National Planning'. Documents and Occasional Notes No. 3, Cairo (13 September 1960).

[15] ALEC NOVE: 'The Soviet Economy', London (1961). In particular chapter 8.

[16] RAGNAR FRISCH: 'The Oslo Channel Model and the Corresponding General Mathematical Programming Problem.' A paper respectfully dedicated 13 May 1961 to Accademia Nazionale dei Lincei, Rome, as a token of gratitude. To appear in the series of monographs of this academy.

[17] RAGNAR FRISCH: 'Unbounded Optimalization in Economic Policy', Memorandum of 16 July 1959.

[18] RAGNAR FRISCH: 'The Mathematical Structure of a Decision Model: The Oslo Sub-Model', Metroeconomica (December 1955).

[19] RAGNAR FRISCH: 'A Macroeconomic Interflow Table with Specification of Competitive Imports', Memorandum of 7 June 1959.

[20] RAGNAR FRISCH: 'On the Need for Forecasting a Multilateral Balance of Payment', American Economic Review (1947), also (somewhat abbreviated) in ALLAN and ALLAN: 'Foreign Trade and Finance', New York (1959).

[21] TIBOR SCITOVSKY: 'Economic Theory and Western European Integration', London (1959) p. 67.

[22] TOM KRONSJØ: 'Tendencies in Soviet Economic Scientific Education', Memorandum of 3 October 1961.

[23] TOM KRONSJØ: Programme of the course 'Mathematics in Economic Investigation and Calculation' for students specializing in 'Political Economics' (not those specializing in 'Mathematical Economics') in the Faculty of Economics, Moscow State University (1960–1961). Memorandum of 17 November 1961.

[24] RAGNAR FRISCH: 'Numerical Determination of a Quadratic Preference Function for Use in Macroeconomic Programming', Giornale degli Economisti e Annali di Economia, No. 1 (1961).

[25] Economic Bulletin for Europe: 'A Note on the Introduction of Mathematical Techniques into Soviet Planning', 12, No. 1 (Genova 1960).

$$T = \begin{bmatrix} T_{11} & T_{12} & T_{13} & T_{14} & T_{15} & 0 \\ 0 & 0 & 0 & 0 & 0 & T_{26} \\ 0 & 0 & 0 & 0 & 0 & T_{36} \\ T_{41} & T_{42} & T_{43} & 0 & 0 & T_{46} \\ T_{51} & 0 & 0 & 0 & 0 & T_{56} \\ T_{61} & T_{62} & T_{63} & T_{64} & 0 & 0 \end{bmatrix} \tag{3.1}$$

(1) *Industries:* The first set of rows and columns relates to industries.

An industry is defined in terms of a set of principal or characteristic products and so is technical rather than financial in concept. In Rocket there are only eighteen industries. The reasons are: first, in making a start, we wished to keep within the possibilities of existing data which for our purposes must extend to foreign trade, value added, depreciation, labour, assets and so on as well as to material inputs and outputs; second we wished to keep the whole model within the capacity of the high-speed memory of EDSAC; and third, we expect that in discussion with specialists in different branches of industry we shall be encouraged to show rather specific industries separately, and did not think it profitable to try and guess which these would be at the outset of our work.

(2) *Consumers' goods:* The second set of rows and columns relates to goods and services bought by private consumers for purposes of current consumption. We wish to be able to carry out demand analyses and this can only be done properly in terms of a consumers' classification. The precise industrial implications of these demands, for example how far consumers are likely to meet their demand for fuel and light by buying coal, gas, electricity or oil, is then treated as a separate question. In Rocket there are thirteen categories of consumers' goods.

(3) *Government purposes:* The third set of rows and columns relates to government consumption. Government however does not classify its consumption by commodity but by purpose: education, health, defence and so on. Having determined how much is to be spent for each of these purposes it is then necessary to convert these expenditures into demands on industries. In Rocket there are fifteen categories in this classification.

(4) *Foreign transactions:* As in national accounts these are brought together in a single account though the treatment of items is more complicated: in particular, a distinction is made between complementary and competitive imports.

(5) *Capital goods:* This set of accounts relates to investment in fixed

assets and stocks by the eighteen industries, and so there are eighteen of them in Rocket.

(6) *Consolidated income and capital account:* This is the one financial account of the system and shows the economy's income from labour, property, indirect taxes and gifts divided over consumption and net accumulation, that is net investment and lending abroad.

The entries in the seventeen submatrices of T, the elements of which are not all necessarily zero, can be described as follows.

T_{11}. This is a square submatrix of order 18 whose elements are the absorptions by one industry of the product of another industry.

T_{12}. This is a submatrix of type 18×13. Each column shows how the expenditure on a particular consumers' good is spread over the different industries. Each row shows how demands on a particular industry arise from expenditure on different consumers' goods.

T_{13}. This is a submatrix of type 18×15 which does for government purposes exactly what T_{12} does for consumers' goods.

T_{14}. This submatrix is a column vector (type 18×1) whose elements are the excess of British exports of industry outputs over British imports of similar products (competitive imports). The classification of imports is based on detailed trade returns and we have treated an import as competitive if less than half the supply available in Britain is imported. This is a relatively restricted definition of competitive imports.

T_{15}. This is a square submatrix of order 18. Each column shows the gross investment in different types of capital good by one of the eighteen industries and each row shows where the capital goods produced by one of the eighteen industries are absorbed. Investment in stocks and work in progress appear in the leading diagonal since a corollary of the treatment of current inter-industry flows is that each industry is treated as holding all the stocks of its own product and no stocks of any other industry's product.

T_{26}. This submatrix is a column vector (type 13×1) each of whose elements shows the expenditure by private consumers on one of the categories of consumers' goods.

T_{36}. This submatrix is a column vector (type 15×1) each of whose elements shows the expenditure by public authorities on one of the categories of government purposes.

T_{41}. This submatrix is a row vector (type 1×18) each of whose elements shows the complementary imports into one branch of industry.

T_{42}. This submatrix is a row vector (type 1×13) each of whose elements shows the complementary imports into one category of consumers' goods: citrus fruits enter into unprocessed foods; bottled wine enters into drink and tobacco; the excess of British tourist expenditure abroad over foreign tourist expenditure in Britain enters into services.

T_{43}. This submatrix is a row vector (type 1×15) each of whose elements shows the complementary imports into one category of government purposes. In fact these 'imports' are expenditures abroad in connection with overseas services and with defence.

T_{46}. This submatrix is a scalar: net lending abroad by the British economy.

T_{51}. This is a square submatrix of order 18. It contains non-zero elements only in its leading diagonal. These elements are the provisions for depreciation made by each of the eighteen industries.

T_{56}. This submatrix is a column vector (type 18×1) whose elements are the net investments in fixed assets and stocks in each of the eighteen industries.

T_{61}. This submatrix is a row vector (type 1×18) whose elements are the values added in each of the eighteen industries. Value added is here defined to include all forms of income from work and property arising in the eighteen industries plus certain indirect taxes net of subsidies.

T_{62}. This submatrix is a row vector (type 1×13) whose elements are composed of income from direct labour employed by households and private non-profit-making bodies and certain indirect taxes net of subsidies. In this system direct labour is not rooted through any industry, a matter which is of very little importance in the case of households but of considerable importance in the case of government. Indirect taxes net of subsidies are partly charged against consumers' goods and partly against industries. For example, duties on alcohol are charged directly against expenditure on alcohol in this submatrix with the consequence that expenditure on the alcohol producing industry, in T_{12}, is valued at a price closer to the price of industrial alcohol than would otherwise be the case. On the other hand petrol duties payable by bus and coach companies are included in the expenditure on travel in T_{12} and charged against the transport industry in T_{61} since the duties have to be paid in connection with road transport whether the transport relates to goods or passengers and whether it is paid for by individuals or businesses.

T_{63}. This submatrix is a row vector (type 1×15) whose elements consist of the income of government employees engaged in connection with one of the government purposes.

T_{64}. This submatrix is a scalar: net income from abroad plus net transfers from abroad.

4. THE SOCIAL ACCOUNTING MATRIX IN THE BASE YEAR: 1959

A social accounting matrix of the type described in the preceding section is interesting in itself, and so we have set out a provisional matrix of this kind for Britain in 1959, the base year of the model, in Table 1 below.

We shall not attempt to explain here how the figures in Table 1 were estimated. They are based on official statistics and in particular on the national income Blue Book for 1960 [2]), the balance of payments White Paper issued in April 1961 [3]) and the input-output study for 1954 [4]) which has just been published.

We shall however explain the way in which we have derived the entries in T_{11}, the submatrix of inter-industry flows, because this is relevant to the important question of estimating parameters for a future period. Direct estimates of inter-industry flows are not available for so recent a year as 1959 and the approximate method which we have used is based on the assumption that input-output coefficients change through time as the result of three factors: (i) price changes; (ii) changes in the absorption of particular products which apply to all users with a common factor of proportionality; and (iii) changes in the degree of fabrication.

If A_0 is an initial coefficient matrix and if p is a price vector in which current prices are related to initial prices, then the initial matrix converted to current values, A^* say, is given by

$$A^* = \hat{p} A_0 \hat{p}^{-1} \qquad (4.1)$$

that is by a similarity transformation of A_0. If A^* differs from the current coefficient matrix, A say, by reason of the fact that all users of a given product have changed their absorption per unit of output by a common proportion, then A is equal to A^* premultiplied by a diagonal matrix. If, on the other hand, A^* differs from A by reason of the fact that the

---

[2]) U.K. CENTRAL STATISTICAL OFFICE: 'National Income and Expenditure H.M.S.O.', London, annually.

[3]) U.K. H.M. TREASURY: 'United Kingdom Balance of Payments.' H.M.S.O., London, half-yearly.

[4]) U.K. BOARD OF TRADE AND CENTRAL STATISTICAL OFFICE: 'Input-output Tables for the United Kingdom ,1954'. Studies in Official Statistics, No.8, H.M.S.O. (London, 1961).

degree of fabrication of a given set of inputs has changed by a certain proportion in each industry, then A is equal to A^* postmultiplied by a diagonal matrix. If both these factors have been at work,

$$A = \hat{r} A^* \hat{s}$$
$$= \hat{r} \hat{p} A_0 \hat{p}^{-1} \hat{s} \qquad (4.2)$$

where $\hat{r}$ and $\hat{s}$ are diagonal matrices constructed from vectors r and s.

Consider now an intermediate output vector, u say, and an intermediate input vector, v say, which are the marginal totals of the submatrix of inter-industry flows. Then, for the current period, we have

$$A q = u \qquad (4.3)$$

and

$$\hat{q} A' i = v \qquad (4.4)$$

where $\hat{q}$ is a diagonal matrix constructed from the current output vector, q, A' is the transpose of A and i is the unit vector.

By hypothesis we do not know the elements of A. In order to estimate them from A^* we might proceed as follows. Let us make an initial estimate of u, u_0 say, by premultiplying q by A^*. Thus

$$A^* q = u_0. \qquad (4.5)$$

In general $u_0 \neq u$ but we can force an equality by an appropriate multiplication of the rows of A^*. Thus

$$\hat{u} \hat{u}_0^{-1} A^* q = u. \qquad (4.6)$$

The inter-industry matrix now satisfies the row conditions but not, in general, the column conditions. These can be satisfied by substituting for A from (4.6) into (4.4) followed by an appropriate multiplication of the columns of A^*. Thus

$$\hat{q} A^{*'} \hat{u} \hat{u}_0^{-1} i = v_0 \qquad (4.7)$$

and

$$\hat{q} \hat{v} \hat{v}_0^{-1} A^{*'} \hat{u} \hat{u}_0^{-1} i = v . \qquad (4.8)$$

In general, this step will unbalance the rows but they can be balanced again by a further premultiplication of A^*. This cycle of operations can be repeated indefinitely and it is intuitively plausible that repetitions will bring the matrix more and more into balance. This process, discussed by Deming [5]), is certainly convergent for any A* with non-negative elements. After $(n + 1)$ rounds we shall obtain

[5]) W. Edwards Deming: 'Statistical Adjustment of Data' (Wiley, New York, 1943) p. 115–7.

$$(\hat{u}^{n+1}\,\hat{u}_0^{-1}\,\ldots\,\hat{u}_n^{-1}\,A*\,\hat{v}^{n+1}\,\hat{v}_0^{-1}\,\ldots\,\hat{v}_n^{-1})\,q = u_{n+1}\,. \qquad (4.9)$$

Since this process converges, we may take the term in round brackets in (4.9) as an estimate of A. With this value, the marginal conditions, (4.3) and (4.4), are satisfied. This value of A can be written in the form

$$A = \hat{r}*\,A*\,\hat{s}*. \qquad (4.10)$$

If we compare (4.10) with (4.2) we see that a_{jk}, the element in row j and column k of A, is from (4.10) equal to $a*_{jk}\,r*_j\,s*_k$ and from (4.2) to $a*_{jk}\,r_j\,s_k$. Thus $r* = \lambda r$ and $s* = \lambda^{-1}s$ where λ is an undetermined constant. The value of A in (4.10) is therefore equal to the value of A in (4.2).

The elements of T_{11} are obtained from (4.10) using a coefficient matrix for 1954 as a starting point. The resulting T_{11} will not be correct because the proportionalities on which it is based are only approximations. Nevertheless A is an improvement on $A*$. Moreover the calculation of $r*$ and $s*$ provides a basis for calculating future values of A since, if they are regarded as indications of trend, the trends that they imply can be extrapolated. This extrapolation is made somewhat more plausible if there are several past tables which make it possible to study the development of $r*$ and $s*$ and if these values show a fairly high degree of consistency. The appropriateness of the basic assumption can to some extent be checked by working forwards and backwards between two past values of $A*$. If the assumption is correct then apart from a scalar multiplier the two premultiplying matrices should be reciprocal, and so should be the two postmultiplying ones.

We do not expect this method to yield the truth but we do think that it yields a reasonable approximation which is far superior to the use of past coefficient matrices and provides a basis for further discussion with specialists in different branches of industry who are the only people likely to be able to improve on it.

5. THE ECONOMIC STRUCTURE OF THE MODEL

In this section we shall give a general description of the relationships used in our model which will link up on the one hand with the accounting structure described in section 3 and on the other hand with the precise version of this model used in Rocket which is set out in the following

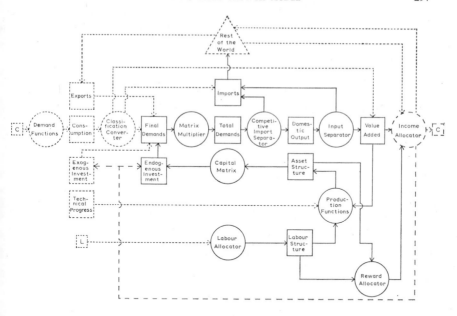

section. The description given here is based on an earlier version [6] which made use of a flow diagram, reproduced, in slightly modified form above.

This diagram is divided into three parts: the dotted lines for data; the solid lines for the model itself; and the dashed lines for the spending-saving relationships which do not form an explicit part of the model though they are of course important and will eventually have to be studied in detail. The model develops horizontally from left to right with two main loops: one involving foreign trade; the other the requirements of the productive system for capital goods. The squares enclose variables: the smaller ones scalars, the larger ones vectors. The circles enclose relationships. The triangle at the top represents the outside world.

The model starts with the scalar, C, at the extreme left of the diagram. This represents total consumption, private and public, in 1970 valued at 1959 prices. It is a purely hypothetical figure depending on the rate of growth which we wish to examine. This figure is then passed through a set of relationships labelled *demand functions* which divide it into the various categories of demand. The total for private consumption is classified by

[6] RICHARD STONE: 'An Econometric Model of Growth: the British Economy in Ten Years Time', Discovery, *XXII* (1961) 216–219.

means of demand functions based on time series and survey data. The total for public consumption is classified by reference to the shares of different government services in this total and to indications of intended changes in policy. The figure for defence expenditure is fixed by assumption since it might be very small or very large according to the future state of international tension. All these estimates form the vector labelled *consumption* which corresponds to T_{26} and T_{36} in (3.1) above. This vector then passes through the *classification converter* which transforms its elements into an industrial classification and removes (i) complementary final imports which are fed directly into the vector labelled *imports* and (ii) direct labour and certain indirect taxes which are fed directly into the vector labelled *value added*. The *classification converter* is based on T_{12}, T_{13}, T_{42}, T_{43}, T_{62}, T_{63} in (3.1) with allowances for tendencies to substitution: by 1970 electricity is likely to have continued to grow relative to coal and gas as a means of satisfying the demand for fuel and light. By this means we obtain the largest component of the vector labelled *final demands*.

The second component, *exports*, is estimated by examining the probable future demand without allowing at this stage for any supply difficulties that might be encountered. Factors we have considered so far are the trend in world trade in manufactures, changes in Britain's share in this total, trends in British and foreign prices and trends in individual classes of exports such as chemicals, motors, textiles etc. Even with a much more intensive investigation, calculations in this area can hardly be very exact and we intend to examine the consequences of doing rather better or rather worse than they indicate for each of the assumptions made about the rate of growth of consumption. Exports form the positive components of the elements of T_{14} of (3.1).

The third component, investment, falls into two categories: *endogenous investment*, the new capital goods needed to maintain and increase the country's stock of productive equipment, and *exogenous investment*, or investment in social capital, which is not obviously and closely linked to industrial levels of production. Both kinds of investment appear in T_{15} of (3.1). The exogenous kind is estimated by reference to ideas about desirable developments in such matters as roads, schools, hospitals, slum clearance and the like; the endogenous kind is generated by the model itself. The convergence of the iterative computing scheme is quickened if plausible figures are inserted initially for *endogenous investment*.

Unlike the estimates of consumption, those of exports and of investment can be directly drawn up according to an industrial classification and can thus be fed into the vector of *final demands* without preliminary processing.

When all the data have thus been assembled, the demands on industry are passed through a set of inter-industry relationships labelled *matrix multiplier*. This is based on the intermediate product flows which appear in T_{11} of (3.1) modified by the method described in the preceding section. The result of this operation is to add intermediate demands to final demands and is shown in the vector labelled *total demands*.

These demands can be met either from domestic production or from imports. If any good is imported then the intermediate product required for it is not needed by the British economy. These operations are performed by the *competitive import separator* which feeds the competitive imports into the vector labelled *imports*, removes the intermediate product required for these imports and feeds the remainder into the vector labelled *domestic output*, which sets out the level of total output required of each industry at home.

It is now possible to convert the concept of output into a concept of input and to calculate what inputs, both intermediate and primary each industry needs or, in other words what costs it must incur in order to produce the output required of it.

The first step is to subtract the cost of the raw materials which must be bought abroad because they cannot be produced at home. This second group of complementary imports, which appear in T_{61} of (3.1), is removed from *domestic output* and fed into the vector of imports by the *input separator*.

At this point we may consider the circuit connecting the productive system with the rest of the world *via* exports and imports. The two dotted lines running between the *income allocator* and the rest of the world indicate the net flows of income and capital to and from abroad, and their algebraic sum represents Britain's export surplus. If exports are fixed and a certain sum is assumed for the export surplus, then it is possible to work out the total sum available for imports. If this differs from the value of the import requirements estimated so far, it will be necessary to adjust imports so as to bring payments abroad into balance with receipts from abroad. Now, complementary imports of consumer goods are a small item and thus offer little scope for adjustment; complementary imports of raw materials are dictated by the level of domestic output and thus cannot easily be altered; therefore, if exports are fixed, the brunt of the adjustment is borne mainly by competitive imports. The calculation, with its repercussions, can be made by cycling round the loop connecting imports and domestic output until all the flows into and out of the rest of the world are in balance.

By looking at the results of these calculations we can form an opinion about the pressure on the balance of payments implied by our initial assumptions. Although this pressure shows itself in the calculations as a force making for the reduction of competitive imports it does not of course necessarily imply action in that direction. Thus an effective policy to increase exports or a reduction in the magnitude accepted for the favourable balance of payments would relieve the pressure just as much as would a reduction in imports.

The *input separator*, in addition to feeding complementary imports for production into *imports* also removes from the output of each industry the intermediate product which it buys at home and feeds the result into a vector labelled *value added*. This vector also receives the value of direct labour employed by, and indirect taxes debited to, consumers, and the sum of its elements is equal to the gross domestic product at market prices. Apart from indirect taxes and the value of direct labour which go straight into the *income allocator*, the main part of value added arises from the contributions of the factors of production, essentially labour and capital, engaged in the different industries. These contributions are called primary inputs and the different ways in which they can be combined to produce the output required, taking into account certain rates of technical progress, are expressed by the relationships labelled *production functions*.

Output, labour, capital and technical progress are interdependent; if three are fixed, they determine the size of the fourth. *Technical progress* is estimated from recent trends in productivity in each industry and appears in the diagram as a separate vector of data, though in practice its realisation is largely connected with the use of up-to-date plant and equipment and could not be achieved without new investment.

The total amount of labour available to the different branches of industry is assumed to be given and is shown in the scalar L. In the diagram this total is shown as distributed among the different industries by the *labour allocator* and is set out in a vector labelled *labour structure*. In other words, required output, labour available and technical progress are shown in the diagram to determine the vector labelled *asset structure*. As will be seen in the next section it is possible to change this order of causation, allowing the asset structure to be given and the labour structure to be determined, or allowing the order of causation to vary from industry to industry or to be mixed in any particular industry.

Following the order of the diagram, we have now found out from the *production functions* how much capital equipment is needed in each industry, and this is set out in the vector labelled *asset structure*. This *asset structure* goes into the *capital matrix* which performs the following operations: (i) from required asset levels and rates of depreciation, it finds out the investment demands in 1970 for replacement purposes in the different industries; (ii) to these it adds investment demands for extending capacity in the different industries on the assumption that by 1970 they have reached a steady state of growth; (iii) it adds these two demands together to yield investment programmes in the different industries in 1970; and (iv) it converts these new requirements into a vector of demands on industries producing capital goods and thus brings us back to *endogenous investment* and closes the second loop of the system. The figures we had pencilled in at the outset for endogenous investment may now turn out to have been wrong, and so we must revise them, change the vector of final demands and cycle round the loops, first balancing the account with the rest of the world, then generating a new set of endogenous investments, and so on until the whole process converges.

For simplicity, this statement ignores time-lags associated with the gestation period of capital goods. Even so, the calculation is a difficult one; in particular, step (ii) involves estimates of the equilibrium growth rates of output in the different industries implied by the initial assumptions. Various short cuts may be used, but it is desirable to work out a consistent set of assumptions for 1971, estimate the implied levels of output and relate these to the levels obtained for 1970.

We can thus obtain a solution which is technically feasible. It will imply a certain structure of labour and assets in the different industries, and these quantities, when fed into the *reward allocator* which assumes that each factor is paid the value of its marginal product as determined by the production functions, will deliver a stream of income which joins with indirect taxes, income from direct labour and income from abroad to be disposed of through the income allocator. This completes the model.

The allocation of income will take essentially three forms: spending on consumption, financing domestic investment and lending abroad. Net lending abroad has already been taken as a datum and so has expenditure on consumption. The remaining part of income will be exactly sufficient to finance exogenous and endogenous investment, but the way in which income is distributed between spending and saving may be radically different from what is usual. We will return to this question at the end of the following section.

6. THE EQUATIONS OF ROCKET

Our initial model, Rocket, is a particularly simple version of the type of model described in the preceding section. It is set out explicitly in a matrix notation in Table 2. The first three columns of this table show: (i) the name of a particular variable; (ii) the symbol by which it is denoted; and (iii) the form of the relationship connecting this variable with others. The order of the variables is approximately that of the preceding section. Throughout we have used a notation which we have found convenient for many years. In it, a scalar is denoted by a greek letter in the lower case, a column vector is denoted by a roman letter in the lower case and a matrix is denoted by a roman capital letter. The unit matrix is denoted by I and the unit vector by i. A prime denotes transposition and a circumflex over a roman lower case letter denotes a diagonal matrix. With the exception of I and i, letters which do not appear in the column of symbols represent parameters and are scalars, vectors, diagonal matrices or unrestricted matrices according to their character. The final two columns show the number of variables and independent relationships introduced at each stage on the assumption that there are ν industries in the economy and that each vector has ν elements none of which is necessarily zero.

The table is divided into three parts relating respectively to the data, the model and the financial constraint which does not form an explicit part of the model.

The first three rows of the table relate to vectors of data: consumption, exports and exogenous investment. The next two rows relate to scalars: net income from abroad and net foreign borrowing from Britain. The sixth row relates to a vector of what may be called the *ex-ante* labour supply to industries and the seventh row relates to a scalar, the *ex-ante* labour supply in total. As shown in row 24 of the table this gives us $4\nu + 3$ variables as data with a corresponding number of relationships specifying the numerical value of these variables in 1970.

The model begins at row 8 which simply introduces endogenous investment without saying how it is determined.

TABLE 2 – The equations of Rocket

	Variable	Symbol	Form of Relationship	Number of Variables	Number of Independent Relationships
1	Consumption demands on industries	e	datum	v	v
2	Export demands on industries	x	datum	v	v
3	Investment demands on industries for social assets	s	datum	v	v
4	Net income from abroad	π	datum	1	1
5	Net foreign borrowing from Britain	β	datum	1	1
6	Ex-ante labour supply to industries	l_s	datum	v	v
7	Ex-ante labour supply in total	λ_s	$\lambda_s = i'l_s$	1	1
8	Investment demands on industries for industrial assets	v		v	0
9	Final demands	f	$f = e + s + v + x - m$	$2v$	v
10	Industrial outputs	q	$q = (I - A)^{-1} f$	v	v
11	Complementary imports	n	$n = \hat{c}_2 q$	v	v
12	Finance available for competitive imports	μ	$\mu = i'(x-n) + \pi - \beta$	1	1
13	Competitive imports	m	$m = c_0 + c_1 \mu$	0	v
14	Value added in industries	y	$y = (I - \hat{a} - \hat{c}_2 - \hat{t})\, q$	v	v
15	Ex-ante labour demand by industries	l_a	$l_a = \hat{h}^{-1} y$	$2v$	v
16	Ex-ante demand for labour in total	λ_d	$\lambda_d = i'l_a$	1	1
17	Weighted average of labour demand and supply	l^*	$l^* = \hat{s}\, l_a + (I - \hat{s})\, l_s$	v	v
18	Labour at work in different industries	l	$l = \lambda_s(i'l^*)^{-1}l^*$	v	v
19	Output per head	h	$h = b_0 + b_1(u - u_0)$	v	v
20	Investment requirements for industrial assets	u	$u = u_0 + b_1^{-1}(\hat{l}^{-1}y - b_0)$	0	v
21	Investment demands on industries for industrial assets	v	$v = Mu$	0	v
22	Gross national product at factor cost	γ	$\gamma = i'y + \pi$	1	1
23	Saving plus depreciation	σ	$\sigma = i'(s + v) + \beta = \alpha\gamma$	1	2
24	Data			$4v + 3$	$4v + 3$
25	Model			$11v + 3$	$11v + 3$
26	Financial constraint			1	2

Row 9 defines final demands as the sum of consumption, investment and exports less competitive imports. We should perhaps have invented a new word in place of 'final demands' since the meaning here is neither the one given in the preceding section nor the one familiar in the national accounts.

Row 10 defines industrial outputs as the matrix multiplier times the vector of final demands. The matrix A is the input-output coefficient matrix appropriate to 1970.

Row 11 states that complementary imports into an industry are proportionate to that industry's output. The factors of proportionality are the elements of the vector c_2.

Row 12 states that the finance available for all competitive imports is equal to the value of exports less complementary imports plus income from abroad less lending abroad.

Row 13 states that the competitive imports of any British industry's products are a linear function of the total finance available for competitive imports and that total expenditure on competitive imports is equal to the finance available. The last condition is satisfied since the vectors of constants, c_0 and c_1, are chosen so that $i'c_0 = 0$ and $i'c_1 = 1$.

Row 14 defines value added as the excess of the value of output over the value of intermediate inputs and indirect taxes. The vector $a = A'i$.

Row 15 states that the *ex-ante* demand for labour in each industry is equal to value added in that industry divided by output per head in that industry as it is expected to be in 1970. Outputs per head are the elements of the vector h.

Row 16 defines the total *ex-ante* demand for labour as the sum of the *ex-ante* demands in individual industries.

Row 17 defines a weighted average of *ex-ante* demands and supplies of labour. The elements of the vector s can take any value between 0 and 1. If $s = 0$ (the null vector), then $l^* = l_s$ and if $s = i$, then $l^* = l_d$.

Row 18 defines the labour at work in different industries in terms of λ_s and l^*.

Row 19 states that the output per head in an industry in 1970 is a constant, an element of b_0, equal to an extrapolation of current output per head, plus a certain multiple, the corresponding element of b_1, of the excess of investment in that industry in 1970 over an extrapolation of the current rate of investment.

Row 20 states that the investment requirements in an industry in 1970 are such as to yield the required output per head with the labour actually employed.

Row 21 states that the investment demands on industries producing capital goods depend on investment requirements in industries using capital goods. The non-zero elements of M indicate what proportion of an industry's investment programme is composed of the products of a particular industry which produces capital goods. Thus $M'i = i$.

Row 22 defines the gross national product at factor cost as total value added plus net income from abroad.

This completes the model. Row 25 of the table shows that in general it contains $11\nu + 3$ variables and an equal number of independent relationships. But all these variables and relationships may not be used. Thus if $s = 0$, $l^* = l_d$, and l_s, but not λ_s, drops out. Alternatively if $s = i$, $l = l^* = l_s$ and both l_d and λ_d drop out.

The financial constraint which, as we have said, lies outside the model is shown in row 23. Here one new variable, σ, which denotes total saving plus depreciation, is introduced. This variable is by definition equal to gross investment plus lending abroad. This gives the demand for gross saving. Following the familiar theory of the consumption or saving function, we may assume that the supply of gross saving depends on gross income. If the relationship is made as simple as possible, this is equivalent to saying that a proportion, α say, of income is saved. If α were fixed and if this relationship were incorporated in the model then just one growth rate would be picked out as exactly satisfying the financial constraint. We have preferred to calculate the value of α implied by different growth rates and to consider the financial problem separately. The reasons are: first, that it is undoubtedly possible to influence α by appropriate financial and fiscal policies; and, second, that the required α is only in part determined by endogenous investment which varies with the rate of growth of consumption. Exogenous investment, which is treated as a datum in the model, is in practice a considerable part of the total.

7. MODIFICATIONS OF THE MODEL

We have already emphasized that our present model, Rocket, is only a beginning and that the computing programme is so arranged that we can change some of the relationships without having to programme the whole model afresh. We shall illustrate these possibilities by two examples.

Consider, first, the mechanism by which the account with the rest of the world is brought into balance. This is given, essentially, in row 13 of Table 2 which states that competitive imports of different products are linear functions of the finance available, subject to the constraint that, in total, their cost is equal to this finance. We might prefer to assume that the different competitive imports were linear functions of the direct and indirect demands generated by consumption, investment and exports. Writing $f^* = f + m$ and $q^* = (I - A)^{-1}f^*$, we might proceed as follows.

$$f^* = f + m \tag{7.1}$$
$$q^* = (I - A)^{-1}f^* \tag{7.2}$$
$$m = \varphi^{-1}(c^*_0 + \hat{c}^*_1 q^*) \tag{7.3}$$
$$q = [I - \varphi(I - A)^{-1}\hat{c}^*_1] q^* - \varphi(I - A)^{-1}c^*_0 \tag{7.4}$$
$$\varphi = (i'm)^{-1}[i'(x - n) + \pi - \beta] \tag{7.5}$$

In these equations φ is an unknown constant. If (7.1) through (7.5) are substituted for rows 9, 10, 12 and 13 of table 2, the remainder of the model can stand. Either method is rather mechanical, but a better way of balancing the balance of payments would involve the introduction of prices. We will return very briefly to this point later.

Consider, second, the methods by which net output, capital, labour and technical progress are related. If $s = 0$, the labour used in each industry is determined by the *ex-ante* labour supply. The variables l_d and λ_d drop out and the investment requirements in each industry are determined by the consideration that given the labour available and technical progress, investment must be such as to continue the increase in output per head needed to continue the required increase in output. If $s = i$, the labour used in each industry is determined by *ex-ante* labour demand and l_s drops out, though λ_s remains since $\lambda_d = \lambda_s$. The system now works as follows. Given our initial figures for investment demands in 1970 and the assumed rates of technical progress, there will be a certain level of output per head in each industry and consequently a certain demand for labour in each industry if the required net output is to be obtained. The sum of these demands for labour may more than exhaust the labour supply in which case the demands are scaled down accordingly. As a consequence more investment is needed and the process of adjustment starts off on a new cycle.

These production functions are simple but cumbersome and turn out to be extremely sensitive to the assumed distribution of the labour force. They have been used in order to make a start with the information available. We intend shortly to replace them with more orthodox production functions of a modified Cobb-Douglas type in which allowance is made for the age composition of assets and for technical progress.

Thus an important function of our prototype model Rocket is to assist research into the building of a more satisfactory computing programme. The first aspect of this work has just been described, and will consist of using the general framework of Rocket to experiment with new production functions and the like. The second is for what we may call sensitivity analysis, namely, by computing solutions for variations in, say, the components of final demand, to determine their repercussions through the complete set of social accounts and so to discover those relationships in the model which most need improvement.

8. EXTENSIONS OF THE MODEL

Apart from modifications of the model we have also considered extensions, that is the addition of new bits which do not exist in Rocket even in embryo. The most obviously desirable extension is the introduction of relative prices explicitly into the model. We say explicitly because some of the effects of relative prices are introduced implicitly, as when we assume trends in input coefficients.

The introduction of relative prices involves two quite separate problems: the elaboration of the functions to include prices and the determination of a set of shadow prices for 1970.

Perhaps the most necessary point at which to introduce prices is the set of demand functions for consumers' goods. If this is so, and if we are considering demand aggregated into fairly large blocks, it is probable that demand functions of the form used in the dynamic version of the linear expenditure system [7] would serve reasonably well. We have revised the computing programme suggested in [8] so as to be able to put a constraint on the marginal propensities to consume, but experiments show that convergence is very slow. We should certainly want to follow up this line of approach if relative prices seem likely to change appreciably.

This brings us to the second question: what can we say about relative prices in 1970? From production functions we can work out the marginal

[7] RICHARD STONE and GIOVANNA CROFT-MURRAY: 'Social Accounting and Economic Models' (Bowes and Bowes, London, 1959).

[8] RICHARD STONE: 'Input-Output and National Accounts'. OEEC, (Paris, 1961).

physical product of labour and capital in each industry. If for simplicity of exposition each factor is assumed to be homogeneous and to receive the value of its marginal product in each industry then the relative use of labour and capital and the prices of the products must move in such a way as to equalise rewards in different industries. If we examine the relative marginal physical products in the different industries we may expect to find that they are not in a common proportion. Moving along isoquants of constant output, we may then reallocate labour and capital so as to bring about this common proportion in each industry subject to the constraint that there is a fixed amount of labour. The shadow prices will now emerge as those which equalise the values of the marginal products of labour and of capital in each industry. This will give us an optimum allocation of labour and capital given the outputs required. If prices appear in the demand functions or elsewhere we can now use the shadow prices to determine a new composition of demand which will determine new output levels and so on. In other words the model will now be extended by the addition of a third loop which connects the demand functions with the production functions *via* prices. Having balanced the balance of payments and the use of resources we must now recognise that we have changed relative prices and so demands. We must therefore go through the whole process several times more until relative prices as well as the use of resources and the balance of payments are in balance. [9])

The calculation of shadow prices would make possible a more sophisticated treatment of foreign trade but we shall not consider such an extension here.

We are also considering some changes in the framework of the model which might be regarded as extensions or, at least, as major modifications. All these are designed to make the model as accurate as possible within the limits of existing data. Since we are concerned with the technology of the future, we are trying to introduce as much knowledge as possible about that technology through cooperation with specialists in different branches of industry. In doing this it will be necessary to pull certain rather specific branches out of our large aggregates and show them separately. Thus for example coal, electricity, petroleum and several branches of iron and steel and of chemicals ought to be treated separately.

---

[9]) RICHARD STONE: 'A Demonstration Model for Economic Growth', The *Manchester School*, *XXX* (1962) 1–14. This paper gives a price sensitive version of the model.

It is probable that this can be done for certain purposes but not for others, in which case we shall have to make classification converters for industries. Thus it may be necessary to combine a comparatively detailed input-output table with a much more aggregated set of production functions. Another area in which a classification converter might be useful is foreign trade. In the case of complementary imports we already know the composition of the total for each industry. Similar information would be useful for competitive imports and for exports. Thus, it is possible to form a view of export prospects for certain specific goods in a way which cannot be used if only very broad groups are considered.

9. CONCLUSIONS

Certain broad conclusions emerge even from the preliminary work we have so far done and are listed below. The first three are methodological, the remainder of a more general nature.

(1) It seems essential to avoid the Procrustean solution of working with a single classification of commodities and industries throughout the model. The technique of using a matrix of coefficients, which we have called a classification converter, to transform data from one classification to another seems promising and allows for example the demand analyst and input-output specialist to work within their familiar frames of reference.

(2) Though it may seem obvious it is important to keep always in mind that the relationships and coefficients used in the model are intended to refer to the future and not to the past nor even the present. Thus any temptation to use say a 1954 table of input-output coefficients on the grounds that it is the best and most recent available must be firmly resisted. Much attention must be given to the projection of such coefficients and it is unlikely that any purely econometric technique based on the analysis of past industrial performance will in the end suffice. It is particularly in this context that we stress the need for cooperation between economic statisticians and technologists in industry.

(3) With a model which encompasses the whole range of the social accounts it is very difficult to guide research along the most profitable lines. The amount of research effort required to refine and improve estimates of relationships can be very great and the effect on the performance of the model may not be proportionate. It is therefore necessary to develop

a working prototype at an early stage in the general programme in order that sensitivity analyses may be used to direct further effort where it is most needed.

(4) A main purpose of the model is to investigate the consequences of differing initial assumptions. Thus for the British economy it is important to study the effects of differing assumptions concerning future export performance. Such a study will be of more value than the most careful forecast of the 'most probable' level of future export earnings which in any case depend on unknowable political factors and can never be believed with certainty before the event however accurate they prove to be afterwards. This may help to underline the difference in intention between the present model and more traditional attempts at economic forecasting.

(5) It has not seemed useful in our model to draw any distinction between variables which may be operated on directly by government as instruments and others which government can influence only indirectly or not at all. The reason for this is that the model has not been designed exclusively from a government point of view. Almost all the variables in the model are 'decision variables' from the point of view of one or other social group, whether it be government, industry, labour or consumers. Our final aim is to present a perspective of the British economy which may be acceptable and convincing to all who participate in its development.

(6) Following almost directly from the last point, it is perhaps as well to state a fundamental belief: this is that the role of the economist and statistician in so far as they wish to participate in the present type of perspective programming is to present coherent statistical pictures of the possible future and to point to areas of strain and difficulty which may appear if certain policies are followed. In the end it is human beings who determine the rate of growth of economies, and if a significant increase in the British rate of growth is achieved it will be mainly because large numbers of people in government, employer's federations and trade unions become convinced of the need for a new approach and consequently bring about an adaptation of social behaviour in line with new technical possibilities.

CHAPTER 11

COMMENTARY: A PERSONAL STATEMENT

BY

R. C. GEARY

The Economic Research Institute, Dublin, Ireland

I have little doubt that my colleagues in this enterprise would agree that the science of middle and long term forecasting is still at its small beginnings; if indeed it is yet a 'science'. Of the ten contributions eight are applied – i.e. they display results in the form of figures – and two are theoretical, though designed for application. All eight applied contributions are largely projections ('onlooker' forecasts in Frisch's useful term): they purport to indicate in figures what the authors think is likely to happen under 'normal' conditions, i.e. postulating no great catastrophies such as wars, no major increase in the degree of government interference in the working of the economic system, or no substantial changes in conditions affecting foreign trade. The figures are sure to be proved wrong in the event, the methods used for their derivation are manifestly over-simplified and at the present stage it is a moot point whether, regarded as exercises in economic arithmetic, or not, they are justified, in view of all the uncertainties, the random shocks and the like which demonstrably have such a considerable effect on an extrapolated trend. After such Devil's Advocacy the writer [1]) abandons his brief and avers that, on the whole, the exercises are worth while.

The writer, a former government statistician, has had a hard conversion to the foregoing qualified optimism. He well recalls his dismay during the Marshall Plan period when statements were required of forecasts for five years ahead of certain macro-economic entities pertaining to his country. He held out as long as he could, refusing to give figures for more than a year ahead, and these only when the year was well on its way. He had done some theoretical work on structural relations between econ-

---

[1]) The 'writer' throughout is R. C. Geary, not to be confused with the 'author', any other contributor. 'I' or 'me' would, of course, be clearer in the text but 'writer' may cast a veil over a manifest tendency towards egregiousness.

omic time series and was aware of the magnitude of residual random errors. This view was fortified by Carl F. Christ's devastating finding [2] that short term forecasts based on structural equations were no more accurate than 'naive' forecasts, i.e. those in which the 'forecast' was assumed to be the same as the latest actual figure. From his training and past affiliations the writer must have, if anything, an exaggerated notion of the sanctity of statistics, that no figure should be promulgated unless it was derived from a genuine inquiry and was believed to be reasonably accurate. So he has had to go a long way in accepting forecasts of any kind. There must be many more of his generation who share his view; perhaps indeed the majority of statisticians and economists are still unconverted to quantitative forecasting. The writer wonders if we had not better swallow our misgivings and clamber on the band wagon for there seems to be no better mode of economic travel. The writer himself has a hesitant (if not yet quite eager) foot on the hub of the wheel. The mechanism may now be faulty and primitive and will, no doubt, seem as ludicrous to our progeny as the early motor cars look to us; but it will be improved as time goes on.

PLANNING

Ever since governments and peoples decided, under stress of the great economic depression of the 1930's, to interfere in a big way with the working of the then-to-fore relatively free working of the economic system, systematic and comprehensive planning, with its handmaiden quantum forecasting, had to come in time. The concomitant and in a certain degree the associated increase in strength of the trade union movement and the rise of giant trusts, as well as drastic changes in fiscal policy by governments, imposed all kinds of restraints on the free working of the competitive economy postulated by the classical economists. Under their system optimalization of public welfare (in the aggregate) is theoretically demonstrable; the nonsensical Ricardo-Marx thesis of the rich inevitably becoming richer and the poor poorer could have been proved false, in their times as now, if anyone had thought of collecting a few relevant statistics and modified the postulates accordingly. We may be wistful

---

[2] 'On Econometric Models of the U.S. Economy', Income and Wealth, Series VI, International Association for Research in Income and Wealth (1956).

about *laissez faire* but there is not the faintest use crying over spilt milk. We must take the situation as we find it. Optimization of public welfare in existing circumstances will not come of its own accord. We must plan to make it so.

Of course planning of itself is not enough. Always postulating free democratic institutions, we must bring the people along with us, of their free choice. Now, while the people may vote in large masses for a very few political parties, when it comes to their work they are a miscellaneous lot indeed, infinitely variable in talent, stubborness, character, industriousness and all the rest. Furthermore, critics of planning can easily show that the great industrial upsurge of the 19th century was achieved without benefit of either positive economics or statistics and they will strongly doubt whether the impressive economic advance in many countries since World War II has been appreciably influenced by what plans there were. They will rather cruelly point out that, until recently, *planisme* was a term of derision amongst Western economists. And those people certainly 'have something' who suspect the danger that plans may become tyrannical, however pure the intentions of the present generation of planners. Perhaps indeed one of the most precious elements in our freedom is our right to remain unplanned.

Algebraically and (in this age of digital computers) feasible economic plans which are optimal in regard to national resources are easy to make. Far and away the larger task will be to convince decision-makers in key positions to carry them out. This will not be a matter of securing a 'majority decision', for a sizable recalcitrant core of diehards could frustrate the best of plans. There must be quasi-unanimity amongst decision-makers. Many will remain reluctant rather than starry-eyed but these must be shown that unless they come along they will be lost: which is conviction, of a sort!

Even regarded as prophecies, prognostics for a decade or so ahead seem to have a far better prospect of being more or less realised than would have been the case at any previous period. In the atmosphere prevailing everywhere, enterprises have become more plan-conscious. *Pace* Frisch (see note later), it seems likely that if an economy is faced with a feasible plan and if this plan is sufficiently publicised and discussed, individual enterprises and industries as a whole will tend to gear their activities to it. A good way of fulfilling a prophecy that a thing will be done is to go do it. Apart from the objective of realising a specific plan, surely no better way can be found of making enterprises more productivityminded than by discussing plans, especially in the matter of improving their rate of residual productivity (a term which the writer prefers to the more common 'technical progress'), namely that 'mysterious' element over and above the contributions of labour and capital, implying increased production from given resources. Consideration of a comprehensive plan will force governments to improved consciousness of the interrelated character of the economy, and the far-reaching effects of its policy decisions.

An important object of thinking ahead quantitatively is to get people to absorb the idea that long term plans for anything (especially, perhaps, for matters outside the strictly economic field, such as town planning, or education) ought to be made against a background of increasing material resources. For instance, town planners tend to dismiss the usefulness of thinking about a radical scheme 'because we cannot afford it.' If they thought about these schemes – whose implementation will obviously take many years – in terms of their proportion of the possible increment of national income, the schemes would look far less impossible. Much the same consideration applies to programmes for much wider extension of university education. [3])

Our eminent colleague Jan Tinbergen (unfortunately not represented in this volume) has reminded us that, at the best, the contribution of economics to the general well-being must be proportionately small. Far more will depend on entrepreneurial initiative, technical and managerial skill, above all sheer hard work. Even if an all-wise Providence would reveal that the activity of economists rendered human welfare 5 per cent better than it otherwise would be, this would be a magnificent contribution. So, let us make our contribution as large as we can.

INEVITABILITY

Yes, quantum forecasting was inevitable sooner or later, to anyone who could read the signs and portents: from what has gone before it will be evident that, until very late in the day, the writer was not one of the prescient ones. Forecasting, whether of the onlooker, deterministic, or decision-model type is of course a concomitant of planning. Plans for the future have always been made. For man, the past is dead, unless he be a

---

[3]) The writer is indebted to his colleague Saunders for this point.

historian; its function is to teach him by experience how to conduct his affairs in the years ahead. When the individual businessman invests in inventories, replacement or new investment he must have some kind of plan, however vague, however implicit, in his mind. By the test of success (discounted for luck) businessmen have been very good planners indeed. It is not surprising that in recent years the explicit demand for macro forecasts (usually GNP) on the part of business has grown at an astonishing pace. While the writer was in the Statistical Office of the United Nations he was constantly asked for such data by US businessmen interested in export markets, sometimes for countries which had only the vaguest idea of what their current GNP was! And, to repeat, all governments, since the Great Depression, have abandoned the notion that their function was restricted to the provision of essential services and (more or less) balancing the budget. They have now assumed responsibility for the working of the economic system, ranging from specific (i.e. quantum) plans to 'keeping the economy on the rails', their principal instruments being fiscal and financial. The time is surely ripe and the general atmosphere right for experimentation in quantum forecasting from the simplest to the most elaborate. The cost will be infinitesimal compared with the benefits to be gained, if the general approach proves even partially successful. The theoretical constructs already available, if only at their beginning, seem promising: it remains to be seen how they will work in practice. There is no intention on the part of exponents to abandon the ancient virtues of good sense and balanced wisdom; rather will the new methods be adjuncts to these.

Developments along the lines of this book were also inevitable from the statistical point of view. Every so-called 'current' economic statistic was regarded by government and business as if it were a forecast: this or that figure (relating to last week, last month, last calendar year or even last census year) represented the position 'now' or in the near future or, in a more sophisticated way, an extrapolation was made based on the recent past.

ECONOMICS: QUO VADIS?

It might be a good time and a good idea for economists and schools of economics to consider where they stand in this and other matters – to come away from the trees and have a look at the wood. The writer's thesis has the virtue of syllogistic simplicity. The object of economics is to improve the material welfare of mankind. To this end, the only topic in economics worthy of serious consideration is economic programming at all levels. Economics must therefore be converted with all due speed into an experimental science and the essence of science is measurement. Literary economics is outmoded; its gimcrack edifice would have collapsed long ago if it were not kept up by the wallpaper of style; let's have done with it. Because of its survival, economics, regarded as a science, is at the phlogiston stage of chemistry before the advent of Lavoisier and Priestley. The littérateurs don't seem to know this; we could, in Charity, forgive them anything but their complacency.

A degree in economics in most European universities is not a professional qualification. When a government or a business firm hires an economist one assumes that his function is to advise and to plan in matters economic. His employers know that in his preparation he has had to study production, distribution, prices, finance and dozens of other things which have relevance in their business. They may be awestruck at the difficulty and complexity of the subjects which the neophyte has had to master in his university. Yet in the work-a-day world there may be but little evidence of all his higher learning. The quality of his work so often seems to depend on his intelligence, good sense and that invaluable contact with university life during his formative years. The memoranda he produces could have been as well by equally clever graduates of any other faculty, after very little training on the job. So different from law, medicine, engineering and other learned professions, economics seems to have failed to evolve techniques applicable to the conduct of economics in everyday life. This is emphatically not to imply that in the public service or in business graduates in economics do not do good work; they do indeed but if they were properly trained in their universities they would do much better.

It is perhaps only in financial administration that knowledge and technique acquired in the classrooms are useful to economic practitioners in after life. Yet even here it is demonstrable that, despite the apparent success of financial control in the postwar period in several countries in maintaining full employment, knowledge of the cause-effect relationship between budgetary and fiscal action on the one hand and economic effect on the other is woefully deficient. At any rate action seems always to be crisis action, too much too late. Do financial authorities realise that a rise from 5 to 7 per cent in the bank rate represents an increase of 40 per cent in the price of money, the blood stream of economics? High increases in units, or at best one-halves, in the bank rate, surely indicate that these are shots in the dark with little or no knowledge of possible effects except on other financial entities. Have our financial masters not heard of the decimal point? Whatever the expressed aspirations to the contrary, could they not frankly admit that the bank rate, potentially so useful for general economic control, sometime hailed as 'that delicate and beautiful instrument' is now wielded as a bludgeon to protect the Sacred Cow, the reserves of the banking system, and devil take the economy?

The great majority of technical articles in the better-known economic journals seems to have been written for the edification of other economists. What the writer holds in particular abhorrence is that dialectical immaterialism, that survival of scholastic philosophy in a field where it should never have had a place, taking the form of article, comments, rejoinders *et al ad inf*, all participants playing the game according to the rules in which the hypotheses and therefore the conclusions (if any) bear no necessary relation to the facts of life. When economists write about everyday problems what emerges, at the best, is ordinary good sense. One often notices that, when statistics are used, command of technique even at the primary analytical level is not impressive. More often than not, statistics are used merely for garnishing what might otherwise be 'a bald and unconvincing narrative', a kind of ritual gesture. Though economics purports to be the science of everyday affairs there often seems to be a large gap between the schools and the practice. In USA the training is more realistic than in Europe. An intelligent student of a European economics faculty just returned from a course in the business school of an American university recently told the writer that he did not realise that economics had anything to do with economic life as it is until he went to America! In the schools there must be much more emphasis on techniques associated with economic development (including forecasting, planning and optimization) at the micro, as well as at the macro level, applied by the students themselves to actual data; economic laboratories must be an essential part of university plant and equipment, as is the case with the other experimental sciences. Thus will the wide gap between training and practice in after life be largely bridged. With all the new states emerging, justifiably expecting so much from their economic advisers, and the crucial need to improve the lot of the great majority of mankind, economic planning (involving, of course, quantum forecasting) far transcends in importance any other division of economics. Let us, in the schools, treat it with the urgency and seriousness it deserves.

What the writer is saying is that this volume affords the discipline of economics an excellent opportunity to have a look at itself and at us: if you like what we are trying to do, say so; if not, say so too and why: but don't ignore us. Economists have always given advice to governments in non-quantitative terms – no doubt in most cases the advice was sound – and their constantly recurring complaint has been that their wisdom was ignored. But was not this often understandable? Was the advice not infrequently over-generalised ('balance the budget', 'lower tariffs', 'avoid inflation', without saying where and how)? Were political and social values not explicitly excluded from the consideration of the advisers ('we deal only with purely economic values') with resulting unreality? Were the politicians always wrong and economists always right, e.g. in tariff policy? With their ears amongst the grass roots have not the politicians acquired a vast amount of information which never seeps into the classrooms? If their reasons are economically crude ('let's put our unemployed to work'), were they not sustained by Bertil Ohlin's discovery in the 1930's that the classical argument in favour of free trade depended for its validity on the full employment of the factors of production, a situation which never obtained and never will obtain in any country?

It is the writer's contention that economic analysis and advice as to right action, should be quantified, ultimately within the framework of the national accounts, which encompass both economic and social values. In a free society it is not for economists to decide how much of the national resources should be devoted to economic and how much to social objects – broadly speaking economic investment is of private and social investment of government concern – but they can show in figures, derived from past experience, what the effects throughout the whole economy of different policies are likely to be. Such figures will be forecasts, necessarily imprecise but (as far as our knowledge goes) they will be consistent in their parts. As this science develops it will be possible to assign stochastic limits to each prognostic – e.g. the forecast for housebuilding in 1970, on such and such assumptions is 10 ± 1 meaning that with a probability of .95 the prognostic will lie between 9 and 11. This kind of imprecision will be quite sufficient for the policy-makers who usually require only right orders of magnitude as distinct from exactitude: this, in fact, is the principal justification for the kind of figures displayed in this book.

Quantification will lend detail, internal consistency and in general a cutting edge to the advice tendered by economists to governments and peoples. It will take due account of economic and social objects as far as scarce resources are concerned. It will help governments to decide wisely on the allocation of resources between economic and social ends, so acutely difficult a problem, in somewhat the following way: if over a period of years resources are divided 50 : 50 GNP at the end will be 1000 but if the division is 60 : 40 it will be 1100 (figures imaginary). Government will thus be faced squarely with the problem in the form of the more or less exact price it must pay to attain social ends deemed desirable. If the price is too high there must be postponement or abandonment; if low, they can go ahead. This kind of formulation can be made in fairly fine detail throughout the whole socio-economic system provided, of course, that the statistics for past years are available in the requisite detail. One cannot forecast what does not already exist.

ECONOMICS OR ECONOMETRICS?

The writer must be emphatic that his attitude is not 'Look at this picture and at that', the contrast between the inadequacy of literary economics and the triumphs of the quantum approach, as aids to economic development. It is rather that we economists are all in the same boat with insufficient knowledge of navigation. It is the writer's conviction, however, that if economics is to be useful in the sense indicated it must become an experimental science, and the essence of science is observation, measurement and inference from measurement. Theoretical economists seem sometimes to find perverse satisfaction in the fact that the entities in which they deal are not statistically measurable at all. The writer recalls vividly, in this connection, correspondence with eminent economists when as government statistician he was trying to set up a revised consumer price index for his country with changing weights in accordance with indifference curve theory, to be complacently informed that no household budget or any other inquiry could be designed to give effect to this theory which was a pure abstraction; and the correspondence ended on his inquiry 'Then what use is indifference curve theory outside the classrooms?' Probably the large majority of economists do not 'believe' in the econometric approach at all.

The writer holds that the future of economics must lie with econometrics, including therein descriptive economics and interpreting 'econometrics' in its widest, in fact literal, sense. This, of course, does not mean

that there is no place in the future development of economics for all economists but rather that these acute intelligences in their hypotheses and
ratiocinations will take account of econometric findings and encourage
econometric research with a view to making econometrics central in their
systems. Up to the present econometrics, with a promising corpus of
theory at its disposal, has little to exhibit of fundamental importance in
the way of application to actual data. In contrast with other branches of
applied statistics, we make a poor showing. Of course, it is our custom
to exculpate ourselves by contrasting our sad lot in having to try to deal
with late, wrong, unsuitable and uncontrolled statistics, and the infinite
complexity of the working of the economic system, with the situation of
the scientist working in the laboratory or with field experimentation with
everything under control. We should forget about our excuses and get on
with the job; self-pity was never an impulsion to action.

The development of econometrics is itself hampered by that discipline's almost slavish deference to classical and neo-classical economic
ideas: one would sometimes think that the main object of econometrics
was to prove or disprove these ideas. For the econometrician, as scientist,
the data are a general knowledge of how the social and economic system
works, a descriptive knowledge of the system, the statistics pertaining to
it (if these are not adequate he must clamour for more or other), statistical
theory and good sense. He will not necessarily reject existing economic
theory but he will divest himself of his inferiority complex about it.

Economics is an applied science in which Mathematics is an important instrument but now, as so often in the past, practitioners must be
warned against the lures of the Scarlet Woman for her way is the easy
way compared with the grinding labour, the disappointments and frustra-
tions, of calculation. At least it can be said for Mathematica that she has
charm and elegance and can beget healthy children. In comparison literary economics seems a dull frump with a monstrously high net repro-
duction rate. Her most important spawning was Karl Marx in whom she
found no fault ('Perhaps he is a little obstreperous but he is so like his
Daddy, Ricardo').

STATUS OF FIGURES IN FORECASTING

In forecasting, figures are being assigned a role quite different from that
which they had as statistics. Perhaps we might point the difference ter-

minologically by dividing 'figures' into two classes 'statistics', derived from genuine inquiry and relating to past time, and 'prognostics'. That role is only a development of the time-honoured practice of taking from one's pocket, in discussion, an envelope, scribbling thereon some figures and saying 'let us see what this involves. With a capital-output ratio of 4 and a saving ratio (saving as percentage of national income) of 10 per cent an annual rate of increase of $2\frac{1}{2}$ ($= 10/4$) will be obtained, whereas with savings 20 per cent the rate will be 5 per cent...' Of course, the capital-output ratio of 4, even if based on past experience, may not obtain in the future so one may hedge with the range 3–5. This perhaps matters little from the decision-making point of view. Surely this kind of thing, even at its preposterous simplest, is better than saying 'only by increasing the rate of saving can we achieve a satisfactory rate of increase in the national income' which is true only as a truism and which, like so much economic exhortation in the past, gets one nowhere.

Krengel rightly points out that no prognostics can be better than the statistics one starts out with. These statistics are all constituents (or elements of such constituents) in the national accounts. The writer regrets to have to state that at present the statistical quality of these statistics in every country is rather poor. In the early days, the writer, like other government statisticians, welcomed the advent of the system for the purely statistical reason that, since the accounts were comprehensive, they would show up gaps in the national statistics which needed filling; and, since the accounts were articulated (or double-entry), they afforded a means for checking the substantial reliability of all the figures, if independently estimated and not 'residues'. In the more statistically advanced countries most of the gaps were filled but one must have misgivings about the manner of the filling, to say nothing about the boxes already filled. What is more disturbing still is that these shortcomings occasion so little concern. At a recent largely attended international conference – most of the participants being connected either directly or indirectly with planning – the writer from the Chair of a session launched what he conceived to be a withering blast in somewhat the following terms:

'Most of the national account tables are prepared by official statistical offices yet the statistical quality of these tables still leaves very much to be desired. Some time ago I examined the returns of ten or twelve countries of awesome statistical respectability to be gravely disturbed by the result. My method was to fix attention on a particular year – I think it was 1954 – and to study the changes in the principal figures in the accounts on subsequent revisions, starting with those published in 1955. The revisions were truly appalling in magnitude and no country emerges unscathed from this stricture. I may say, by way of illustration, that on first publication changes in stocks are in general a set of random variables as regards not only value but even sign. Nor can one be confident in the finally revised figures, which become definitive, one suspects, only because the authorities have ceased to fiddle about with them.

'Now the statistical quality of input-output tables must be much worse than that of national accounts. There are so many more figures to be wrong about and everyone knows that in an aggregation the elements are proportionately more erroneous than the total. God knows how many dubious expedients are resorted to in compiling an input-output table of even moderate size.

'The reason why I feel bound to expatiate on this aspect of reliability is that it has hardly been mentioned throughout this conference. I think it a pity that the organisers did not arrange for a specific paper on the subject so that we could have heard a full discussion with no holds barred or punches pulled. Though no enemy of, or stranger to, mathematical ways, I feel bound to protest about the magnificent mathematical super-structures we have heard of throughout the week founded on so flimsy a statistical base. The theory is redolent of solutions of simultaneous equations in many variables with the technical coefficients as coefficients in the equations. Surely we know of the exaggerated effect small errors in the coefficients can have on the solutions.'

Fighting words, in all conscience, deliberately intended to induce strong support or provoke violent disagreement. Result: nobody spoke on the topic; nobody apparently cared a jot. The writer therefore agrees, if with some difference in emphasis, with his colleague, Krengel, when he writes:

'No statistical analysis is better than the data it starts out with. No doubt neither input-output figures nor employment data – official statistics both – can be deemed precise by the standards of a perfectionist, but in the past these data have shown that they are useful for meaningful analysis and their value for prognostic purposes can hardly be denied.'

True enough, up to a point, but surely it can also hardly be denied that we have trouble enough in prognosticating without having to cope with large inaccuracies (affecting the reliability of coefficients and constants) in official statistics, which inaccuracies, granted the resources available to government statisticians and the importance with which systematic planning and forecasting has endowed these statistics, could and should be minimised.

NOTES ON OTHER PAPERS

The writer now proposes to present brief notes on each contribution with a view to high-lighting similarities and dissimilarities in method and to making a few comments on points which he found interesting.[4]

THE BELGIAN GROUP [5] starts with a forecast of the population and the labour force culminating in the establishment of rates of increase on the 'quantity of labour'. In assessing the rate of increase in GNP, four branches are regarded as exogenous (cf Cao-Pinna), agriculture, housing, government and private domestic service. The rate for agriculture is based on 'reasoned extrapolation'; for housing principally on the number of households; for government separate projections are made for defence, civil administration and education, based mainly on non-economic considerations, not without ironic mention of Parkinson's Law; for private domestic service, of course, a declining trend is anticipated. Recourse is had to Cobb-Douglas (with a time factor) and coefficients 2/3, 1/3 and 0.025 (time coefficient) for the sector deemed exogenous. For application of the formula, labour is based on quantity of labour; capital is determined from a simple system of six equations in which the six endogenous variables are output, capital consumption, private disposable income, private consumption, gross investment and capital stock and the coefficients are pre-assigned generally on past or anticipated future behaviour, i.e. the system is not solved integrally from time series. As regards the time factor, it was taken as a technical coefficient which will take account of the effects of the Common Market. This coefficient, 2.5 per cent, implies an increase of 0.75 per cent on the recent historical trend.

A difficulty which the writer finds in the method is that the system of equations seems over-determined: for the Cobb-Douglas must be added to the six equations, giving seven equations with six unknowns. No doubt this difficulty was resolved by juggling with the parameters within permissible limits.

Imports (M) are to expand to $1\frac{1}{2}$ times the rate for GNP – on recent experience slightly modified. The export trend is determined from $X = S + M$, with S exogenous. Private consumption and production are forecast in some detail.

While most of the data are expressed in constant prices, very tentative consideration is given to the future price trend from which the gloomy

---

[4] Here the writer's schizophrenia becomes manifest. He can well understand not only the readers but also his colleagues being puzzled by his attitude: he is not sure he can fully justify it. He wishes to make it crystal clear that in this chapter he is writing as himself. This is what he tried to convey in the word 'personal' in his title. His particular tragedy is that he is an editor who becomes genuinely interested in some points of all his colleagues.

[5] Le Groupe d'Etudes de la Comptabilité Nationale.

prospect emerges of a persistent rise in prices of 1.25 per cent per annum.

BENARD describes his methods so clearly that it would be supereroga-
tory to attempt to summarize these in a few sentences. In fact, in one
short paragraph the author does so himself. Iterative methods, which in
fact converge rapidly, are preferred to a model consisting of a system of
simultaneous equations which would automatically bring about internal
consistency. For example (as the author states) production by branch
leads to GNP; from a first approximation of GNP final demand is calculated; from the latter an input-output inversion leads back to production by branches. Then one starts afresh. The similarity with the
Stone-Brown 'loop' procedure is evident. A further test of consistency
is involved in the confrontation of labour supply and labour demand
derived from production. One likes also the principle which the author
considers should apply to all projections 'if not an absolute stability at
least a gradual and unbroken evolution of the society studied'. Yes, indeed, idealists will do well to reflect that wherever we go we have to
start from where we are now.

The author starts with a more or less arbitrary rate of increase of
gross internal product (not to be confused with gross domestic product,
since the author, for reasons stated, prefers a figure which excludes
general government), determined as 5% a year in the period 1959–1975.
He justifies this approach (cf. Stone-Brown and Saunders) in that his
object is to study the consequences of any reasonable global hypothesis
of development, to which specific objectives of economic and social
policy will be associated.

The difficulty of regarding external trade as autonomous is recognised.
If separate projections are made for imports and exports one has to ensure
not only that there is quasi-equality between them but that imports
(largely materials) are consistent with the production level. For the years
1965 and 1975 the initial imbalance was rectified by transferring certain
imports from foreign countries to the Franc Zone and by envisaging
larger exports from leading sectors.

The treatment of productive capital formation has points of interest.
The author recognises, of course, the difficulty that capital formation in
any year depends not on the level of output in the given branches but on
the rate of increase, during the year for net additions to capital stock and
to the level of output in previous years as regards capital replacements.
He avoids the difficulty by using the fact of a remarkable constancy in
past years in the proportions borne by the capital producing industries

to one another and, having established a global capital-output ratio of 2.7 for 1970, this suffices for the estimation of the output of the capital industries. The author describes this procedure as 'rough but adequate for his purpose'. The writer, though impressed by the author's pragmatism, thinks that, using a capital-output matrix and assuming a linear and not a geometrical rate of increase, output of the capital industries can be expressed as linear functions of the current outputs; as fixed capital, and analogously changes in stocks, can be built into the input-output matrix to be inverted; see further remarks of the writer on this aspect in his comments on Stone-Brown.

Though the point is closely reasoned the writer is not entirely happy about the argument of the savings-investment trend leading necessarily to inflation – the 'vicious circle'. One can easily set up a set of constant price articulated accounts postulating an increased proportion of personal saving without encountering any inconsistency. In correspondence the author states that he grants the possibility of an equilibrium being attained but what he has in mind are the strains involved in the attainment of the equilibrium.

From the author's general approach one infers that though French official circles dislike general econometric models, his own heart is in the econometric highlands. In his model, in fact, one finds much recourse to econometric methods: the uses of input-output inversion and of consumption functions, for example. He gives, it is true, a reasoned case against general econometric models and then largely answers his own case. One imagines that what he objects to is really that one should depend on a set of structural equations to the exclusion of everything else; and a fortiori to general Harrod-Domar and Cobb-Douglas functions; approaches which we might agree, perhaps, are over-simplified. The trouble seems to be exclusive reliance on any formal system: here we would agree too. Obviously part of the difficulty is the definition of 'econometrics', of which each econometrician has his own. The writer's includes all processes which involve measurement of economic things, the literal meaning of the term. If a problem can be solved by simple arithmetic, that is the way to solve it. Always use the simplest methods to a given end: a philosophy which has the great advantage that one's argument is comprehensible throughout to the decision makers, non-mathematicians to a man. Have recourse to mathematics of increasing complexity only as the case requires and even then try to be comprehensible in one's findings, at least. And no matter how subtle the mathematics and the reasoning, the final arbiter is good sense. It is also a good discipline to try out different methods, especially in the hazardous field of forecasting, of solving problems. Reconciliation of different answers may bring to light errors in the most complicated argument. How often have directors of statistical offices pointed to a given figure and with complete confidence remarked 'My dear fellow, I am lost in admiration of your mathematics but your answer is wrong', to the confusion of the culprit and the admiration of everyone else, directorial omniscience based usually on the simplest ratiocination.

KRENGEL bases his forecasts (confined to industry) on fixed capital stock, energy supply and employment, with highest emphasis on fixed capital and lowest on employment. Capital and not labour is regarded as the limiting factor in production. Considerable attention is therefore given to the estimation of fixed capital stock (yearly average) at constant prices. The method is essentially as follows. Capital stock statistics are available in considerable detail as to industry for 1959. Year by year to 1970 net additions are made, the net figure being the difference between gross capital formation and capital consumption. To estimate gross capital formation the figure for each industry in the first instance is assumed to expand uniformly at about 7 per cent per annum for the 'optimistic version'. A 'pessimistic version' implies no change in capital formation; throughout it remains constant, industry by industry, at the 1959 level. A 'midway' version, the average of the optimistic and pessimistic versions is favoured for first stage estimation of gross capital formation at constant prices, industry by industry. Capital consumption ('retirement') is independently estimated from estimates of life span of existing assets, 50 years for buildings and 20–33 years for equipment in broad industrial categories. These periods are surprisingly long (though no doubt realistic), far longer than *ex ante* amortisation periods at least for equipment. The author makes the point that retirements are but a small fraction of gross capital formation – actually one-fourth in 1959 and one-fifth in 1970 [6]). The first stage estimates of year to year net additions to the 1959 figure of fixed capital are then 'adapted' to the 'final adapted version' (on grounds which are not quite clear but in which, one suspects 'feeling and instinct' come into considerable play). The manner in which output is derived from capital stock is explained in section BIV of the paper,

---

[6]) Retirements of obsolete equipment in Germany now and during the next decade are or will be low because war devastation and dismantling orders anticipated present scrappings.

wherein one notes that in each of the intervals 1960–1965 and 1965–1970 output is to grow at a greater rate than capital stock.

To the writer the most interesting feature of this paper is the explicit recognition of capital consumption or 'retirements', not to be confused with amortisation, that purely financial entity which may have little relation to reality. Actually the retirement figures fluctuate considerably from year to year during the period 1959–1970 which implies that the author had available estimates of capital stock for up to 50 years prior to 1959, in fair industrial detail; one must envy him the possession of such figures for they are very rare. It may be at this point that the writer should remark that in these comments he had available to him the very detailed tables to which the author refers in his text and which he has kindly offered to make available to anyone who asks for them: the writer suggests that this offer should be availed of by people who are interested in methodology.

They will find detail Tables 1 and 2 (unpublished) of special interest. Here one will note very considerable discrepancies from industry to industry in the relationship between percentage increases in capital stock and net output in both periods 1950–1955 and 1955–1960; in fact these figures, for the statistical period afford a somewhat doleful commentary on the validity of the capital/output ratio on a yearly basis; elsewhere the writer has indicated his conviction that, statistically speaking, this concept is valid only for *averages* of periods of consecutive years, e.g. instead of comparing 1950 with 1955 one might use averages 1948–1952 and 1953–1957. One finds similar discrepancies between changes in capital stock and net output for the period 1960–1965; apparently the two series of estimates, industry by industry, were largely independent. On the contrary when the period 1965–1970 is reached the percentage changes between 1965 and 1970 are deemed practically equal for most industries.

The author, in presenting both optimistic and pessimistic versions of capital stock clearly implies that he would prefer ranges, rather than a single figure for his estimates; indeed he makes the point quite explicitly elsewhere in his text. He is basically an 'instinctivist' rather than a 'mechanist' in his approach to forecasting. At this stage in these studies no one can say which is the better; perhaps there is room for both. The writer must, however, express the view that an input-output approach, even having regard to all its hazards, would have been more satisfying. There is little evidence in the paper of the author's having considered the interrelationships between industries in the broad groups e.g. mining and basic materials and production goods on the one hand and investment goods and consumption goods on the other. How can one judge that these are consistent in, say, the year 1970? What is the pattern of consumption and exports in these years; what is the pattern of imports? We have no idea. The writer would be particularly sceptical about the value of the author's (detail) Table 7 in which one is asked to accept the credibility, as a first approximation, of the same percentage increases in gross capital formation (optimistic version) between each pair of consecutive years, for all industries (except mining): e.g. between 1960 and 1970 both the milling industry and the machinery industry have doubled! In the 'adaptation' these figures are considerably modified in the general direction of verisimilitude but it is not clear how.

As the foregoing remarks are somewhat forthright – and by a writer who has had far less practical experience in this field than the author – the writer feels he should pay tribute to the success which has attended the forecast of the author and his colleagues of DIW, made eleven years ago, when they expressed a pronounced growth-optimism for the Federal Republic. Considerable significance accordingly attaches to Krengel's expectation of yearly growth rates of GNP of 5–6%, the highest for any of the countries represented here, during the next decade.

Readers will find of special interest the analysis of energy input.

CAO-PINNA regards the sectors agriculture, public administration and services as non-systematic or exogenous (cf the Belgian group) to be estimated outside the system; the author's main concern is with industrial and tertiary activities (endogenous). The remarkable Table 1 showing constant price series for added value, employment and capital stock for the endogenous sector for the two periods of years (i) 1922–1939 and (ii) 1950–1958 is used to produce primary derived data and no fewer than six functional relationships between the three series for each period of years including, of course, those of the Cobb-Douglas type. These relations are examined from many points of view, the author finally favouring a rate of increase in the endogenous sector of 5.25 for the period 1959–1970 compared with 7.30 in the period 1950–1959. After close and detailed argument, supported by calculations on all kinds of alternatives, the author takes the view that, while a continuation in the subsequent decade of the high 1950–1959 rate is possible, it is unlikely. The manner of derivation of the forecasts for the sectors deemed exogenous are clearly set out in Tables D–F appended to the article.

The writer's comments bear mainly on the author's econometric relationships. The regularity of the increase in each of the three series during the period 1950–1958 is quite remarkable. The trend in each of the three deviates insignificantly from the linear (in time, t) if K_1 has a slight tendency to curve upwards.

Table 4 embodying the formulae of relationship is of great interest. There must, however, be serious objections on technical grounds to formulae (3.2) and (3.3) for the later period. Here the problem of collinearity arises in an acute form: as already remarked all three series are linear in time. The effects are obvious from the standard deviations of the estimates: none is significantly different from zero. From a result due to Frisch and Waugh, the estimates for (3.3) are exactly those which would be found if the *deviations* of log v_1 from its t-line of closest fit on the corresponding deviations of log a_1 and log K_1. All three of these series of deviations are not only very minute but they are probably random in character, except possibly for K_1: hence the insignificance of the estimates.

On the other hand formula (3.1) is of great interest, emphasising, as it does, the fundamental change which has taken place in the Italian economy in 1950–1958 compared with the inter-war period during which Cobb-Douglas coefficients obtained. The writer assumes that the author derived the post-war results using exactly the methods used for the period 1922–1939. During this period the coefficients were about $\frac{2}{3}$ and $\frac{1}{3}$ whereas in 1950–1958 they were about $-\frac{1}{2}$ and $\frac{3}{2}$, still adding to unity but with labour bearing a minus sign!

So interested was the writer in this result, that he regressed log (v_1/a_1) and log (K_1/a_1) separately on t with correlations respectively of .98 and .99. On elimination of t and after some algebra one finds

$$v_1 = CK_1^{1.48} \, a_1^{-0.48},$$

practically identical with (3.1). With the author, express it approximately as

$$v_1 = CK_1 \, (K_1/a_1)^{\frac{1}{2}}.$$

The first factor on the right takes care of the capital/output effect. The second factor says that, given capital stock K_1, added value is going to depend on the magnitude of capital per person employed. Would the reader, before rushing headlong into the ranks of the unbelievers, consider the following question: if there were two factories, each with the same capital stock, but one with considerably more persons engaged than the other, in which factory would he expect to find the larger added value?

While the writer's interest has been concentrated largely on the authors' econometrics, necessarily pertaining to past time, the reader will, of course, have noted that the author relies in only a very minor degree on these relationships in making her forecasts. On the contrary, indeed, and the point is of much interest in itself as characterizing the attitude of most forecasters, the main purpose of the article might almost be to demonstrate the inadequacy of any global or formally algebraic approach to long-term forecasting. The author in fact explicitly rejects the residual trend rates of equation (3.3) ,namely 0.1 %in 1922–1939 and 3.4% in 1950–1958, in favour of 2.5% for the projection of the endogenous sector.

SANDEE and BENARD are the only authors of the 'applied' group who base their prognostics explicitly on input-output which, of course, takes care of the accounting identities. Otherwise Sandee's appraisals are a quantification of a 'feel' for the course which events are likely to take. To the writer, a citizen of an agricultural country afflicted with its modicum of idealistic philosophers who bemoan the artificiality of an urban civilisation, it is refreshing to read 'The only way. . .is to *reduce* agricultural manpower. This is already happening at a *satisfactory* rate. . .' The enthusiastic italics are the writer's own. It is also interesting to read the speculation that the total demand for services is expected to stay behind that of manufactures when the trend in recent years has been just the contrary; even when private domestic service (in which woman-power is being substituted by consumer capital goods) is taken into account one would have expected the trend to continue.

Of special interest is the author's approach to the incremental capital-output ratio, usually just what it says. Sandee, however, discounts his denominator by the labour contribution. There seems, to the writer, to be much to be said for this point of view.

The writer (no great believer in theoretical economic constructs unsubmitted to the arbitrament of statistics) notes with perverse satisfaction the conflict between theory and practice in the matter of marginal productivity of labour. The writer has a lingering suspicion that that additional unit of labour cannot work without tools and workroom-space and that tools and space cannot produce without that unit of labour. Accordingly, he wonders if, when $P = f(K,N)$, the marginal wage rate (or productivity) is $\partial P/\partial N$ or dP/dN, for what happens if one adds the relation to one's model $K = \phi (N)$?

KNESCHAUREK, having complained about the lack of relevant statistics in Switzerland, has recourse to what he describes as a 'very crude model' wherein GNP is simply a product of the active population and productivity. He produces evidence of the regularity of the increase in population, remarking that a forecast made in 1950 closely coincides with the actual figures for each year up to 1960. The author stresses the uncertainty of forecasting the large numbers of immigrant workers. The regularity of the increase in GNP at constant prices during the period 1942–1959 is also impressive, and so therefore is productivity. From data given in the charts it would appear that between 1950 and 1960 the rate of increase in productivity has been almost constant at about 3 per cent, a fact which no doubt emboldened the author to extrapolation to 1975, a procedure which, having regard to the aforementioned regularities and the remarkable manner in which this country maintains its steady progress through all kinds of vicissitudes afflicting the rest of the world, this commentator cannot seriously fault. He must, however, have a reservation about the author's slightly curved extrapolation of GNP when it appears (to the eye) that the trend was linear during the period 1942–1959. Did he test the significance of the negative coefficient of t^2?

To those of us professionally dedicated to belief that statistics are a *sine qua non* for economic development, it is a sobering thought that Switzerland is so successful with relatively free economic institutions and (on the author's authority) serious gaps in its official statistics.

DEAKIN is the only contributor who uses trade cycle theory which leads to the 'not very specific conclusion' that the UK economy may be in the latter part of the expansionary long-term half-cycle and that a decline into the negative half-cycle is unlikely to occur before 1970. Whatever views we hold as to the usefulness of this approach in connection with middle-term forecasting, we may at least concede that, so uncertain are we as to methodology, it is worth trying out. In any case the author seems to use the theory only in marginal degree, to qualify projections made by other means. The writer would be inclined to disagree with the author, though hesitantly, that the possibility of forecasting the technological (or residual) constituent in productivity was 'poor'. He would venture the opinion that in this hazardous field the rating might be 'good'.

The author uses three approaches. The first method is based largely on (i) a curve fitted to gross productivity using a quadratic in time coupled with (ii) a forecast of the number in civil employment. He justifies his extrapolation approach by the fact that correlation between numbers in civil employment and GDP at constant prices is very high. This fact affords a basis for a second forecast for 1970 nearly identical with the first. A forecast based on the capital/output ratio yields a range £25,550–26,450 million, larger than the two other estimates by £2–3 thousand million. So large a range in the three forecasts is disconcerting, the more so since the author's highest figure is £ 2½ thousand million less than Saunders'. The author did not use extrapolation in the forecast itself which, as explained in his text, is based on a method of studying the limits or assessing the degrees of freedom possible for the British economy which are compatible with the essential need to maintain balance; and the capital/output ratio analysis forms an essential basis for determining the limits. Readers will find interesting the tables of the post-war trends for the UK and figures derived therefrom.

In this Table 5 the author gives marginal (or incremental) capital/output ratios of 2.86 and 3.01 for the periods 1949–1960 and 1953–1960 respectively. The writer is pleased to record a confirmatory result he has found for 1952–1958 of 2.90 based on data in the UN National Accounts Yearbook, after smoothing.

SAUNDERS makes the important point at the outset that he is less concerned with the assumed rate of increase in the economy than in its *pattern* consequent on an assumed rate of increase (cf. Benard). Having fixed on a rate for GNP a somewhat higher rate for imports is assumed; hence availabilities are known. The plausibility of the projection is tested by seeing whether the rise in exports, required to give overall balance of payments equilibrium, appears to be reasonable. Government expenditure is based on the assumptions of no change in military expenditure and a substantial rise in civil expenditure. Fixed investment at home is to rise at a rate slightly below that of GNP. The author, rightly of wrongly, gives up the attempt to use capital/output ratios to forecast investment. Instead, he takes the view that the existing ratio of investment to national product is adequate for the modest ratio of growth – little more than recent experience – which he assumes. He states his own view that a much larger rate of growth is possible and desirable but is not yet prepared to calculate its implications. Consumers' expenditure is a residual. Pattern of consumers' expenditure is determined from expenditure and price elasticities: for the latter, the author has had to make assumptions about relative price changes of the different commodity groups within an over-all price change of zero. Industrial output pattern on broad lines was found by linking outputs to the relevant expenditure groups previously determined. Broad consistency was achieved by working within a national account framework – see Table 1 – and details of the pattern were filled in generally by closely reasoned appraisal.

Of course, the author is fully aware that if he had an up-to-date and appropriately detailed input-output table, he could have reduced the large number of assumptions implicit in his method. To a certain degree this would involve the substitution of his set of uncertainties for another namely the instabilities of the input-output coefficients. Input-output would, however, ensure in advance consistency in all parts of the system. On the other hand it might be argued that any algebraic system producing a pat set of answers is out of place in this hazardous field. Certain it is that, in the case of this author and others, not the least useful part of their contributions is their speculation on the shape of things to come based, of course, on analysis of the recent past.

To anyone who has recently tried to travel on the roads of southern England during a week-end, Saunders' forecast of a more than doubling of private motoring during 1959–1969 is a truly intimidating one if, as it must, it involves the substitution of autobahnen for Chesterton's 'rolling English road'. Or perhaps by then we shall have reached the Helicopter Age in a big way...

FRISCH: The writer (as editor) esteems it a special privilege to have a contribution from this distinguished author whom the writer regards as one of the most advanced and inspiring thinkers in this field. In fairness it should be explained that the present contribution is but an adaptation of part of a much longer and highly technical article and we must express our thanks to the author for his so cooperatively consenting to this evisceration.

The writer found the 'survey' at the beginning of the article of much interest, especially for the distinction between *onlooker* and *decision* models, the former producing straight forecasts of what is likely to happen and the latter designed to influence the course of events. The writer considers that all but one of the applied contributions have to do with onlooker models; the general French approach (as described by Benard) and the Stone and Brown UK model seem in different ways to fall into Frisch's second and third stages. One wonders if that author is right in suggesting that publication of forecasts is likely to start a chain reaction working counter to the realization of the forecast. Perhaps the French planners (who have had so much experience) would reply 'not if you secure a very wide degree of cooperation in advance from enterprises', a point which the author obviously had in mind from a paragraph in his 'third stage' section.

From the technical point of view the author's 'fourth stage' (optimization) is most fascinating. Many readers will recall the author's monograph [7]) (designed for developing economies) in which mathematical programming was used as an instrument for selecting and timing individual projects (from thousands of competitors) subject to the foreign balance and other constraints using as a preference function (to be optimized) consumption in a specified future year. In this connection the pioneering work of another contributor, Sandee, in India may be recalled. [8]) Using linear programming this author showed how each industry should be developed, again subject to many constraints, to maximize consumption in a future year.

As the writer understands it – and he would wish his comprehension to be better – the author postulates (1) a preference function, quadratic in form, to be maximised in all future years to the 'horizon', (2) an input-output table for some recent period implying a set of accounting identities and (3) a very large potential number of projects, a selection from which are to be embarked on at a suitable time and in regard to each of which a considerable amount of data of input-output type is available, arranged in channels, each channel containing projects with similar characteristics. The problem is to maximize the preference function, incidentally identifying the projects in the channels to be embarked on, their timing and regionalization. The possibility of a vast number of variables and constraints is envisaged in the form of equations (as well as the accounting identities). The author rejects (as do we all in different degree) the constancy of the I-O technical coefficients throughout the exercise but the author makes substitution central in his system of equations by the ingenious device of the 'ring structure' wherein the possible substitutes appear with predetermined coefficients. Actually it would seem that the ring structure approach multiplies the number of variables and constraints.

It seems to the writer that Frisch with this theory is right at the forefront of scientific programming so that it is of the greatest importance that we should fully understand his theory and be able to appreciate what it involves in practice. This can best be done by giving an application, even with constructed data, simplified but introducing numerically the

---

[7]) 'Optimal Investments under Limited Foreign Resources', Parts I and II (15 July 1959). Memorandum of the Social-Economic Institute, University of Oslo.

[8]) 'A Long-term Planning Model for India', United Nations, New York Report No. TAO/IND/22/Rev. 1, (1959).

various points of theory. There is no better way for understanding theory than by studying a well-constructed example, if not actual data. The proof of the statistical pudding is in the eating, not in the formulation. Our eminent friend will forgive this sententiousness and lend a sympathetic ear to our appeal to 'give us the works'.

It would be presumptuous on the writer's part to make suggestions, nevertheless he must record his impression that, for practical application, the system seems far too complicated, especially when regard is had to the fact that at the best the 'answers' must be subject to wide margins of error. The writer cannot imagine any computer 'taking' the problem as set out in the author's reference [16]. Would it not be possible to divide the working-out into several layers of variables? Thus let investment in engineering (as a whole) be determined to increase largely in future year, say 3, and let us split this vastly complicated complex of industries into its constituents by rule of thumb and such lights as are vouchsafed us. Similarly with regionalization. If a project is to be started in a given year at a given national level, treat as a separate job the problem of where it is to be set up: in this particular case would sub-optimization not be possible? The writer is confident that readers will share his great interest in the potential of Frisch's approach.

The author, of course, recognises the difficulty of selecting a preference function in an advanced economy for in this case the eternal problem arises of making a choice between non-economic social and economic values, the former predominantly the responsibility of public authorities and the latter of the private sector. How much are we to invest in hospitals, schools and dwellings as against narrowly economic things, national saving being a scarce resource? The subtlety of the author's argument about the preference function must be respected. What he is saying is 'let a select group after all due inquiry write into the function all they think desirable, with the different ends suitably weighted and see what this entails by way of investment, what in fact is the social cost under optimum conditions; only then will the whole plan be presented to the public.' Obviously the costs associated with different weighting diagrams can be presented. The writer thinks there is much to be said for this point of view. The people are obviously in a better position to express their preference when they have all the data before them than if they were to discuss *ab initio* whether they want racecourses, churches, food or anything else.

Most people will read with some alarm the author's remarks about prices. He states that in any economy where preferences are formulated, prices must be 'tampered with'. If this be true then enthusiasm for optimized planning is going to be damped indeed. The free-working price mechanism is man's most ingenious invention for the conduct of his economic affairs. Of its own accord in equating supply and demand it solves problems instantaneously beyond the range of the most elaborate computers. It is true that all kinds of restraints have been imposed on the free working of the system but the effects of such interference – including wheat stocks as high as the Rockies – only goes to show how jealously we should preserve what remains of the system. Can we not hope that our plan will be so well made, so consistent in all its parts and so resilient that no serious distortions, the results of excesses and shortages, take place? Can we not hope that under planning, when everyone knows what the plan is, prices will of their own accord be more stable than they were? Of course we agree with the author that shadow prices have relevance in this connection but we also know that shadow prices differ widely from actual prices especially in regard to the prices of unskilled labour which is in excess supply in underdeveloped countries. One cannot be optimistic about optimized planning unless, if necessary, something like price stability can be built into the model even if, as with all constraints, this will lower the optimum. A plan which entails drastic revisions in wages and prices from about the existing levels in the short period is simply out of the question.

The writer much prefers Frisch's economics to his political analysis. He agrees as to the desirability of attaining a 'long term substantial rate of economic growth' but for reasons apparently very different from the author's. For the author the reason is economic competition with the East on which the 'continued existence' of the Western democracies is said to depend. The writer thinks this view is unsound. The only valid reason for aspiring to a sustained rate of growth is that thereby the lot of poor people everywhere will be improved. When poverty has been nearly eliminated – and the world is pitifully far from that Millenium yet – there will be no need for substantial rates of increase in growth for then we shall be approaching the asymptote of affluence. What is the point in every household having three motor cars and three television sets or having two cellophane wrappers on their bread instead of the (largely unnecessary) one? Materialism of this kind leads to absurdity. The ultimate values in civilisation are immaterial and unmeasurable but civilisation cannot exist without a reasonable measure of material satisfaction.

Even the Soviets will come to realise this fact some day. At the Xth Congress of the Communist Party Mr Khrushchev may say that he expects that next year in USSR the number of television sets will be reduced to the level in USA; then we can all rejoice in the level of welfare attained by the Russian people. High rates of increase are consistent only with the presence of a large amount of poverty. USSR rates of 9 or 10 per cent, if aspired to in UK or USA, would make one doubt the sanity of the aspirers. As to the author's remark that substantial rates of growth in West Germany, France and Italy cannot be sustained, the writer need only remark that our colleagues from these countries do not agree with him.

STONE AND BROWN: It will not be necessary in this case to attempt a summary in a few words since the contribution is itself for the greater part a description of method, as clear as might reasonably be expected in a short exposé containing amongst other good things an ingenious diagram. The purpose is indeed defined in the opening sentence, implying the determination in detail of increased sacrifices and efforts required of the UK economy to attain specified increased rates of growth in the economy. The basic data are a highly elaborated input-output table for 1954 brought forward to 1959 together with econometric relationships such as are involved in the I-O table together with demand functions, production functions, import functions and others. The writer will confine himself to a very few comments.

At first sight it might appear that the process is rather untidy since the 'closing of the loops' of foreign trade, investment and (apparently) consumption involves adjustment of figures tentatively assumed, and starting afresh until a balance is obtained. It would appear that this is merely an iterative process rendered necessary because, while the number of equations equals the number of variables, all the equations are not linear. Presumably also, the discrepancies themselves teach one a good deal about the validity of the econometric relations; and, with a digital computer of suitable capacity available, one can be expansive with one's computation programme.

It is not quite clear from either the diagram (Fig. 1) or Table 2 that the solution will necessarily satisfy all the accounting relationships, i.e. income = expenditure plus saving, saving = investment at home and abroad etc: perhaps, indeed, this fact is another reason why discrepancies – to be eliminated by iteration – occur. Very diffidently (since he has had no practical experience with the suggestion he makes) the writer considers that it might be desirable to include the accounting relationships in the model, with such scalars as household consumption, saving, government consumption, taxes etc. as endogenous variables, in addition, of course, to the production vector. It seems even possible (if with some straining of verisimilitude in the hypothesis) to keep the whole system of equations linear (cf. Sandee – footnote [8]). This would be a great advantage since solutions would emerge without tiresome iteration. One might even keep total savings and the foreign balance as parameters in the solution, so that the solution would emerge as linear functions of these and perhaps a few more parameters. The writer therefore does not much like the authors' idea of having gross savings outside the model; he also wonders if it would not be desirable to identify the usual categories of primary input instead of using a single line, as the authors do. Such a break-down would be necessary to give effect to the idea of incorporating the accounting identities in the model.

The authors' surmise that the iterative procedure mentioned under formula (4.8) converges. From a few arithmetical experiments performed, the writer thinks that the authors are right, not only so but that ordinarily the convergence is very rapid. But, as the authors infer, a proof is required. Is there a mathematician in the audience?

The substitute for the capital/output ratio involved in equation (20) of Table 2 is novel in that it appears to by-pass the usual capital matrix multiplier.

REMARKS ON METHODS OF FORECASTING

Frisch's excellent account of the different approaches to forecasting largely dispenses the writer from a similar task. He would wish to be explicit only with regard to one aspect namely what he will term 'anti-forecasting' or cautionary forecasting. These are forecasts made with the deliberate intention of preventing unwise action, with the earnest aspiration that they will never be realised. Every practitioner is aware of unreasonable claims being made on the economy by powerful groups, certain to have effects inimical to the economy in the long or short run. Quantum forecasting of what is likely to happen if these claims are granted can have excellent deterrent effect. Much the same kind of considerations apply to the appraisal of the consistency and feasibility of a predetermined comprehensive plan, consisting of a large number of projects.

Readers will have noticed that in none of the papers has any account been taken of random shocks to the economy: all approaches are deterministic, albeit that some contributors contemplate ranges instead of firm figures. There is this to be said in favour of such an attitude: when the period for which the prognostics are made is remote enough the increases are much larger than the year-to-year apparently random variations, so that the forecasters have only to enter the *caveat* that when they refer to, say, 1970 or 1975 they really have in mind the annual average for periods of years, say, 1968–1972 or 1973–1977 respectively. The writer is confident that his colleagues would accept such a qualification.

Much sceptical play has been made in the literature about the stability and unpredictability of the various constants and coefficients, based on past experience, which are used in quantum forecasting. While there is some justification for such an attitude, it will be noticed amongst the present contributors that there is anything but a disposition to accept blindly the results of mechanical methods. In some of the applied papers indeed they can scarcely be said to be used at all; while, in the others, formulae are used merely as a first approximation, to be adjudged severely and modified drastically if they are not regarded as reasonable or consistent. (See also remarks on Cao-Pinna's paper).

As regards the more theoretical papers of Frisch and Stone-Brown, both dealing with decision models in the wider sense of the term, the hypothetical standpoint might be justified on the following lines. When it comes to actual application of the models the writer surmises that the authors will be less concerned with the accuracy of the forecasts (assuming all hypotheses more or less realised) than that the various alternative policies examined would turn out to be correctly ordered as regards acceptability. If, in descending order of preference, policies based on a given set of hypotheses, expressed in given values of constant and coefficients, are A, B, C, ..., it is plausible to argue that, if the hypotheses (including the model itself) were quite substantially otherwise, the ordering would remain much the same or at any rate that A would usually emerge as the best; it may be like what happens with index numbers, that the index is comparatively little affected by sizable changes in weights. All this, of course, remains to be seen. One imagines that this is something like what Stone and Brown mean by the problem of sensitivity.

COMPARATIVE TABLE OF FORECASTS

To conclude, it may be useful to set out a comparative table of quantum rates of increase of GNP or analogous macro-economic variable during approximately the last decade and the decade to come. The writer is indebted to his colleagues for help with the compilation.

Average Annual Rate of Increase at Constant Prices

Country	Author	Variable	Total		Per head a)	
			Approximate period			
			1950–1960	1960–1970	1950–1960	1960–1970
			%	%	%	%
Belgium	Groupe d'Etudes	GDP	2.95	3.35	2.35	2.9
France	Benard	PIB b)	5	5	4.15	4.2
Germany (Federal Republic)	Krengel	IP c)	9.6	7.0	8.4	6.0
Italy	Cao-Pinna	GNP	5.7	4.4	5.1	3.9
Netherlands	Sandee	GNP	4.95	4.8	3.62	3.7
Switzerland	Kneschaurek	GNP	4.6	3	3.3	2
United Kingdom (1)	Deakin	GDP	2.6	2.05–2.40	2.1	1.60–1.95
United Kingdom (2)	Saunders	GDP	2.6	2.75	2.1	2.1

(a) All per head of population except labour force for both UK sets of figures. For France, labour force rates for two periods are respectively 5.2 and 4.5.
(b) Gross domestic product (enterprises only, excluding general government).
(c) Industrial production, excluding energy and building. As to GNP in the Federal Republic see notes on Krengel.

Source: Contributions in this volume and additional information supplied by the authors.

No significance attaches to the equality of Saunders' UK rates per head of labour force since, as explained in his text, equality of productivity in the two periods is his basic assumption. The general impression from the table is that while high rates of increase in 1950–1960 are to remain high and low rates low, the two countries with highest rates in 1950–1960, Western Germany and Italy, anticipate falls in these rates during the next decade.

EXTRACT FROM THE STATUTES OF THE EUROPEAN SCIENTIFIC ASSOCIATION FOR MEDIUM AND LONG TERM FORECASTING [1])

Name and head office

1) The European Scientific Association for Medium and Long Term Forecasting (ASEPELT) is hereby founded as an International Scientific Association.
The head office of the Association is situated in a commune of Brussels and surroundings. The present address is 49, Rue du Châtelain, Brussels.

Purpose

2) The purpose of the Association is to organise and promote original scientific studies, either on methods of medium and long term economic forecasting and programming, or on the preparation of specific forecasts.
The Association will achieve its purpose:
   a) through exchanges of information between members on their research programmes, the forecasting methods which they use, and the results obtained;
   b) through publication of symposia or collective studies.
   c) through organization of research on forecasting.
3) The Association is composed of associate and corresponding members.
4) New associate members will be chosen among persons:
   — residing in Europe,
   — of university or equivalent status,
   — whose main employment is not in national or international official organizations,
   — known for their publications in the field of activity of the Association.
5) Corresponding members may belong to two categories:
   a) Those of category A are persons of the same scientific standing as associate members, but whose principal employment is either
      — in official economic organizations located in Europe and engaged in medium and long term forecasting,
      — or in international organizations concerned with European problems.
      Members of category A engage in the activities of the organization in a personal capacity.
   b) Members of category B are official economic organizations located in Europe and dealing with medium and long term forecasting or international organization concerned with European problems.
6) New associate and corresponding members will be elected by secret ballot and on a two thirds majority of associate members present.
7) Associate members alone have the right to vote at general assemblies. Each associate member has a single vote.

---

[1]) Unofficial English translation of the Statutes published in Annexe au Moniteur Belge, 3 août 1961.

Bureau of the Association

President:	E. S. KIRSCHEN
Vice-Presidents:	T. BARNA
	V. CAO-PINNA
Representative of corresponding members:	R. REGUL
Secretary:	J. WAELBROECK

LIST OF MEMBERS OF THE EUROPEAN ASSOCIATION FOR MEDIUM AND LONG TERM ECONOMIC FORECASTING
(on December 31 1961)

A. Associate Members

H. Aujac	Bureau d'Information et de Prévisions économiques (B.I.P.E.) Paris.
T. Barna	National Institute for Economic and Social Research, London.
W. Bauer	Rheinisch-Westfälisches Institut für Wirtschaftsforschung, Essen.
J. Benard	Centre d'Etudes pour la Prospection Economique à Moyen et Long Terme (C.E.P.R.E.L.), Paris.
R. Bentzel	Industriens Utredningsinstitut, Stockholm.
G. Bombach	Wirtschaftswissenschaftliche Seminare der Universität, Basel.
V. Cao-Pinna	Università di Rome.
E. Dassel	Centre Emile Bernheim pour l'Étude des Affaires, Bruxelles.
B. M. Deakin	Economist Intelligence Unit, London.
R. Frisch	Sosialøkonomisk Institutt, Oslo.
R. C. Geary	The Economic Research Institute, Dublin.
H. Hahn	IFO-Institut für Wirtschaftsforschung, München.
E. S. Kirschen	Département d'Economie Appliquée de l'Université libre de Bruxelles (DULBEA), Bruxelles.
R. Krengel	Deutsches Institut für Wirtschaftsforschung, West-Berlin.
H. Linneman	Nederlandsch Economisch Instituut, Rotterdam.
A. Nataf	Centre de Recherches mathématiques pour la Planification (CERMAP), Paris.
N. Novacco	Associazione per lo Sviluppe dell' Industria nel Mezzogiorno (SVIMEZ), Roma.
R. Stone	Department of Applied Economics, Cambridge.

B. Corresponding Members (Statutes: art. 5 a)

C. Gruson	Ministère des Finances, Paris.
A. Kervyn de Lettenhove	Ministère des Affaires Economiques, Bureau de Programmation Economique, Bruxelles.
P. Millet	Commission Economique pour l'Europe, Bruxelles.
R. Regul	European Coal and Steel Community (C.E.C.A.), Luxembourg.
J. Sandee	Centraal Planbureau, 's-Gravenhage.
R. Wagenfuhr	Office Statistique des Communautés Européennes, Bruxelles.